# Het jaar van de maagden

3348

Catherine Cookson

# Het jaar van de maagden

**Zwarte Beertjes**
**Amsterdam / Utrecht**

*Oorspronkelijke titel:* The Year of the Virgins (Bantam)
© 1993 by Catherine Cookson
*Vertaling:* Annet Mons
© 2005 voor de Nederlandse taal: De Boekerij bv, Amsterdam
*Omslagontwerp/artwork:* Hesseling Design, Ede


Vijfde druk, 2005
ISBN 90 461 2092 9

Dit is een uitgave van De Boekerij bv in samenwerking met Zwarte Beertjes

# Deel een

# 1

'Ik kan m'n oren gewoon niet geloven. Echt niet.'

'Het is anders een heel gewone vraag voor een man om aan zijn zoon te stellen.'

'Wát?'

Daniel Coulson bukte zich om naar het spiegelbeeld van zijn vrouw te kijken; hij zag een rond, plat gezicht waarvan de huid nog even volmaakt was als toen hij eenendertig jaar geleden met haar was getrouwd. Maar dat was alles wat er was overgebleven van het meisje dat hem op zijn negentiende naar het altaar had gekregen, want het blonde haar, dat hoog op haar hoofd was opgemaakt, was gebleekt, en haar ooit mollige, aantrekkelijke lichaam was nu vet en dik en puilde op allerlei plaatsen uit haar tafzijden jurk, een avondjurk met een halslijn die hoog was gehouden, omdat het onfatsoenlijk zou zijn om de huid te tonen die naar haar borsten leidde. Maar iedere hartstocht die die borsten hadden gewekt of hadden moeten wekken, was lang geleden bij hem gestorven. Zijn aandacht was nu gericht op haar ogen: fletse grijze ogen, die af en toe kleurloos leken, behalve zoals nu, als ze kookte van woede. En terwijl hij in die ogen keek, zei hij tandenknarsend: 'Je verwacht dat ik hem in zijn kraag grijp om dat te vragen?'

'Dat zou iedere normale vader aan zijn zoon kunnen vragen. Maar jij bent nou eenmaal nooit een normale vader geweest.'

'Nee, allemachtig! Dat ben ik zéker niet geweest. Ik heb altijd met jou overhoop gelegen, omdat jij hem het liefst in de luiers had gehouden tot hij van school kwam. Je hebt hem de borst gegeven tot iedereen er schande van sprak.'

Ze haalde woest met haar arm uit, zodat ze hem met haar elleboog in de maag stompte, en hij deed een haastige stap naar achteren en stak afwerend zijn hand op, want ze had het deksel van een zware glazen poederschaal gepakt en hield dit omhoog, klaar om te gooien. 'Als je dat doet, mens,' gromde hij, 'zal ik je zo'n harde klap in je gezicht geven dat je een excuus hebt om niet bij de trouwerij aanwezig te kunnen zijn.'

Toen hij zag hoe haar hand langzaam weer openging en het deksel op de kaptafel liet vallen, rechtte hij zijn rug en zei grimmig: 'Je kunt de gedachte niet verdragen dat je hem kwijt gaat raken, hè? Ook al is het aan de dochter van je beste vriendin. Je hebt geprobeerd haar aan Joe te koppelen, hè? Maar ze was haar schoolmeisjesbevlieging te boven en ze wilde Don. En ik kan je wel vertellen dat ik ervoor heb gezorgd dat ze kreeg wat ze wilde, en wat Don wilde. Maar als ze een ander had gewild dan Don, had ik Joe uitgekozen.'

'O ja, dan had jij Joe gekozen. Je hebt me eerst met een achterlijk kind opgezadeld, en daarna heb je me ook nog eens overgehaald om een kind te adopteren…'

'Allemachtig!' Hij bracht zijn hand naar zijn hoofd, wendde zich van haar af en liep door de lange, met dik tapijt belegde kamer naar het hemelbed, een bed waar hij meer dan vijftien jaar niet meer in had geslapen, en sloeg met zijn hoofd tegen de gedraaide zuil van een van de pilaren. Toen het stil werd in de kamer, draaide hij zich langzaam om; hij liep echter niet naar haar toe, maar bleef haar lang aankijken voor hij zei: 'Heb ík jóú overgehaald om een kind te adopteren? Het was anders niet míjn vader die in een inrichting is geëindigd.'

Toen hij haar gezicht zag vertrekken, zei hij tegen zichzelf dat hij moest ophouden, dat hij te ver was gegaan, dat het wreed was. Maar de wreedheid kwam niet alleen van zijn kant. Nee. Allemachtig! Nee. Als ze een gewone, normale vrouw was geweest, in plaats van een godsdienstmaniak en een bijna onfatsoenlijk bezitterige moeder, had hij nu niet de schande hoeven dragen van sommige dingen die hij vanwege zijn behoeften had gedaan; en allemaal in het geniep, want je mocht je gezicht niet verliezen tegenover de gemeenschap, de gemeenschap van de kerk en de priesters die op bezoek kwamen en de nonnen in het klooster en de kinderen van Maria en de vrome clubjes en alle toestanden waar je aan mee moest doen…

Hij moest hier weg. Hij had een borrel nodig. Hij zuchtte lang en diep. Nee, dat kon hij maar beter niet doen; hij moest maar wachten tot er meer mensen waren, want als hij te vroeg begon, zou zijn tong met hem aan de haal gaan.

Hij liep door de kamer naar de verste deur, toen haar stem krijste: 'Je bent een ordinaire, onopgevoede pummel, net als je vader, net als dat hele stelletje bij jou thuis.'

Hij bleef niet staan maar liep naar buiten, waarbij hij de deur achter zich dichttrok. Eenmaal op de brede overloop bleef hij staan en deed zijn ogen dicht. Het was echt schokkend, nietwaar? Gewoon verbijsterend dat zij hem een ordinaire en onopgevoede pummel noemde, terwijl ze zelf uit de ergste achterbuurt van Fellburn kwam! Hij herinnerde zich nog maar al te goed die dag dat ze naar het kantoor was gekomen omdat ze een baan zocht. Ze was vijftien, en Jane Broderick had haar in dienst genomen. Maar na drie maanden had Jane gezegd: 'Ze brengt er niets van terecht, ze zal nooit leren typen. Het enige waar zij goed in is, is zich aanstellen, zich houdingen aanmeten. Ze zou misschien een goede receptioniste kunnen zijn, maar dit is een schroothandel.' Maar zijn vader had gezegd: 'Geef dat kind een kans. Je zei dat ze een goed handschrift had, dus laat haar bestellingen inschrijven en zo.' En zijn vader had zich bijna dood gelachen toen ze ontdekten dat ze spraaklessen nam bij een gepensioneerde onderwijzer in het dorp. Ongeveer vanaf die tijd was hij zelf gaan denken dat er misschien toch meer in haar school, dat ze anders was. En reken maar dat hij had ontdekt hóé anders ze was! Maar er was één ding dat hij haar moest nageven: haar spraaklessen waren haar goed van pas gekomen, want ze wist zich in elk gezelschap te handhaven. Toch koos ze haar kennissen heel kritisch, gewone arbeiders waren voor haar geen acceptabele kennissen. Kijk maar hoe ze dikke mik was geworden met Janet Allison, hoewel de Allisons niet in zo'n verdomd groot huis als dit woonden. Ze waren gewoon brave rooms-katholieken uit de middenklasse. Jawel. Winnie zou zich niet met protestanten hebben ingelaten, ook al hadden die wél een titel gehad. Ze was in elk geval trouw aan één ding, en dat was haar geloof.

Hij ging langzaam de trap af, en toen hij door de hal liep, ging de deur aan de andere kant open, en daar stond Joe, zijn aangenomen zoon.

Joe was net zo lang als hij, en ze leken veel op elkaar, alleen was zijn haar zwart, niet alleen maar donker, en zijn ogen waren warmbruin, niet blauw. Daniel was er altijd trots op geweest dat Joe op hem leek, want hij had hem nog meer als zoon beschouwd dan Stephen, of zelfs Don.

Toen hij naar hem toe liep, keek hij naar de twee boeken die Joe in zijn hand had, en hij zei: 'Wat is dit? Moet er 's nachts ook nog gewerkt worden?'

'Nee, dat niet. Ik wilde alleen maar iets opzoeken.' Ze keken elkaar even aan, en toen zei Joe: 'Problemen?'

'Hoe bedoel je, problemen?'

'Nou, je bent het misschien vergeten, maar de slaapkamer is pal boven de bibliotheek. Het is wel een hoog plafond,' hij gebaarde met zijn hoofd naar achteren, 'maar het is niet bepaald geluiddicht.'

Daniel drong zich langs hem heen om naar de bibliotheek te gaan, en hij zei over zijn schouder: 'Heb je één minuut?'

'Ja, net zoveel als je nodig hebt.'

Joe deed de deur achter zich dicht en liep toen achter Daniel door de kamer naar een diepe leren bank die tegenover een groot raam stond dat uitkeek over de tuin. Maar toen de man die hij als zijn vader beschouwde, niet ging zitten maar naar het raam liep en daar met een hand tegen het kozijn geleund bleef staan, liep hij naar hem toe en zei: 'Wat is er aan de hand?'

'Je zult het niet kunnen geloven.' Daniel draaide zich naar hem om. 'Je zult niet kunnen geloven wat ze me heeft gevraagd om met Don te bespreken.'

'Nee, ik heb echt geen idee.'

Daniel wendde zich van het raam af, liep naar de bank en liet zich erop neervallen. Toen boog hij zich naar voren, legde zijn ellebogen op zijn knieën, staarde naar de glimmende parketvloer en zei: 'Ze eist dat ik Don vraag of hij nog máágd is!'

Toen er geen commentaar kwam van Joe, keek Daniel naar hem op en zei: 'En, wat heb je daarop te zeggen?'

Joe schudde zijn hoofd en zei: 'Wat kan ik zeggen? Niets, behalve vragen wat je denkt dat zij zou doen als je haar antwoordde dat hij dat niet meer is.'

'Wat zij zou doen? Ik weet het niet, geen idee. Ze zou waarschijnlijk iets heel idioots doen, misschien zelfs proberen de trouwerij tegen te houden, te zeggen dat hij niet geschikt was om met zo'n zuiver meisje als Annie te trouwen, of Annette, zoals haar moeder haar per se wil noemen. Die mensen! Of ze zou proberen hem mee te slepen naar kapelaan Cody. Nee, niet naar pastoor Ramshaw, die zou haar waarschijnlijk alleen maar in haar gezicht uitlachen. Maar die schreeuwerd van een Cody zou waarschijnlijk Johannes de Doper aanroepen om haar zoon van zijn zonden te reinigen.'

'O, pa.' Joe sloeg een hand tegen zijn mond. 'Je bent heel grappig, weet je.'

'Jongen, ik kan tegenwoordig niets grappigs zien in wat ik doe of zeg. Om je de waarheid te zeggen – en dat kan ik alleen tegen jou en tegen één ander iemand – ik ben aan het eind van mijn Latijn. Ik ben twee keer eerder bij haar weggegaan, zoals je weet, maar ze heeft me elke keer weer terug weten te halen, door een beroep te doen op mijn medelijden en plichtsbesef, maar als ik deze keer ga, trek ik me niets meer aan van al haar tranen en dreigementen met zelfmoord en gedoe over het welzijn van de kinderen… Kinderen!' Hij wees naar Joe. 'Kijk jou nou eens. Je was twintig toen ze jou voor het laatst bij de kinderen noemde. Dat was vijf jaar geleden, en ze had haar kind nog steeds bij zich, want ze beschouwde Don, op zijn zestiende, nog steeds als een kind. Het is een wonder dat het zo'n goeie kerel is geworden, vind je niet?'

'Ja, ja, dat denk ik wel, pa. En hij is écht een fatsoenlijke kerel. Maar… heb jij wel eens bedacht wat er van Stephen zou worden als je ging? Want hij is iemand die levenslang een kind zal blijven. Je hebt dit al lang geleden onder ogen moeten zien. En je kunt echt niet verwachten dat Maggie hem in huis neemt als er niemand anders is. En als jij weggaat, weet je wat mam met hem zou doen; ze heeft daar al vaak genoeg mee gedreigd.'

Daniel kwam abrupt van de bank overeind en zei, met opgetrokken schouders: 'Hou op. Hou op. Stephen zal nooit naar een inrichting worden gestuurd, daar zal ik wel voor zorgen. Maar ik weet één ding wel: ik kan hier niet meer tegen.' Hij ging wijdbeens staan, spreidde zijn armen en zei: 'Kijk hier nou eens! Een verdomd mooie kamer, vol boeken die, behalve door jou, door niemand worden gelezen. Allemaal voor de show. Achtentwintig kamers, jouw prehistorische dependance niet meegerekend. Stallen voor acht paarden; maar er zit zelfs geen hónd in. Ze houdt niet van honden, ze wil alleen maar katten. Drie hectare land en een poortwoning. En waarvoor? Om vijf mensen aan het werk te houden, één voor ieder van ons. Ik heb vijftien jaar in dit huis gewoond, maar het is zeventien jaar geleden dat ik 't heb gekocht, en ik heb het alleen gekocht omdat het zo verdomde goedkoop was. Er was ergens in de buurt een tijdbom afgegaan, en er hadden soldaten in gezeten, dus de eigenaars waren blij ervan af te kunnen. Gek is dat. Ze kwamen uit een oude familie, met een stamboom van meer dan tweehonderd jaar, maar ze vonden het geen punt om hun huis te verkopen aan een voddenraper die zijn geld had verdiend aan het oude schroot dat nodig was om andere mensen te kunnen doden.' Hij knikte. 'Zo heb ik er altijd tegenaan gekeken, want toen mijn pa en die ouwe Jane Broderick tegen het eind van de oorlog samen in de fabriek werden opgeblazen, dacht ik dat het een soort vergelding was. En toch is het vreemd, weet je, want ook al was het goedkoop, toch wist ik meteen dat ik het hebben wilde, zodra ik het zag. Ik kan dat je moeder niet kwalijk nemen, want zij wilde het net als ik meteen hebben, en ze besteedde met alle genoegen een fortuin aan de inrichting. En hoe ze eraan kwam weet ik niet, maar ik moet haar nageven dat ze smaak heeft op het gebied van inrichten. Het is raar, weet je, jongen, maar dit huis wil míj niet.'

'Kom op, zeg.' Joe gaf Daniel een por tegen de schouder. 'Maak het een beetje. Je fantasie speelt je gewoon parten.'

'Echt niet. Ik voel zulke dingen heel sterk aan. De oorlog had ons allemaal gelijk moeten maken. Poeh! Maar dit soort oude huizen is net als die ouwe, doorgewinterde landadel: je wordt erdoor op je plaats gewezen, en mijn plaats is duidelijk niet hier.'

Voor de eerste keer verscheen er een glimlach op zijn gezicht. Hij draaide zich om, keek weer door het raam en zei: 'Weet je nog ons eerste echte huis, dat huis aan de voet van Brampton Hill? Het was een prachtig huis, echt waar. Gezellig, een echt thuis, met een mooie tuin waar je niet meteen in verdwaalde. Weet je 't nog?' Hij keek Joe aan. Deze knikte en zei: 'O jawel. Ja, ik weet het nog goed.'

'Maar toch houd je van dit huis?'

'Ja, ik vind 't een fijn huis. Ik houd ervan. Hoewel ik moet zeggen dat ik nooit heb begrepen wat dat "cill" betekent in Wearcill House. Ja, ik heb het altijd een leuk huis gevonden, hoewel ik ook begrijp wat je bedoelt. Er is één ding waar ik je op moet wijzen, pa: je boft, weet je, dat er maar vijf mensen voor nodig zijn om dit huis te onderhouden, en dat is dan voor binnen en buiten. Toen de Blackburns hier woonden, hadden ze naar verluidt alleen binnen al twaalf bedienden. En zij hadden maar drie zonen en een dochter.'

'Jawel, drie zonen, en die zijn allemaal in de oorlog gesneuveld.'

'Kom op, pa, een beetje vrolijk blijven, hoor. Weet je wat

jij moet doen?' Hij gaf zijn vader weer een por tegen de schouder. 'Vooruit, ga jij maar eens aan Don vragen of hij nog nooit met een vrouw naar bed is geweest.'

Toen Daniel Joe zag schudden van het lachen, begon hij ook te grinniken en zei, heel typerend voor hem: 'Loop verdomme naar de hel, jij! Zo gek zal ik nooit zijn. Hoe dan ook,' – hij boog zijn hoofd dichter naar Joe toe – 'denk jij dat hij nog maagd is?'

'Ik heb geen flauw idee. Maar aan de andere kant... ja, ik denk van wel, ja.'

'Ik weet 't zo net nog niet. Waar zit hij trouwens?'

'De laatste keer dat ik 'm zag was hij in de biljartkamer, waar hij voor de zoveelste keer van Stephen dreigde te verliezen. Hij is altijd heel lief voor hem.'

'Ja, zeg dat wel. En dat is ook weer zoiets waar ze maar niet over uit kan: dat haar lammetje altijd tijd heeft gehad voor haar achtergebleven, gehandicapte eerstgeborene. Ach, kom mee.'

Ze liepen samen de bibliotheek uit, staken de hal over naar waar een gang langs een brede, ruime trap liep, en aan het eind van de gang deed Joe de deur open en verklaarde luidkeels tegen de twee mensen die bij het biljart stonden: 'Ik wist wel dat jullie hier zaten. Jullie lopen weer je tijd te verlummelen. Jullie zitten onder het krijt, terwijl de visite binnen' – hij keek even op zijn horloge – 'twintig minuten hier is.'

'Joe! Joe! Ik heb van hem gewonnen. Echt waar. Ik heb weer van hem gewonnen.'

Joe liep om het grote biljart heen naar een man die bijna net zo lang was als hij, een man van dertig, met een goedgebouwd lichaam en een bos bruin, weerbarstig haar, maar met daaronder het gezicht van een jongen, een knappe jongen. Alleen de ogen wezen erop dat er iets niet helemaal normaal aan hem was. De ogen waren blauw, net als die van zijn vader, maar het was een bleek, flakkerend blauw. Het was alsof die ogen de hele omgeving tegelijk in zich op wilden nemen. Toch waren er momenten dat het geflakker ophield, wanneer zijn geest rondtastte naar iets wat hij kon opvangen, maar slechts even kon vasthouden.

'Ik… ik heb een serie van… zeven gemaakt. Hè, Don?'

'Ja, dat klopt. En hij heeft mij gedwongen mijn witte in de zak te stoten.'

'Asjemenou!' zei Daniel. 'Heeft-ie jou gedwongen je witte in de zak te stoten, Don? Dan word jij steeds slechter.'

'Nou, hij is gewoon te goed voor me; en het is niet eerlijk, hij wint altijd.'

'Ik… ik zal jou de volgende keer laten winnen, Don. Echt waar, dat zal ik doen. Dat beloof ik. Eerlijk waar.'

'Ik zal je eraan houden, hoor.'

'Ja, Don. Doe dat.'

Stephen greep naar zijn hals, trok zijn vlinderstrik opzij en zei tegen zijn vader: 'Dat ding doet me pijn, pa.'

'Onzin. Onzin.' Daniel liep naar hem toe en trok de strik recht.

'Pa?'

'Ja, Stephen?'

'Mag ik naar de keuken, naar Maggie?'

'Maar je weet toch dat Maggie druk bezig is met het eten?'

'Dan ga ik naar Lily.'

'Niet nu, Stephen, we gaan niet weer van voren af aan beginnen. Je weet hoe de volgorde is. Je zegt tegen meneer en mevrouw Preston en meneer en mevrouw Bowbent: "Hoe gaat het met u?" En natuurlijk ook tegen oom en tante Allison en Annie… Annette. En als je dat hebt gedaan en even met Annette hebt gepraat, zoals je dat altijd doet, kun je naar boven gaan en dan zal Lily je je eten brengen.'

'Pa.' Don wenkte zijn vader toen die zich omdraaide. Hij liep door de kamer naar de open haard waarin een houtvuurtje brandde, en toen Daniel zich bij hem voegde, bukte hij zich en raapte een blok op, legde dit op het vuur, en mompelde: 'Laat hem naar boven gaan, pa, hij heeft weer een ongelukje gehad.'

'Erg?'

'Nee, alleen maar een beetje nat. Maar hij staat stijf van de zenuwen.' Hij kwam overeind en keek zijn vader aan. 'Het is heel moeilijk voor hem. Ik begrijp echt niet waarom je hem wilt dwingen.'

Daniel duwde het blok met zijn voet verder in de vlammen en zei: 'Dat weet je maar al te goed, Don. Ik ben niet van plan hem te verstoppen alsof hij een idioot is, want hij ís geen idioot. Dat weten we allemaal.'

'Maar het is niet eerlijk tegenover hem, pa. Laat hem vanavond gaan. Het zou mam alleen maar overstuur maken als hij weer een ongelukje kreeg, en dan nog wel bij het bezoek van vanavond. Dat is al eerder gebeurd, dat weet jij ook.'

'Dat is al lang geleden. Hij is nu een stuk beter.'

'Pa, alsjeblieft!'

Vader en zoon bleven elkaar aan staan kijken. Geen van beiden zei iets, ook al vormde Joes stem op de achtergrond een barricade waarachter ze konden praten. Toen zei Don: 'Beschouw het maar als een extra huwelijkscadeau voor me.'

'Ach jij! Ben je soms niet tevreden met alles wat je hebt gekregen?'

'O pa, dat moet je niet zeggen. Ik heb je zelf verteld hoe dankbaar ik ben. Ik kan het gewoon niet geloven, een huis voor onszelf, en dan nog wel zo'n groot huis. En…' Hij zweeg even terwijl hij zijn vader diep in de ogen keek. Toen voegde hij eraan toe: 'Op veilige afstand.'

'Jawel, jongen, op veilige afstand. Maar er is één ding dat ik moet zeggen. Snijd haar niet helemaal af. Nodig haar vaak uit en kom hier terug wanneer je maar kunt.'

'Dat zal ik doen. Ja, dat zal ik doen. En dan nog dit, pa, dank je wel voor alles, vooral omdat je me erdoorheen hebt geholpen.'

Hij legde niet uit waardoorheen, en Daniel hoefde het ook niet te vragen. Ze wisten het allebei. Daniel draaide zich snel om, liep naar Stephen toe en riep: 'Oké! Je hebt me weer weten over te halen. Je bent niet alleen goed in biljar-

ten, je kunt ook goed mensen omkletsen. Maak dat je wegkomt, ga naar je kamer; ik zal Lily naar je toe sturen.'

'Hoeft niet, pa.' Joe sloeg een arm om de schouders van
Stephen. 'We moeten dit even duidelijk stellen: hij steunt
Sunderland tegen Newcastle. Heb je het ooit zo zout gegeten? Kom op, jij! Laten we dit eens goed uitpraten.' En
daarop verlieten de twee lange mannen de kamer, waarbij
Stephen zijn arm om Joes middel had geslagen en er een blij
gegrinnik uit zijn keel opsteeg.

Nu ze alleen waren achtergebleven en alle gelegenheid
hadden om verder te praten, schenen vader en zoon elkaar
opeens niets meer te vertellen te hebben, tot Don vroeg:
'Zin in een spelletje, pa? We hebben nog een kwartier; ze
komen altijd precies op tijd, nooit te vroeg.'

'Nee, dank je, Don. Ik kan maar beter even naar de keuken glippen en Maggie vragen of zij iets naar boven kan sturen voordat wij aan tafel gaan.' En hierop draaide hij zich
om en liep abrupt de kamer uit.

Een met groen laken beklede tochtdeur leidde vanaf de
hal naar de keukenafdeling. Hij had de grote keuken laten
moderniseren door er een Aga-fornuis in te laten zetten,
maar hij had de oude schouw en ovens gehandhaafd, en die
werden nog steeds gebruikt om uitstekend brood in te bak-
ken. Het was een aantrekkelijke keuken, met een lange
houten tafel, een servieskast langs de ene muur en een
buffet langs de andere, en een dubbele gootsteen onder een
laag, breed raam dat uitkeek over de binnenplaats. Er was
een grote, marmeren provisiekamer, en daarnaast een deur
die naar een houtopslagplaats leidde, en hiervandaan naar
een groot, glazen portaal, waar jassen en hoeden hingen,
met aan één kant een groot laarzenrek.

In de keuken heerste grote bedrijvigheid. Maggie Doherty, een vrouw van zevenendertig, stond aan de tafel met ker-
sen en aardbeien een trifle te versieren, die al met slagroom
was volgespoten. Ze keek even op toen Daniel binnenkwam en zei glimlachend:'Ze kunnen elk moment hier zijn.'

'Jawel, ja, ze kunnen er elk moment zijn... Dat ziet er

mooi uit. Ik hoop dat het net zo lekker smaakt als het eruitziet.'

'Dat moet wel, ik heb er een halve fles sherry doorheen gedaan.'

'Lieve help, dat moeten we maar niet tegen Madge Preston zeggen, hè?'

'Zeg maar dat het keukensherry is. Dat schijnt bij sommige mensen een groot verschil te maken, daar heb je gewoon geen idee van.'

'Ja hoor, toch wel. Eten we vanavond eend?'

'Ja, met de gebruikelijke sinaasappelvulling en alles wat erbij hoort.'

'Wat voor soep?'

'Vichyssoise.'

'O ja? Wat chic!'

'Of garnalencocktail.'

'Die zal Betty Bowbent wel willen.'

Hij bleef even staan kijken hoe Maggies handen de finishing touch op de trifle aanbrachten, en zei toen: 'Ik heb Stephen naar boven gestuurd. Hij heeft vandaag geen goede dag gehad, heb ik begrepen. Wil jij ervoor zorgen dat hij iets te eten krijgt?'

Maggie Doherty richtte haar ogen even op hem, keek toen weer omlaag naar de trifle en zei: 'God mag weten waarom je hem steeds weer wilt vertonen. Hij vindt het vreselijk om vreemden te ontmoeten. Hoe kun je dat toch steeds weer doen?'

'Maggie, daar hebben we het al eerder over gehad, het is voor zijn eigen bestwil.'

Toen de bovenkant van de trifle klaar was, pakte ze een vochtige doek van de tafel en terwijl ze haar handen eraan afveegde, zei hij op gedempte toon: 'Begin jij me in godsnaam niet ook nog eens de les te lezen, Maggie, want het is me het dagje wél geweest. Ik heb net een andere ruzie achter de rug.'

Ze keek weer naar hem op, maar haar blik was vriendelijk toen ze zei: 'Je weet wel beter.' Daarna draaide ze zich om en riep naar een jonge vrouw die zojuist de keuken was binnengekomen: 'Peggie, maak jij een dienblad met eten klaar voor jongeheer Stephen en breng dat naar boven. Je weet zelf wel wat hij lekker vindt.' En ze voegde eraan toe: 'Is op de tafel alles in orde?' Peggie Danish antwoordde: 'Ja, juffrouw Doherty. Lily heeft net het bloemstuk neergezet, het ziet er beeldschoon uit.'

Hierop zei Maggie: 'Nou, laten we dan maar eens gaan kijken of ik dat ook vind.' Maar ze glimlachte naar de jonge vrouw. Daarna deed ze haar witte schort af, streek haar haar glad en liep de keuken uit. Daniel volgde haar. Maar eenmaal in de gang bleven ze allebei staan en hij keek naar haar gezicht, dat knap noch lelijk was, maar een zachte vriendelijkheid uitstraalde, en hij zei: 'Het spijt me, Maggie, het spijt me uit de grond van m'n hart.'

'Doe niet zo mal. Ik heb er heel lang op gewacht en ik voel me niet brutaal als ik dat zeg.'

'Ach, Maggie, maar dat na twintig jaar, terwijl ik je vader had kunnen zijn.'

'Poeh! Ik heb jou nooit als een vader gezien, Dan. Grappig is dat' – ze lachte zacht – 'om jou Dan te noemen.'

'Dus je gaat niet weg?'

'Nee.' Ze wendde haar ogen van hem af en keek de gang in. 'Ik heb er wel over gedacht, en toen wist ik dat ik 't niet kon. Maar ik zal wel op m'n tellen moeten passen. En dat zal heel moeilijk zijn, want als zij me uit de hoogte behandelt, krijg ik altijd de behoefte om haar eens flink de waarheid te zeggen en m'n biezen te pakken. Ik heb in het begin nooit geweten waarom ik ben gebleven' – ze keek hem weer aan – 'en toen ik het wel wist, begreep ik dat ik hier zou blijven. Maar ik had nooit gedacht dat het voor twintig jaar zou zijn. In het begin verbeeldde ik me dat het om Stephen was, omdat hij zo hulpeloos was en liefde nodig had. En dat heeft hij nog steeds nodig' – ze knikte hem toe – 'meer dan een van ons beseft.'

'Dat zou ik niet zeggen, Maggie.'

Toen ze zich abrupt omdraaide, greep hij haar bij de arm

en wilde zeggen: 'Maak je maar geen zorgen; het zal niet weer gebeuren.' Maar ze legde hem bij voorbaat het zwijgen op door hem aan te kijken en te zeggen: 'Zoals je al jaren weet, ga ik op m'n vrije dag naar m'n nicht Helen. Je weet vast nog wel dat ze op Bowick Road nummer tweeënveertig woont.' Ze maakte even een gebaar met haar hoofd, en liep toen bij hem vandaan, waarbij ze hem liet staan waar ze hem had achtergelaten, terwijl hij zijn tanden in zijn onderlip zette.

# 2

Het diner was afgelopen. De gasten hadden de maaltijd veel lof toegezwaaid en Winifred gefeliciteerd met haar prestatie, en ze hadden haar opnieuw verteld hoezeer ze bofte met een kokkin als Maggie Doherty.

Zoals gewoonlijk hadden de vrouwen de mannen in de eetkamer achtergelaten, met hun sigaren en port, en waren naar de salon verhuisd. Dit was een gebruik dat Winifred had ingevoerd toen ze in dit huis waren komen wonen, en Daniel had eerst moeten lachen om dit na-apen van een gebruik uit voorbije tijden.

Annette Allison ging op de rechte stoel naast de vleugel zitten en keek van haar moeder naar haar toekomstige schoonmoeder en toen van Madge Preston naar Betty Bowbent, terwijl ze bij zichzelf zei, zonder haar gedachten bewust in een gebed om te zetten: 'Lieve God, laat me niet net zoals zij worden.' Ze wees zichzelf niet terecht om dit soort gedachten en ze zei ook niet tegen zichzelf dat ze de volgende keer dat ze haar geweten onderzocht boete moest doen voor haar onbarmhartigheid jegens anderen, vooral om haar wens dat ze niet net als haar moeder zou worden; maar ze had dit wel horen te doen, aangezien ze in een klooster was opgevoed en vanaf haar vijfde door de nonnen was afgericht, zodat zulke ideeën haar een gruwel hadden horen te zijn.

Haar gedachten dwaalden af naar Don, maar ze wist dat haar vanavond niet meer dan vijf minuten privacy met hem gegund zouden zijn. Niet alleen haar eigen moeder was als een gevangenbewaarder, die van Don was het ook. Ja, echt waar. Als ze aan Dons moeder dacht, werd ze een beetje bang voor de toekomst, want als ze eenmaal getrouwd was en de status van echtgenote had, wist ze niet zeker of ze haar gevoelens zou kunnen verbergen of haar tong zou kunnen bedwingen.

Toen ze mevrouw Bowbent de naam Maria hoorde noemen, en haar moeder snel hoorde zeggen: 'Zou het niet fijn zijn als we het weer voor volgende week zaterdag konden bestellen?' zag ze een mogelijkheid om te ontsnappen, en ze stond op en zei tegen Winifred: 'Hebt u er bezwaar tegen als ik even een praatje ga maken met Stephen?'

Na een korte aarzeling glimlachte Winifred en antwoordde: 'Nee, nee, helemaal niet, Annette. Hij zal het heel leuk vinden om je te zien.' De vier vrouwen keken Annette na. Toen richtte Madge Preston zich tot Janet Allison en zei: 'Waarom is dat onderwerp toch zo taboe, Janet? Ze weet er alles van, iedereen weet het feitelijk.'

'Nee, niet waar.' Janet Allison steigerde bijna in haar stoel. 'En ze zijn trouwens toch al verhuisd?'

'Ja, maar pas toen Maria's dikke buik niet langer verborgen kon worden.'

'O Madge, doe toch niet zo grof.'

'Doe jij niet zo preuts, Janet. Stel dat er zoiets met Annette was gebeurd?'

Janet Allison kwam overeind en zei: 'Deze keer ben je echt te ver gegaan, Madge.'

'O, ga toch zitten, Janet. Het spijt me. Het spijt me.'

Winifred had niets gezegd tijdens deze woordenwisseling, maar nu legde ze haar hand op Janets arm en zei rustig: 'Ga toch zitten, Janet, alsjeblieft, dan praten we nu over iets anders. Dit is allemaal heel akelig.' En ze wierp een blik op Madge en maakte een klein, verwijtend gebaar met haar hoofd. Toen keek ze naar de deur en zei: 'Ach, daar komen de heren,' en ze liet zich weer zwaar in haar stoel zakken, waarbij ze Janet Allison zo ongeveer mee omlaagtrok in haar stoel.

Ze kwamen op een rijtje de kamer in, met Daniel voorop: John Preston, rond, grijs en glimlachend; Harry Bowbent, mager en slungelig, met een uiterlijk als van een oude aarts-vader; daarna de lange, indrukwekkende, gezette gestalte van James Allison. Joe kwam als laatste binnen en deed de deur achter zich dicht. Toen hij langs Winifred liep, draaide ze zich moeizaam om in haar stoel en vroeg hem, onder dekking van al het gepraat van de anderen: 'Waar is Don?'

'O, die is even naar boven gegaan om Stephen welterusten te wensen.'

Ze moest zich bedwingen om niet overeind te springen, maar toen ze haar hoofd opzij draaide, zag ze hoe de ogen van Janet Allison scherp op haar gericht waren, en ze begreep dat ze allebei hetzelfde dachten...

In Stephens zitkamer op de tweede verdieping stonden Don en Annette in elkaars armen verstrengeld. Toen hun lippen elkaar loslieten, zei Don: 'Ik heb het gevoel dat ik geen minuut meer zonder jou kan leven.' En zij antwoordde: 'Ik ook, Don. Vooral nu.'

'Ja, vooral nu.' Hij nam haar gezicht in zijn handen en zei: 'Kun jij je voorstellen dat er één stel is dat net zulke moeders heeft als wij?'

'Nee, dat kan ik niet, en ik word soms overmand door schuldgevoelens. Maar jij hebt nog geluk, jij hebt je vader aan je kant, terwijl ik er twee heb om tegenop te moeten boksen. En weet je, de enige reden waarom ik hier alleen naar boven mocht gaan, was omdat de dames voor de zoveelste keer over Maria Tollett dreigden te beginnen. Echt, Don, die arme Maria. En ze was altijd zo'n stil, verlegen meisje. Ik zou er zo twintig kunnen noemen die hetzelfde zouden kunnen hebben gedaan, maar niet Maria. Maar Maria heeft 't wel gedaan, en toen moesten haar ouders haar meenemen en ergens verbergen, vanwege de schande. Ik dacht dat we in een nieuwe wereld leefden, in een nieuw tijdperk, en dat dit soort dingen niet in 1960 konden gebeuren. Maar ik denk dat zolang er mensen als jouw en mijn moeder zijn, zulke dingen nog tot het eind van de eeuw blijven bestaan.'

Plotseling sloeg ze haar armen om zijn nek, drukte hem

stijf tegen zich aan en mompelde met een stem waar de paniek in doorklonk: 'O, God, laat het gauw zaterdag worden.'

'Stil maar, lieverd, stil maar. En denk maar aan straks,' – hij streelde haar haar – 'drie weken in Italië. Maar we moeten natuurlijk wel bij de paus op bezoek, als we daar toch zijn.'

Haar lichaam begon te schudden, haar hoofd schokte tegen zijn schouder, en hoewel hij inwendig ook moest lachen, zei hij: 'Sst! Sst! Als je die lach van jou laat schateren, komen ze met drie treden tegelijk de trap op gerend!'

Er stonden tranen in haar ogen toen ze naar hem opkeek, en ze moest hard slikken voordat ze kon uitbrengen: 'Ik heb plechtig moeten beloven dat we naar Vaticaanstad gaan en iedere morgen de mis bijwonen... allebei.'

'Nee toch zeker!'

'Toch wel.'

'Waarom heb je haar niet eerlijk verteld dat we elke morgen tot twaalf uur in bed gaan liggen rollebollen?'

Ze giechelde en omhelsde hem en zei: 'Ach jij!'

'Hoor eens...' – hij duwde haar een eindje van zich af – 'er komt iemand aan. Ik ga naar hiernaast om te zien of Stephen al slaapt, en dan loop jij naar de deur.' Maar toen hij bij haar vandaan wilde lopen, bleef hij opeens staan, sloeg zijn arm om haar middel en zei: 'Nee, allemachtig, nee! Dat doen we niet. Kom op. Er zijn grenzen, en als ik wat meer gezond verstand had gehad, had ik die al veel eerder bereikt.'

Maar toen ze bij de deur stonden, met uitdagende gezichten, zagen ze Joe, die zacht zei: 'Ik ben de voorhoede van de zoektocht. Kom mee, jullie tweeën, ze willen zo langzamerhand afscheid gaan nemen. Ze zijn allemaal in de kleine zitkamer, waar ze de cadeaus bekijken, maar de gesprekken verlopen wat moeizaam.' Hij keek Annette aan. 'Waren er problemen?' Maar ze schudde haar hoofd en zei: 'Nee, ik heb de weg vrijgemaakt voor nog meer commentaar op Maria Tollett, en het zag ernaar uit dat er tegenstand zou komen van de kant van mevrouw Preston, omdat die een goede vriendin van de familie is.'

'Juist ja. Maar…' – hij knikte hen toe – 'neem een goede raad van me aan en trek allebei je gezicht weer in de plooi, ga niet zo ineengestrengeld naar beneden, want het smeult daar de hele dag al, en we hebben geen behoefte aan een uitslaande brand, nietwaar?'

Ze schoten in de lach, en hij duwde hen voor zich uit, terwijl Don zei: 'Zaterdag. Aanstaande zaterdag!' Waarop Annette antwoordde: 'Amen! Amen!' Maar ze hadden verbaasd opgekeken als ze hadden geweten dat Joe, hun vriend en bondgenoot, al net zo erg naar zaterdag uitkeek als zij, zo niet meer.

Het was net elf uur. Het was stil in huis. Winifred had zich teruggetrokken in haar kamer. Joe en Stephen waren ook boven. Lily was een halfuur geleden naar de poortwoning vertrokken, en Peggie had Daniel goedenacht gewenst voordat ze naar haar zolderkamertje ging. Alleen Maggie was nog in de keuken, en Daniel wist dat hij daar welkom zou zijn, en hij had dat welkom hard nodig. Maar hij kon daar niet aan toegeven, want hij werd innerlijk verscheurd: als hij dat aanmoedigde, wat zou dan het eind zijn? De situatie in huis zou ondragelijk worden, want hij was niet erg goed in het verbergen van zijn gevoelens.

Hij was nog niet moe. Hij was 's avonds nooit moe, dat was hij altijd 's ochtends, wanneer hij moest opstaan.

Hij liep naar de garderobe, haalde een jas van de haak, trok die aan en liep zachtjes het huis uit, over de oprijlaan. Er hing iets herfstachtigs in de lucht; binnenkort zouden ze weer lange, donkere nachten hebben. En deze beschrijving, vond hij, leek veel op zijn leven: één lange, donkere nacht. Maar nu was er een vuur ontstoken en hij verlangde ernaar zich daaraan te warmen. Toch voelde hij zich op een vreemde manier beschaamd over zijn behoefte hieraan.

Langzaam liep hij de oprijlaan af. Hij kon in de verte zien dat de lichten bij de poort nog brandden. Dat betekende dat Bill en Lily nog niet naar bed waren.

Hij was vlak bij de poortwoning toen het hek aan de zijkant openging en Bill White naar buiten stapte, bleef staan, en toen zei: 'U laat me schrikken, meneer.'

'Ik wilde alleen maar even een luchtje scheppen voordat ik naar bed ga, Bill.'

'Uw bezoek is vroeg naar huis.'

'Ja, ja, ze zijn vanavond vroeg vertrokken. Het wordt herfstig, hè? Nog even, en het is weer winter.'

'Jawel, zegt u dat wel, meneer. Ik houd eigenlijk wel van de winter, ik voel me er wel bij: m'n voeten op het haardhek, m'n pijp, en een boek. Op de een of andere manier kan ik 's zomers m'n draai niet zo goed vinden.'

'Nee, nee, dat begrijp ik. Ik denk dat er voor alle seizoenen wel iets te zeggen valt.'

Bill liep nu naast hem naar de open smeedijzeren hekken, waar hoog op beide stenen pilaren een elektrische lamp brandde, met erop een ijzeren kap die het licht tot midden op de weg verspreidde. Ze bleven allebei binnen de hekken staan, en het was stil, tot Bill op bijna fluisterende toon zei: 'Ik moest vandaag door Dale Street rijden, meneer.'

Daniel bleef even roerloos staan. Toen draaide hij langzaam zijn hoofd opzij en keek naar het gezicht dat nu naar hem was gericht, en hij vroeg rustig: 'Moet je daar vaak doorheen rijden, Bill?'

'Twee keer eerder; maar toen snapte ik er niets van.'

'Wanneer was dit? Ik bedoel, dat je er de vorige keer doorheen reed?'

'Vorige week, twee keer.'

'Is dit gewoon iets nieuws? Je... je hebt niet de opdracht gekregen ergens anders naartoe te rijden?'

'Het was iets nieuws, meneer, hoewel ik wel ben ondervraagd.'

Daniel staarde over de weg naar de open weilanden, waar de lampen van de ingang tot net aan toe schenen, en hij dacht: zal ze dan nooit ophouden? En wat een toestand voor deze man naast hem, die gehoor moest geven aan de grillen van zijn mevrouw, terwijl hij zijn baas trouw wilde blijven. Hij had een prop in zijn keel toen hij mompelde: 'Bedankt, Bill.'

'Graag gedaan, meneer.'

Hij stond juist op het punt zich om te draaien en terug te gaan, toen hij een auto hoorde naderen. Hij herkende de auto aan al het gerammel en misbaar, en toen deze vaart minderde bij het hek, liep hij ernaartoe, bukte zich, en zei door het raampje: 'Waarom bent u zo laat nog op stap, meneer pastoor?'

'O, zaken, zoals gewoonlijk. Bezoek gehad?' Hij wees naar de lampen.

'Ja, maar ze zijn nu allemaal weg. Hebt u zin om nog even iets te komen drinken?'

'Als je 't zo vriendelijk vraagt, dan denk ik dat ik dat maar moest doen. Een paar minuten geleden wilde ik alleen nog maar naar bed. Dus spring er maar in!'

Daniel draaide zich even om en riep naar Bill: 'Blijf niet op me wachten, Bill. Ik zorg wel voor de lichten. Goeienacht.'

Terwijl de man riep: 'Goedenacht, meneer', stapte Daniel in de auto en vroeg aan de priester: 'Waar bent u zo laat nog naartoe geweest?'

'Ik ben bij Tommy Kilbride geweest.'

'Toch zeker niet weer! Hij is een echte hypochonder!'

'Dat was hij altijd, maar deze keer niet. Hij weet het zelf nog niet, maar het zal binnen een paar dagen met hem gebeurd zijn. En je kunt 't geloven of niet, maar er zal niemand zo verbaasd zijn als hij, als hij dood blijkt te zijn. Ik wed dat hij zegt: "Hoor eens, dit is allemaal een vergissing; het zit gewoon tussen m'n oren. Dat hebben ze al jarenlang tegen me gezegd. Laat me teruggaan." En weet je wat 't nou is? Het leven kan een mens rare streken leveren. Hij heeft zich ingebeeld dat hij alle ziekten heeft die er maar bestaan, behalve de ziekte die hem stiekem heeft overvallen. Het spijt me voor hem, dat kan ik je wel verzekeren, maar hij heeft 't gewoon aan zichzelf te wijten. Ik bedoel, die verrassing die hem te wachten staat.'

Daniel schoot in de lach. 'Ik wed dat u wenst dat u erbij kon zijn om zijn gezicht te zien als hij aan de hemelpoort staat. En trouwens, u zult zelf ook snel aan de hemelpoort komen te staan als u deze ouwe rammelkast niet van de hand doet.'

'Ik ben absoluut niet van plan Rosie van de hand te doen, dus beledig haar alsjeblieft niet, ze is een goede vriendin van me. Wou je soms dat al die bejaarde dames met oude botten die in alle gewrichten kraken, worden afgevoerd? Hoe dan ook, jij hebt vanavond een feestje gehad, of zo. Hoe is het gegaan?'

'Ach, zoals gewoonlijk.'

'Je zult wel blij zijn als het zaterdag is geweest.'

'Daar spreekt u een waar woord. Reken maar dat ik blij zal zijn. Enne… rij maar niet helemaal met Rosie tot aan de deur, anders gaan er binnen de kortste keren ramen open en moeten we vertellen wat er aan de hand is.'

Een paar minuten later hadden ze zich in de bibliotheek genesteld. Daniel had de blaasbalg op het vuur gezet en dit vlamde vrolijk op, en op een tafeltje tussen de stoelen stonden een karaf met whisky en een fles cognac, twee glazen en een kan water.

Daniel wees naar de fles en zei: 'Ik dacht dat u dit misschien wel eens zou willen proberen. Ik weet dat cognac niet uw drank is, maar dit is iets heel bijzonders. Ik heb het van een oude klant gekregen. Het spul is zo'n veertig of vijftig jaar oud, het is alsof er een engeltje op je tong piest. Ik heb nog nooit zoiets geproefd.' Hij schonk een flinke hoeveelheid in het glas en gaf dit aan de priester. Deze nam een teug, liet die door zijn mond rollen en slikte, waarna hij zijn wenkbrauwen optrok en zei: 'Ja. Allemensen! Zoals je zegt, als een engeltje dat op je tong piest. Maar ik denk dat ik me toch maar aan de whisky houd, want ik zou niet graag een voorliefde voor dit spul willen ontwikkelen, ik zou in staat zijn om de armenkas te plunderen…' Hij leunde achterover in de lage stoel en zei zacht: 'Hè, dit is lekker. Dit is een prachtig huis, weet je. Ik weet nog goed toen ik hier voor het eerst kwam, in de week dat ik in Fellburn arriveerde. De Blackburns waren zwaar van het houtje, om zo te zeggen, en ze waren nooit royaal met de fles. Een kop thee of een kop koffie, en dan ook nog eens van het waterige soort, was alles wat je werd aangeboden. Ze zaten natuurlijk krap bij kas; er is veel geld voor nodig om je staande te houden, vooral als je van paarden houdt.'

'Neemt u dat maar van mij aan, ook zonder paarden.'

'Dat zal best.' De priester gaf Daniel een por tegen de schouder. 'Ik neem 't meteen van je aan. Maar hoe staat het leven verder? Jouw leven, bedoel ik.'

'Zo slecht als het maar kan zijn.'

'Is het zó slecht? Vertel eens.'

'Ach, ik denk niet dat het de bedoeling is dat ik hier midden in de nacht ga zitten biechten; in elk geval niet nu u net bij de ouwe Tommy bent geweest. En u zult er vandaag al heel wat hebben gehoord.'

'Ik sta altijd open voor een biecht. Maar het hoeft geen echte biecht te zijn, gewoon een rustig gesprek. Wat zit je dwars, afgezien van alle dingen die ik al weet? Je bent trouwens in geen weken meer komen biechten, klopt dat?'

Daniel nam zijn gebruikelijke houding aan, van als hij het moeilijk had, met zijn ellebogen op zijn knieën, zijn handen ineengeslagen, en hij staarde in het vuur terwijl hij rustig zei: 'Ik heb een verhouding met een andere vrouw.'

'Allemachtig, man! Vertel me eens iets wat ik niet weet!'

Daniel keek de priester aan en zei: 'Het is niet een van dat soort.'

'Met wat voor ander soort kun je het dan nog aanleggen?'

'Er zijn ook goede vrouwen, eerwaarde.'

'Daniel, dacht jij dat je een priester van vierenzestig de feiten van het leven nog kon bijbrengen? Wat jij schijnt te vergeten – en velen met jou – is dat wij ook mannen zijn, en dat sommigen van ons niet altijd priester zijn geweest. Ikzelf, bijvoorbeeld, ben me pas op m'n vijfentwintigste voor dit vak gaan interesseren.'

'Maar waarom dan wel…' en er verscheen een glimlach-je op Daniels gezicht toen hij verderging: 'als u zoveel wist?'

'Omdat Hij me niet met rust wilde laten.' De ogen van pastoor Ramshaw gingen peinzend naar het plafond. 'Ik ben bijna getrouwd toen ik twintig was, maar Hij stak er een stokje voor. De vader van het meisje wilde me het liefst de hersens inslaan, en haar broer dreigde me de benen te breken als ik op de loop ging. Maar ik ben er toch vandoor gegaan. En ik moet je eerlijk bekennen dat ik dat in gedachten eigenlijk altijd ben blijven doen. Nou ja, de laatste jaren misschien niet meer zoveel. Maar er was een tijd, en die ligt niet eens zo heel ver achter me, dat er hier iemand bang was om bij de bisschop te gaan biechten, omdat ik was grootgebracht in het geloof dat je net zozeer zondigde door de gedachte als door de daad. Maar je krijgt natuurlijk niet zoveel voldoening uit de eerste als uit de laatste.'

Toen Daniel zich schuddend van het lachen in zijn stoel terug liet zakken, zei hij: 'Ik geloof helemaal niets van wat u zegt.'

'Dat is nou net het probleem, niemand gelooft me. Ze denken altijd dat ik grapjes maak. Maar je kent het gezegde: in elke grap zit een kern van waarheid. En neem nou maar van mij aan dat alles wat ik je zojuist heb verteld, Gods eigen waarheid is. Trouwens, wie is deze fatsoenlijke vrouw over wie jij je zorgen maakt? Ken ik haar?'

Er gingen een paar seconden voorbij eer Daniel zei: 'Het is Maggie.'

'O nee! Niet Mággie!'

'Jawel. Begrijpt u nu wat ik bedoel?'

'Ach ja. Het zat er dik in.'

'Hoe bedoelt u?' Daniel draaide zich in zijn stoel opzij en keek naar de priester, die naar het vuur staarde.

'Precies zoals ik 't zeg. Ze is al jaren bij jullie. Waarom denk je dat ze hier is gebleven? En bij Winifred is gebleven? Want laat ik je wel vertellen, het is voor een man al erg genoeg om met een lastige vrouw om te gaan, maar voor een vrouw is dat nog veel moeilijker, en zeker met zo'n vrouw

als Winifred. God kan zo'n toewijding niet eisen. En toewijding van dit soort is als een ziekte, en er zijn hier een stuk of
wat mensen die ermee besmet zijn. Onder ons gezegd en gezwegen, en als jij dat nog niet wist, Annettes moeder is er
ook zo een. Wat haar vader betreft, die lijdt aan godsdienst-
waanzin. Voor alle dingen moet matigheid worden betracht.
En weet je, Daniel, we hebben allemaal onze fouten, wij katholieken. Lieve God, allemaal. En zoals ik het altijd heb gezien, is onze grootste fout dat we denken dat wij de enige
uitverkorenen zijn van de Almachtige. Als we dat nou maar
uit ons hoofd konden zetten, zouden we het volmaakte geloof deelachtig zijn. Maar ik zou misschien wel geëxcom-
municeerd kunnen worden voor het verkondigen van zo'n
mening, want aan de andere kant bestaat er geen mildere of
tolerantere sekte. Bij welke andere club krijg je de kans om
vrijdags dronken te worden van je weekloon, je vrouw te
slaan, en dan op zaterdagavond te biechten en 's zondags ter
communie, alvorens je in de kroeg opnieuw te bedrinken?
Ik verzeker je, wij zijn de meest tolerante schepselen die er
bestaan, en we houden er niet van extreem te doen.'
   'Het is jammer dat u Winnie dit standpunt niet jaren geleden al hebt kunnen bijbrengen.'
   'Ach jongen toch, dat heb ik echt geprobeerd. En ik blijf
het proberen, tot op de dag van vandaag, en met haar nog
vele anderen. Maar trekken ze zich iets aan van wat ik zeg?
Nee. Ze luisteren liever naar kapelaan Cody, met al zijn ra-
zernij over hellevuur. Geloof me, Daniel, er zijn meer door-
nen in het vlees dan alleen vrouwen. Waarom zouden ze me
in 's hemelsnaam die jongeman op m'n dak hebben gestuurd? Ach, waarom vraag ik naar de bekende weg? Rond
Fellburn moet alles eens een beetje in het gareel worden gebracht. Dat hebben hoge instanties besloten. De mensen
begonnen te vergeten dat er nog zoiets als een hel bestond,
of dat was die ouwe zot van een pastoor Ramshaw in elk geval vergeten. In plaats van dat de mensen met hun blote bil-
len op gloeiende kolen werden gezet, stelde die ouwe zot
een soort gezellige wachtkamer voor, waar de patiënten ge-

woon over hun voorbije leven konden nadenken en spijt van hun misdragingen konden hebben, zonden zo je wilt; en de ergste daarvan was wel, zoals ik zoals je weet altijd in duidelijke taal vanaf de preekstoel heb verkondigd, onvriendelijkheid jegens elkaar... Maar om op Maggie terug te komen: hoe heeft dit na al die tijd kunnen gebeuren?'

Daniel boog zich weer naar voren, en zei op gedempte toon: 'Het was heel eenvoudig, het leek gewoon vanzelf te gaan. Het was haar vrije dag. Ik gaf haar een lift naar de stad. Vreemd, maar het was de eerste keer dat ze ooit bij mij in de auto had gezeten. Ik bedoel met mij alleen. Jaren geleden, wanneer ze Stephen op haar vrije dag mee uitnam, zette ik ze altijd bij haar nicht af. En toen waren we die dag opeens samen, en ze nodigde me uit om mee naar binnen te gaan. Buiten dit huis leek ze heel anders, en terwijl ze zat te praten, keek ik naar haar en zag deze knappe vrouw die twintig jaar lang in mijn huis had gewoond, en ik zag alle vriendelijkheid die ze uitstraalde, en toen besefte ik dat ik eigenlijk al lange tijd had geweten dat ik haar niet alleen begeerde, maar dat ik haar ook liefhad. En dat was dat. Het bleek, zoals u al zei, dat zij voor mij dezelfde gevoelens koesterde, ook al hield ze die goed verborgen. Wat moet ik doen?'

'Tja, wat kún je doen? Als ik tegen je zeg dat je haar uit je leven moet bannen, zul je zeggen: hoe moet ik dat doen, als we in hetzelfde huis wonen? Als ik tegen je zeg dat de hel zal losbarsten als je vrouw hier lucht van krijgt, wat zeg je dan?'

'Ik wil weg bij Winnie. Als Don veilig en wel getrouwd is, en uit haar klauwen is bevrijd' – hij gebaarde met zijn hoofd naar het plafond – 'dan wil ik weg. En ik neem Stephen mee, en Maggie. Ik heb erover nagedacht, ik heb er serieus over nagedacht.'

'Dat kun je niet doen, man, dat kun je niet doen. Ze zal je nooit met rust laten. Je weet wat er de vorige keer is gebeurd, en de keer daarvoor. En ze zou het weer doen, alleen maar om jou de rest van je leven een slecht geweten te bezorgen, want als ze Don eenmaal kwijt is, heeft ze niet veel meer om voor te leven. Ik zal nooit begrijpen hoe ze die trouwerij tot dusver heeft kunnen laten doorgaan.'

'Nou, dat kan ik u wel vertellen, daar heb ik voor gezorgd.'

'Echt waar? Ik had kunnen weten dat jij er de hand in had gehad, want ze zou nooit uit zichzelf de teugels hebben laten vieren. Ik weet nog goed hoe ze op zaterdag kwam kijken als hij moest voetballen, en hoe ze dan wachtte om hem weer mee naar huis te nemen, weer of geen weer.'

'Ja, voor het geval hij met een meisje zou willen praten. En weet u wat er nu weer is? Weet u wat ze me vanavond heeft gevraagd te doen?'

'Ik heb geen idee, Daniel. Vertel op.'

'Ze heeft het niet alleen maar gevraagd, ze heeft geëist dat ik te weten moet komen of hij nog maagd is of niet!'

'Nee! O, lieve hemel! Nee!' De priester grinnikte.

'Ja, lacht u maar. Lieve hemel, ja!'

'Wat bezielt haar?'

'Wat heeft haar altijd bezield? De manie om hem de rest van zijn leven stijf tegen zich aan geklemd te houden. Rein en onbezoedeld, zó ziet ze hem. Weet u, vanaf de dag dat hij is geboren en ze zag dat hij normaal was, kon je naar alle waarheid zeggen dat ze nauwelijks nog oog had voor Stephen of Joe; ze heeft zelfs een hekel aan die twee, ook al is het om verschillende redenen.'

Pastoor Ramshaw schudde even zijn hoofd voor hij langzaam zei: 'Maar zelfs als je haar zou verlaten, zou je niet kunnen scheiden. Dat weet je.'

'Dat zou me niets kunnen schelen, zolang er maar afstand is tussen ons, meer afstand, want zoals u weet, ben ik in geen jaren met haar naar bed geweest. Ze deinst zelfs al terug voor mijn hand.'

De oude priester zuchtte en zei: 'Het is een trieste situatie. Maar Gods wegen zijn soms ondoorgrondelijk. Na zaterdag, als ze weet dat ze Don kwijt is, zal ze zich misschien weer op jou richten.'

'O nee, echt niet. Nooit.' Daniel schonk resoluut de glazen nog eens in, en hij gaf de geestelijke zijn glas en zei: 'Dat zou ik echt niet kunnen verdragen. Niet na al die tijd. Nee, zo'n verzoening zal er echt niet komen, dat kan ik u wel verzekeren.'

'Maar hoe moet het met Joe als jij je plan doorzet?'

'Ach, Joe leidt zijn eigen leven, die gaat gewoon zijn gang. Hij heeft nu een nieuwe baan, hij is volleerd accountant. Bovendien heeft hij zijn eigen onderkomen in de cottage. Er gaan soms dagen voorbij dat hij hier niet in huis komt, zelfs niet om te eten. Nee, maakt u zich over Joe maar geen zorgen, hij weet zich uitstekend te redden.'

'Jawel, Joe is een prima kerel, maar niemand vindt het prettig om in z'n eentje te zitten, Daniel. En dat herinnert me aan iets anders: ik zal hem eens moeten aansporen, want hij vergeet zijn plichten de laatste tijd, ik heb hem al een aantal zondagen niet in de kerk gezien. Maar hij kan natuurlijk ook naar kapelaan Cody zijn gegaan. Daar had ik misschien naar moeten vragen. Maar hoe minder die vuurvreter en ik elkaar spreken, des te beter is het!' Hij nam een flinke slok whisky, lachte en besloot: 'Ik ben een slecht mens, weet je. Maar alleen God en jij weten dat, dus houd het alsjeblieft voor je. Dit is trouwens een uitstekende whisky, Daniel, maar het moet wel m'n laatste zijn, als ik niet zingend naar huis wil rijden, want dan, je kunt 't geloven of niet, zou Cody me op de knieën weten te krijgen en mij op de rug bonzen met de woorden: "Herhaal wat ik zeg: drank is de duivel. Drank is de duivel. Drank is de duivel."'

Ze schoten allebei in de lach, en de priester ging verder: 'En ik weet zeker dat hij dat zou zeggen, want hij doet me altijd aan zuster Catherine denken. Ze zouden moeder en zoon kunnen zijn, weet je, door de manier waarop die twee met nalatigheid omgaan. Ik betrapte haar een keer toen ze een arme stumper op zijn hoofd timmerde vanwege een of ander vergrijp, waarbij ze bij elke slag uitriep: "Zeg me na: God is liefde. God is liefde. God is liefde."'

Daniel veegde de tranen uit zijn ogen en zei: 'Ik hoop dat

u aan mijn sterfbed zult staan, want ik zou graag lachend dood willen gaan.'

'Ach, dat is heel aardig gezegd. Maar als ik zo naar onze leeftijden kijk, dan denk ik dat het eerder andersom zal zijn. Goed, help me nu maar even overeind. Laat me eens zien of ik nog op m'n benen kan staan. Hoeveel whisky's heb ik gehad?'

'Drie, en een cognac.'

'Het komt door de cognac, whisky zakt nooit zo in m'n benen.' Hij stak een been uit en schudde er even mee. 'Ik beef een beetje. Kom, laat me maar stilletjes uit, en zorg dat je zelf in bed komt. Ik zie je donderdag wel bij de repetitie, en dan bidden we God dat het maar zaterdag mag worden en dat alles achter de rug is. We moeten nog eens praten, Daniel. Hoor je me? Beloof me dat je niets zult doen tot we weer met elkaar gepraat hebben?'

'Goed, dat beloof ik.'

Daarop liet Daniel hem uit, bracht hem naar zijn auto en zei: 'Ik ga mee tot aan het hek, ik heb Bill beloofd het licht uit te zullen doen…'

Eenmaal terug in het huis, keek hij door de hal naar de groene tochtdeur. Ze was nog in de keuken – hij had vanaf de oprit het licht zien branden – maar hij liep er niet naartoe. In plaats daarvan liep hij langzaam de trap op.

# 3

Het was een prachtige dag. Het had midden juli kunnen zijn, want het was heel warm en er stond geen zuchtje wind. Iedereen zei dat je het niet beter had kunnen bestellen.

De feesttent was opgezet op het gazon aan de andere kant van de oprijlaan. Er was een aantal mannen rustig bezig tafels en stoelen uit een vrachtwagen te laden; uit een bestelwagen naast de voordeur werden door een man en een vrouw bloemstukken het huis binnengedragen, en iemand anders liep met armen vol bloemen naar de feesttent. Op de oprit waren mannen bezig om snoeren elektrische lichtjes tussen de lariksen op te hangen. Er heerste geen drukte, alles leek ordelijk, net als binnen in het huis.

Het was halftien. Winifred had in bed ontbeten; Daniel was al enige tijd op; Joe en Don hadden zojuist de eetkamer verlaten, beiden gekleed in een lichte trui en een grijze broek. Ze liepen door de hal naar de trap toen Maggie beneden kwam, hen onder aan de trap tegenhield en zei: 'Hij is heel dwars, hij wil niet opstaan. Jullie moeten misschien even gaan kijken wat jullie eraan kunnen doen.'

'Nou, als jij hem niet uit bed kunt krijgen, zal dat ons vast ook niet lukken.'

Maggie keek Joe aan en zei: 'We kunnen vandaag echt geen problemen gebruiken, wel? Probeer 'm te smeken of te dreigen, of wat dan ook, maar hij móét uit bed komen.'

Don liep langs haar heen de trap op en zei: 'Ik zou denken dat dat de beste plek voor hem was, gezien het feit dat hij niet aanwezig mag zijn bij de dienst. Dat had echt wel gekund; als hij wil, kan hij zich heel goed gedragen.'

Maggie zei niets, maar stapte de hal in en liep weg. En

Joe, die met twee treden tegelijk de trap op liep, was snel bij Don en zei op gedempte toon: 'Je weet net zo goed als ik, Don, wat opwinding voor effect op hem heeft. En er is niemand die hem er zo graag bij zou willen hebben als ik.'

'Hij heeft ook nooit eens een verzetje.'

'Kom, je weet dat dat niet waar is. Kijk maar wat Maggie voor hem doet. En ik neem hem minstens één keer per week mee uit.'

'Ik bedoelde niet dat soort verzetjes. Dit, nou ja… ach, ik had gedacht dat vandaag een bijzondere dag was en dat ze zich een beetje soepeler had kunnen opstellen, misschien zelfs het risico had durven nemen dat er iets zou gebeuren.'

Toen ze achter elkaar het volgende deel van de trap op liepen, keek Joe naar de rug van deze jongeman van wie hij niet meer had kunnen houden wanneer hij door bloedverwantschap zijn echte broer was geweest, en hij bedacht spijtig dat Don 'ze' had gezegd, en niet mam of moeder, zoals ze dikwijls als aanspreektitel eiste. Het was maar goed dat hij vertrok, want ook al was er tussen hen tot nu toe geen openlijk meningsverschil geweest, toch had hij al lange tijd een kloof tussen hen zien ontstaan. En hoewel hij zo zijn eigen gevoelens had ten aanzien van de vrouw die hij openlijk als mam aansprak, wilde hij haar toch niet verdriet zien hebben over de breuk met degene die ze liefhad. En niet alleen liefhad; er bestond een ander woord voor dit soort gevoelens, maar in zijn vocabulaire kwam geen woord voor dat passend was voor de begeerte die zij ten aanzien van haar nageslacht koesterde.

'Wat heeft dit allemaal te betekenen?' Don was als eerste bij het bed waarin Stephen opgekruld lag in een houding als van een klein kind, met zijn knieën tot zijn kin opgetrokken, zijn armen over zijn gezicht geslagen. 'Luister jij eens goed, Steve. Ben je van plan mijn dag te bederven?'

De lange armen en benen leken tegelijk te bewegen en het lichaam kwam omhoog tegen het houten hoofdeinde van het bed, en de lippen trilden toen hij mompelde: 'Nee, Don, nee. Maar ik wil bij de trouwerij zijn. Hè, Joe? Mag dat, Don? Mag dat alsjeblieft?'

Don ging op de rand van het bed zitten en zei rustig: 'Ik wil dat je komt. We willen allemaal dat je komt, maar je weet toch wat er bij de repetitie is gebeurd? Bovendien is die trouwerij heel snel afgelopen.' Hij knipte met zijn vingers. 'Daarna zul je Annette met haar mooie jurk zien, en het eerste dat ze zal doen als ze het huis binnenkomt, is roepen: "Waar is Steve? Waar is Steve?" Want dat roept ze toch altijd?'

'Ik… ik zal me echt goed gedragen, eerlijk, Don. Kijk, ik heb vannacht niets gedaan. Kijk maar!' En met een snelle beweging sloeg hij het beddengoed terug. 'Alles is droog.'

Joe had zich van het bed afgewend en stond nu uit het raam te kijken. Zijn hart deed pijn om deze man tot kind gereduceerd te zien. Maar nee, niet gereduceerd, hij gedroeg zich gewoon naar de geestelijke leeftijd die hij had. Hij wist niet wat er van deze knul moest worden… van deze man, wanneer Don weg was en hijzelf het huis had verlaten, want hij kon de sfeer niet veel langer meer verdragen. Dan waren natuurlijk Maggie en zijn vader er nog. Maar zijn vader was de hele dag met zaken bezig, en 's avonds had hij ook zo zijn eigen bezigheden. Wat Maggie betrof, die was nog steeds een vrij jonge vrouw. En hij had ook zo'n vaag vermoeden wat haar al die jaren hier had gehouden, en dat was niet alleen Steve. Maar het was maar een vermoeden. Alles bij elkaar was het geen gelukkig huis. Daar was hij zich al lange tijd van bewust geweest. Aan de andere kant was hij dankbaar dat hij erin was grootgebracht, anders had hij niet in de positie verkeerd waarin hij zich vandaag bevond. Maar moest hij dan dankbaar zijn voor het verlangen waardoor zijn lichaam op dit moment werd gekweld? Twee jaar geleden had hij gedacht dat dit zijn dag had kunnen zijn, maar er waren twee factoren die tussenbeide waren gekomen, in de vorm van zijn vader en van Annette zelf. Maar vooral zijn vader.

Toen hij naar de oprijlaan keek, zag hij dat de bestelwagen van de bloemist wegreed, om plaats te maken voor iets wat hij als een Bentley herkende. Hij was gek op auto's, maar de familie had een voorliefde voor Rovers, en hij kon zich geen vriend van hen herinneren die een Bentley had. Maar zijn mond zakte van verbazing een eindje open toen hij een man, die hij voor de chauffeur hield, zag uitstappen en het portier openhouden om een vrouw uit de auto te helpen. Zijn gezicht vertoonde een brede grijns toen hij uitriep: 'Tante Flo!' Maar ze was te vroeg. Ze had pas later zullen komen. Daarna zakte zijn mond nog verder open, en hij riep snel: 'Don! Don! Kom eens hier!'

Toen Don bij hem kwam, wees Joe naar de oprit waar een heel chic geklede vrouw stond te praten met de man die hij voor de chauffeur had gehouden, en hij zei: 'Kijk nou toch eens! Wat zeg je daarvan?' En toen de man de vrouw bij de arm pakte en met haar naar de deur begon te lopen, keken ze elkaar aan en grijnsden ze vol leedvermaak.

Don sloeg een hand tegen zijn hoofd en kreunde: 'O, God! Dat hadden we nog net nodig. Mam zal rázend zijn.'

Ze draaiden zich tegelijk om, en Joe zei: 'Ga vlug naar haar toe om haar te waarschuwen; ik zal hen gaan begroeten.' Maar bij de deur draaide hij zich nogmaals om, wees met zijn vinger naar Stephen en zei: 'Wees nu een brave jongen, ga gauw in bad en zorg dat je lekker ruikt. En trek je goeie pak aan. En daarna, ja… ja, dan mag je beneden komen. Hoor je me?'

'Ja, Joe. Ja.'

'Mooi zo. Zorg dat je een brave jongen bent.'

'Ja, Joe.'

Joe draaide zich om en liep haastig naar de trap. Op de eerste verdieping bleef hij staan, want daar, bij de deur van een slaapkamer, was Don die zijn moeder bij de schouders hield en zei: 'Houd op! Stil nou! Misschien is er wel een verklaring.'

'Verklaring!' Haar stem klonk luid. 'Hij is zwárt!'

Don wierp een bezorgde blik op Joe toen die langs hen heen liep om naar beneden te gaan. Toen duwde hij zijn moeder de kamer weer in, deed de deur dicht en zei: 'Luister goed, moeder. Als jij een scène maakt, zul je alles bederven. Kom. Kom mee.' En hij trok haar naar de chaise-longue aan het voeteneind van het bed en zei: 'Ga zitten.'

'Nee, nee, laat me met rust! Ach, wat zeg ik nou toch? Wat zeg ik nou toch?' – ze stak haar hand uit in een smekend gebaar – 'Om uitgerekend tegen jou te zeggen dat je me met rust moet laten op de dag dat je me alleen laat. En… en zij… ze heeft dit met opzet gedaan. Ja, echt waar.' Haar dikke lichaam schudde, ter bevestiging van haar verklaring. 'Ze heeft altijd geprobeerd me op de een of andere manier op de kast te jagen. Nu komt ze hier vandaag met… met uitgerekend een zwarte man.'

'Maar je hebt haar uitgenodigd. En waarom? Omdat ze zei dat ze zich met een advocaat had verloofd. Dat weet je zelf ook.'

'Hij kan geen advocaat zijn, hij is een zwarte.'

'Moeder! Moeder! Doe toch niet zo raar.'

Ze wendde zich van hem af en begon door de kamer te ijsberen. 'Dit is gewoon de schuld van je vader. Ja, echt. Ze waren elkaar zogenaamd in Londen tegen het lijf gelopen, en ik had in geen jaren meer iets van haar gehoord, niet meer sinds de dood van Harry, en dat is minstens vijf jaar geleden. En hij kwam terug met het verhaal dat het met haar allemaal schitterend ging, dat ze iets belangrijks op een kantoor deed en dat ze voor een advocaat werkte. Hij moet hebben geweten dat die advocaat een zwarte was. Hij heeft dit expres gedaan. Hij is een intens slechte man.'

'Stil toch, moeder!'

'Nee, ik ben niet stil! En dan wil ik je nog iets anders vertellen. Ja. Hij is degene die deze dag op zijn geweten heeft.'

'Hoe bedoel je, deze dag op zijn geweten heeft?'

'Net wat ik zeg: hij was vastbesloten ons te scheiden, en hij heeft dit op zijn geweten. Dat weet jij ook.'

Ja, dat wist hij ook. Hij wist dat zijn vader deze trouwdag had bewerkstelligd, en hij dankte God ervoor. Maar hij moest liegen, en zeggen: 'Wat een volslagen onzin.' Nu hij eenmaal had gelogen, sprak hij onbedoeld de waarheid toen hij eraan toevoegde: 'Ik houd van Annette. Ik heb al vele jaren van haar gehouden. Ik heb de grootste kwellingen doorstaan toen ik dacht dat ze verliefd was op Joe. En jij dacht ook dat ze verliefd was op Joe, hè?'

'Helemaal niet. Meisjes zijn nu eenmaal warhoofden, ze weten zelf niet wat ze willen. En… en ik vraag je nu, Don…' Haar stem klonk zacht, haar oogleden knipperden, de tranen stroomden haar uit de ogen toen ze stamelde: 'Weet… weet je wel wat je me aandoet? Weet je dat? Je breekt mijn hart. Je laat me in de steek. Wanneer jij weggaat, heb ik niemand meer, niemand op deze hele wereld.'

'O moeder, alsjeblíéft!'

'Don. Don.' Met een kreet sloeg ze haar armen om hem heen, drukte hem tegen zich aan, zodat haar dikke lijf hem leek te verzwelgen, en haar lippen bedekten zijn ogen, zijn voorhoofd, zijn wangen.

Met moeite duwde hij haar van zich af en bleef toen stokstijf staan, met grote ogen, en keek naar het lichaam dat van top tot teen beefde onder haar dunne ochtendjas. Hij zag hoe ze zich van hem afwendde en zich op de sofa liet vallen, terwijl ze smartelijk kreunde: 'Je houdt niet van me. Jc houdt niet van mc.'

Hij gaf hier een minuut lang geen commentaar op, en hij moest de woorden uit zijn mond persen toen hij zei: 'Ik houd van je, moeder. Maar dit is mijn trouwdag. En wat op dit moment nog belangrijker is, is dat tante Flo beneden is met haar verloofde. Hoe wil je hem gaan begroeten? Daar zul je toch even goed over moeten nadenken. Hoe ga je hem begroeten? Want je weet hoe tante Flo is, die laat niet met zich spotten. Als jij een scène maakt, dan maakt zij een nog grotere scène. Dus trek alsjeblieft een jurk aan, wat dan ook, en ga naar beneden om haar te begroeten.'

'Dat doe ik niet. En ik wil die man niet in mijn huis hebben.'

'Hij is in het huis, en vader zal hem verwelkomen. Jij weet ook hoe váder is.'

'Ja. Ja.' Haar stem was nu bijna een gil. 'Leer mij je vader kennen. God in de hemel, ja, leer mij je vader kennen. Ik ken hem al meer dan dertig moeizame jaren.'

Hij haalde diep adem, draaide zich om en liep naar de deur. Maar daar deed ze hem stilstaan. Haar stem was zacht toen ze smekend zei: 'Ik... ik kan nog niet naar beneden gaan. Dat zie je toch wel, Don?'

'Moet ik haar naar boven sturen?'

Ze gaf geen antwoord. In plaats daarvan wendde ze haar hoofd af, wat hij voor instemming hield, en dus liep hij de kamer uit.

Boven aan de trap bleef hij staan en legde even zijn handen over zijn ogen, alsof hij iets buiten wilde sluiten, en daarna liep hij snel de trap af naar de salon, waar hij stemmen hoorde.

Zijn vader stond met zijn rug naar de met bloemen overdekte haard, en daar, naast de bank waarop Flo zat, stond ook de man. Van dichtbij bleek zijn kleur niet zo donker te zijn als eerst had geleken, maar meer een diep chocoladebruin. Hij was misschien een halfbloed, een heel knappe halfbloed, van meer dan één meter tachtig lang en goedgebouwd, niet zwaar en niet dun, meer als een atleet.

Zijn vader begroette hem met een overdreven luide stem en zei: 'Kijk, ben je daar, man van de dag.' En bijna voordat hij was uitgesproken, stond zijn tante Flo van de bank op, liep snel met uitgestoken handen naar hem toe, en riep: 'Hallo zeg! Nou, nou! Ik zou je nauwelijks hebben herkend!'

Don pakte haar beide handen, boog zich naar haar toe, kuste haar op de wang en zei: 'Ik u ook niet, tante Flo.'

En dit, zei hij bij zichzelf, was waar, want haar stem klonk nu een beetje bekakt, en ze droeg een heel chique mauve mantelpak met bijpassende jas, zag hij, die over de rugleuning van een stoel hing. Wat hij zich van zijn tante Flo herinnerde, was een beetje slonzig geweest. Heel opgewekt en aardig, o ja, maar niet deze deftige mevrouw die nu zei: 'Kom, dan zal ik je aan Harvey voorstellen.'

Ze draaide zich om, liep met hem naar de donkere man en zei: 'Dit is mijn verloofde, de heer Harvey Clement Lincoln Rochester.' Ze benadrukte ieder woord terwijl ze breed glimlachte naar haar aanstaande. De man stak een hand uit en zei: 'Leuk je te ontmoeten. En laat ik er meteen bij zeggen dat dat Rochester niet betekent dat ik uit "Woeste Hoogten" ben weggelopen, en Lincoln heeft niets met een Amerikaanse president te maken; evenmin als Clement met een Engelse eerste minister, noch Harvey met een denkbeeldig konijn dat je misschien in de film hebt gezien.'

Ze schoten allemaal in de lach, Joe het luidst van allen. Toen Don naar hen keek, zag hij onwillekeurig de blik van goedkeuring in hun ogen, en hij besefte dat ook hij deze kerel graag mocht. Maar hij had zo'n idee dat er vandaag nog een flinke kink in de kabel zou komen, want zij zou razend zijn. Als de man een protestant was geweest, of zelfs een atheïst, had hij er misschien mee door gekund, maar dat een zwarte man haar zwager zou worden! O lieve help, het feit dat hij advocaat was zou in dit geval niet veel verschil maken. Maar nu vroeg hij de bezoeker uit beleefdheid: 'U bent advocaat, meneer. Wat voor zaken behandelt u?'

'Schurken; vooral rijke schurken.'

'O, Harvey, dat is helemaal niet waar! Lang niet altijd! Je neemt ook arme mensen aan.' Ze gaf een mep op de grote hand die op de rugleuning van de bank rustte, en hij keek op haar neer en zei: 'Vrouw, het zijn en het blijven schurken, allemaal.'

Joe keek de man aan. Hij kon zich hem in de rechtszaal voorstellen. Hij zou sterk zijn, zelfs zijn aanwezigheid was al een vertoon van kracht. En die stem... de manier waarop hij Flo 'vrouw' had genoemd. Het klonk als een liefkozing, dat vrouw, zoals een andere man 'schat' zou zeggen. Hij hoorde Don tegen Flo zeggen: 'Moeder wil graag dat je even bij haar boven komt. Ze is bezig zich aan te kleden, en je weet hoe lang dat duurt.' En hij dacht: ja, het zal lang duren voor mam naar beneden komt om deze bezoeker te begroeten.

'Ook goed,' zei Flo, en ze kwam overeind. 'Dan moet de berg maar naar Mohammed gaan.' Ze wierp een zijdelingse blik op haar verloofde en zei: 'Denk je dat jij je alleen weet te redden tot ik terugkom?' Waarop Harvey antwoordde:

'Je weet hoe hulpeloos ik zonder jou ben, dus blijf niet te lang weg.' Terwijl Flo naar boven liep, bedacht ze hoe dit antwoord iedereen versteld moest hebben laten staan, niet alleen door de keuze van zijn woorden, maar ook door de toon waarop ze werden uitgesproken.

Hoe dichter Flo bij de deur van Winifreds kamer kwam, hoe rechter haar rug werd. Na te hebben aangeklopt, duwde ze voorzichtig de deur open, en daar, aan de andere kant van de kamer, zat haar zuster bij het raam.

Flo deed de deur achter zich dicht, en ze was al halverwege de kamer voor ze zei: 'Hallo zeg!' Toen ze zag hoe Winifred haar lippen opeenkneep, begreep ze dat de bom al was gevallen. Don zou het natuurlijk hebben verteld, hij had hen waarschijnlijk zien arriveren.

'Hoe gaat het met jou?'

Hierop draaide Winifred zich met een ruk om en zei met opeengeklemde kaken: 'Hoe dúrf je?'

'Hoe durf ik wat?'

'Je weet best wat ik bedoel, houd je maar niet van de domme. Om hier met een zwarte man aan te komen zetten!'

'O, dat!' Flo haalde haar schouders op voor ze antwoordde: 'Hij is helemaal geen zwarte man, hij is een halfbloed, als dat al wat uitmaakt. Een knappe, intelligente halfbloed. Hij is advocaat, hij is een echte heer, en hij wordt zeer gerespecteerd.'

'Ach, houd toch op! Gerespecteerd. In deze stad mogen ze zelfs de arbeidersclubs nog niet in. En jij hebt dit natuurlijk met opzet gedaan, hè? Jullie allebei.'

'Hoe bedoel je, wij allebei? Hij ként je niet eens.'

'Ik bedoel Daniel.'

'Dániel? Waar héb je 't over?'

'Ik meen begrepen te hebben dat jullie elkaar in Londen tegen het lijf waren gelopen en dat jij hem had verteld dat je secretaresse was van een advocaat, en dat je met hem verloofd was.'

'Ja, ja, dat heb ik Daniel verteld. Maar hij heeft die advocaat nooit ontmoet. En ik begrijp nu waarom ik een uitnodiging voor de trouwerij heb ontvangen: je dacht dat ik opgeklommen was in de maatschappij en dat jij goede sier kon maken met een zus die met een advocaat verloofd was. Allemachtig, jij bent ook geen steek veranderd, Winnie!'

'Nou, dat geldt dan voor ons allebei, want de eerste keer moest jij zo nodig met een verzekeringsagent trouwen, met een zuiplap.'

'Harry was geen zuiplap, niet in die zin. Hij had een alcoholprobleem, en hij was een heel fatsoenlijke kerel. Maar naar jouw idee was hij iemand om je voor te schamen. Net als vader. Herinner je je vader nog?'

'Ja. Ik herinner me m'n vader maar al te goed.'

'Nou, dat verbaast me, zeker als ik bedenk dat je niet eens bij hem wilde komen toen hij stervende was. Je bezat zelfs niet het fatsoen om naar mam te gaan. Nee, jij aasde op het grote geld, en daar wist je je via Daniel aan vast te klampen. Het was je niet om hemzelf te doen, maar om wat hij je in materieel opzicht te bieden had. En dat hééft hij je ook geboden, nietwaar?'

Winifred trok haar neus op en zei smalend: 'Jij... je weet er helemaal niets van. Jij zult altijd goedkoop en ordinair blijven. Toen je zojuist deze kamer binnenkwam, had je een accent dat iedere onnozele hals als gekunsteld zou aanmerken, maar nu ben je weer jezelf, hè? Nou, je kunt weer als jezelf naar beneden gaan om die kleurling van je mee te nemen, mijn huis uit. Je kunt als excuus aanvoeren dat dit alleen maar een kortstondig bezoek is. Begrepen?'

Flo richtte zich langzaam in haar volle lengte op, zodat ze hoog uittorende boven de dikke gestalte voor haar, en ze bleef even zwijgen. Toen zei ze: 'Ik ben voor Dons trouwerij gekomen, en mijn verloofde en ik zullen ook naar Dons trouwerij gáán. En we zullen de receptie na afloop bijwonen. En pas daarna zullen we misschien aan weggaan denken. Meneer Rochester is een heer, een beschaafde heer, die in opleiding ver boven jouw man of je zonen staat, en als je hem niet op zijn minst beleefd behandelt, kun je je schrapzetten voor flinke scènes, want je weet hoe ik ben,

Winnie, als ik kwaad word heb ik een luide stem en kan ik op jolige wijze een aantal waarheden als koeien verkondigen, zodat de mensen moeten lachen maar toch zullen nadenken. Daar ben ik heel goed in, weet je nog wel? Nou, ik kan je verzekeren dat ik mijn beste beentje voor zal zetten. Als jij niet binnen een halfuur beneden bent, beloof ik je dat ik een van de beste vertoningen van m'n leven zal geven, louter en alleen voor jouw gasten, zo'n honderddertig, naar ik meen begrepen te hebben. Denk daar maar eens goed over na, Winnie. Denk er goed over na.' En hierop draaide ze zich langzaam om en liep de kamer uit. Haar stap was kalm en vastberaden toen ze de trap af ging.

Ze kwam de salon in en hoorde haar verloofde vertellen: 'Mijn ouders zijn aan het eind van de vorige eeuw hierheen gekomen. Ze kwamen uit Californië en ze gingen in dienst bij een gegoede familie, even buiten Londen. Ze hadden een zoon die in hetzelfde huis opgroeide en daar een soort huisbewaarder werd, en vlak na de oorlog trouwde hij met een van de dienstmeisjes. Ze kregen een zoon, en ongeveer rond dezelfde tijd kreeg de dochter des huizes, die met haar man bij haar ouders woonde, haar derde zoon. De jonge halfbloed' – hij wees naar zichzelf – 'en de drie jongens groeiden samen op. Zij werden naar kostschool gestuurd, ik ging naar de plaatselijke school, en verder ben ik naar de middelbare school gegaan. Ik was daar de enige kleurling. Ik viel erg op, dat kan ik je wel vertellen.' Hij glimlachte breed. 'En daarna was het niet meer dan logisch dat ik naar de universiteit ging. Daar viel ik niet meer zo op, want er waren meer donkere gezichten te zien. Tja, ik heb rechten gestudeerd, en zo is het gekomen.'

Op dat moment kwam Flo rustig verder de kamer in en zei: 'En een van de zonen van dat huis is ook jurist, en hij komt met veel zaken bij hem. Maar van de jongste is niet veel over, want die is in de oorlog zwaargewond geraakt. We gaan elke maand bij hem op bezoek. En die drie zonen zijn zijn beste vrienden.'

Het was Daniel, Joe en Don duidelijk dat, zoals ze hadden verwacht, Flo het boven zwaar te verduren had gehad, want haar ogen schitterden en haar lippen beefden een beetje.

Het was Harvey eveneens duidelijk, want hij zei: 'Vrouw, kom eens hier.' Toen ze naar hem toe kwam, pakte hij haar hand, keek haar recht in de ogen en zei: 'Wil je misschien liever naar huis?'

Voor ze tijd had gehad om antwoord te geven, zei Daniel luid en scherp: 'Naar huis? Ze is hier nog maar net.' Hij liep snel naar haar toe, pakte haar bij de schouders, duwde haar op de bank en zei: 'Je bent voor de bruiloft gekomen.' Daarna keek hij op en zei tegen Harvey: 'Jullie zijn allebei voor de bruiloft gekomen, en jullie zullen blijven voor de bruiloft. Jullie zijn mijn gasten, en' – hij keek naar zijn twee zonen – 'die van Don en Joe. Klopt dat?'

Ze antwoordden tegelijk: 'Jazeker.'

Flo gebaarde naar Daniel en zei: 'Het komt allemaal in orde; niets aan de hand. Winnie is bezig zich aan te kleden, ze komt zo beneden.'

'Nou, dan moeten we intussen maar eens koffie gaan drinken. Het is nog te vroeg voor iets sterkers, in elk geval voor mij. Hoe zit 't met jou?' Hij keek naar Harvey, die glimlachend antwoordde: 'Voor mij geldt hetzelfde. Koffie is prima.'

'Goed, als je me even wilt excuseren, dan ga ik het tegen Maggie zeggen. Je hebt haar nog niet gezien?'

'Nee, en Stephen ook niet.'

'Nou, dan zullen we even de ronde moeten doen. Er is nog tijd zat voordat de grote vertoning begint, hoewel ik denk, Don, dat jij maar beter naar buiten kunt gaan om te zien hoe alles er in de tent uitziet.'

En zo kwam het dat Joe alleen achterbleef met hen, en hij keek de man die nog steeds bij de bank stond even aan en zei: 'Kom zitten, je bent zelfs voor mij te lang als je staat.'

Harvey ging met een knik naast Flo op de bank zitten en sloeg onmiddellijk zijn arm om haar heen, waarbij hij haar stijf tegen zich aan drukte, en alsof hij wist dat hij in Joe een vriend had, zei hij tegen haar: 'Heb je het boven zwaar te verduren gehad?'

Ze jokte glimlachend: 'Nee, nee, niet echt. Maar weet je, zoals ik je al heb verteld zijn we het samen nooit eens geweest over iets, niet vanaf dat ik voor het eerst haar naam lispelde en haar Win in plaats van Winifred noemde. Ik was drie en zij was tien toen ze me voor het eerst een draai om m'n oren gaf. Maar ik was zes en zij dertien toen ik haar voor het eerst een mep met de kolenschop gaf. Sindsdien is onze strijd uitsluitend verbaal geweest.'

'Wat jammer...' Joe, die tegenover haar zat, lachte nu – 'want u kunt het geloven of niet, tante Flo...' Hij boog zich naar haar toe en fluisterde: 'U bent niet de enige die af en toe een kolenschop zou willen pakken.' Toen richtte hij zich weer op en zei op nuchterder toon: 'Het leven zal heel moeilijk worden als haar lieveling vandaag over het middenpad naar buiten is gelopen, want u weet zelf maar al te goed, tante Flo, dat hij alles is waar zij jarenlang voor heeft geleefd.'

'Ja, daar ben ik me van bewust. Maar wat mij bezighoudt is hoe ze zich ooit bij dat huwelijk heeft kunnen neerleggen.'

'Nou, om u de waarheid te zeggen' – Joe liet zijn stem dalen – 'heeft pa daar flink de hand in gehad.'

'En dat heeft ze laten gebeuren?'

'Nou, het was een geval van kiezen tussen twee kwaden. Je weet dat pa een neef in Amerika heeft. Nou, die heeft veel succes in ongeveer dezelfde branche als pa, alleen op veel grotere schaal, en toen heeft pa hem een paar jaar geleden gevraagd een baan voor Don te zoeken. Maar in diezelfde tijd...' Hij aarzelde even en keek naar de bloemen in de haard, daarna kneep hij zijn lippen even opeen voor hij hen weer aankeek en zei: 'Nou, hij was er op de een of andere manier achter gekomen dat Annette verliefd was op Don...'

'Maar ze moet toen nog een schoolmeisje zijn geweest, ze zat nog op de kloosterschool.'

'Ja, ze was een schoolmeisje van bijna achttien, tante Flo.

Ze had verder willen studeren – ik geloof dat ze onderwijzeres had willen worden – maar kennelijk wilde ze Don nog meer, en daarom moest mam bedenken of ze liever had dat haar zoon in Amerika zat, of vijftien kilometer verderop in Hazel Cottage in Northumberland. Dus koos ze, met zichtbare tegenzin, voor het laatste.'

'Vijftien kilometer verderop! En ze kan nog steeds niet autorijden. Ik vind 't een wonder dat ze dat heeft goedgekeurd.'

'O, ze heeft Bill om haar overal naartoe te brengen. Toch is het niet echt naast de deur. Maar nogmaals, het is vooral aan pa te danken.'

Toen Joe een zuur gezicht trok, zei Flo: 'Geen wonder dat ze zo'n keel opzette…'

'En mijn uiterlijk zal de zaken er ook al niet beter op hebben gemaakt,' zei Harvey.

'O, dat weet ik zo net nog niet.' Joe grijnsde naar Harvey en zei: 'Je hebt in elk geval als bliksemafleider gefungeerd.'

'Als een rood licht voor een weg omhoog, of in dit geval een zwart licht. Maar laat maar zitten.' Hij drukte Flo even tegen zich aan. 'Wat ik zal doen is me voorstellen dat ik in de rechtszaal ben en zij de aanklager is en ik een eenzame vrouw moet verdedigen' – hij drukte Flo opnieuw tegen zich aan – 'die niet alleen knap maar ook lief en begrijpend is. Maar haar voornaamste aantrekkingskracht geldt toch wel het feit dat ze de beste secretaresse van het kantoor is.'

Ze zaten allemaal te lachen toen Maggie de koffie binnenbracht. Ze vertoonde geen enkele reactie. Ze zaten opnieuw te lachen toen Stephen de kamer binnenkwam, en toen hij de bezoeker zag, uitriep: 'O! Jij bent echt een gróte zwarte man.' En Harvey, die alles over Stephens toestand wist, antwoordde: 'En jij bent een grote blanke man, en nog een knappe op de koop toe.'

Ze lachten nog steeds toen ze als groep de feesttent inspecteerden, met het roze tapijt en de bloemenslingers die van de ene paal naar de andere hingen. Maar hun gelach en gepraat verstomden toen Winifred in de deuropening verscheen, met een uiterlijk alsof ze zelf een sterk opgeblazen bloem was.

Het geval wilde dat Harvey het dichtst bij haar stond, op zes stappen afstand, en toen niemand zich verroerde of iets zei, stapte hij naar haar toe, stak zijn hand uit en zei, op een beschaafde toon zoals ze die in al haar jaren in Fellburn nooit had gehoord: 'Ik moet u mijn verontschuldigingen aanbieden, mevrouw Coulson, omdat ik mij op deze bijzondere dag aan u opdring.' Daarna liet hij zijn stem dalen tot een niveau dat alleen zij kon verstaan en hij voegde eraan toe: 'Mocht u zich in verlegenheid voelen gebracht door mijn aanwezigheid, dan zal ik vertrekken, want ik wens u niet van streek te maken, en zeker niet op deze dag.'

Ze knipperde snel met haar ogen. Ze wierp een zijdelingse blik op Flo, met haar strakke gezicht, in haar ogen een dreigement dat ze niet kon negeren. Maar toch, zelfs al had er geen dreigement in gelegen, dan zou ze het nog moeilijk hebben gevonden om deze ongewone gast te bevelen te vertrekken. Ze vroeg zich onwillekeurig zelfs af hoe Flo zo'n man aan de haak had kunnen slaan, ook al was hij zwart, want er was iets bijzonders aan hem, niet alleen door zijn afmetingen en zijn uiterlijk en die stem van hem, maar hij hád gewoon iets. En het verbaasde haar niets toen ze zichzelf hoorde zeggen: 'Ik... ik ben totaal niet in verlegenheid gebracht. Waarom zou ik?'

Toen haar hand werd vastgepakt en zacht maar resoluut werd geschud, kon ze het nieuwe gevoel dat ze voor haar zuster had niet onder woorden brengen, want ze was in haar hele leven nog nooit jaloers geweest op haar...

Na het bezoek aan de feesttent leek het hele huis doordrongen te worden van een gevoel van vrolijkheid.

Het was net twaalf uur geweest toen Don, in vol ornaat, op zijn grijze hoge hoed na, door de zijdeur het huis uit holde en de hoek om ging, naar de cottage van Joe. Toen hij langs een van de kleine raampjes kwam die origineel waren in de cottage, deed hij een stap achteruit en hield zijn hoofd scheef, want daar lag Joe geknield bij een stoel te bidden.

Of Joe werd zich bewust van een schaduw bij het raam, óf hij voelde de aanwezigheid van iemand anders, want hij hief opeens zijn hoofd op en ze staarden elkaar even aan.

Toen Don de kamer binnenkwam, zei hij zacht: 'Maak je je zorgen over iets, Joe?'

'Nee, nee.'

'Maar je zat toch… te…?'

'Ja, ik zat te bidden. Bid jij nooit?'

'Nooit midden op de dag. Weet je zeker dat er niets aan de hand is? Je bent trouwens de laatste tijd niet meer naar de kerk geweest. Je krijgt daar vast binnenkort commentaar op, dat lijkt me echt iets voor kapelaan Cody.'

'Nou, als je 't zo graag wilt weten, jongeman, ik vroeg alleen maar… nou ja, of jullie allebei gelukkig mogen worden.'

'O Joe.' Er klonk een trilling in de stem van Don, en hij sloeg impulsief zijn armen om zijn broer heen, want hij beschouwde hem in alle opzichten als zijn broer, en Joe sloeg zijn armen ook even om hem heen voor hij hem van zich af duwde en zei: 'Wat zoek je hier eigenlijk, midden in de rimboe?'

'Ik… ik wilde alleen maar even met Annette bellen, met haar praten, om te horen hoe het met haar is, en dat kon ik moeilijk vanuit het huis doen, nietwaar?'

'Ga je gang.' Joe wees met zijn duim naar de kamer ernaast, die hij als studeerkamer gebruikte, en hij wachtte tot Don naar binnen was gegaan voor hij zich omdraaide en naar zijn slaapkamer liep. Daar bleef hij met zijn rug naar de deur staan, en boog zijn hoofd.

In de studeerkamer zei Don: 'O, Sarah? Met mij. Kun je juffrouw Annette even voor me aan de telefoon roepen?'

'O, meneer Don,' – de stem klonk gefluisterd – 'ze is bezig zich aan te kleden. En… daar heb je mevrouw Allison.'

'Hallo! Met wie? O, Don, wat moet jij in 's hemelsnaam? Je weet toch dat het ongeluk brengt om contact te hebben voor de trouwerij?'

'Ik dacht dat dat alleen telde wanneer je elkaar ook zag.

Kom, schoonmoeder, laat me haar even mogen spreken.'

'Je bent toch niet van plan om haar op het nippertje de bons te geven, hè?'

Hij hield de telefoon een eindje bij zich vandaan en grijnsde breed. Dat moe Allison grapjes kon maken! Zijn lach klonk luid toen hij zei: 'Dat wilde ik haar nou precies vertellen. Kom op, laat me haar even spreken.'

'Het is niet goed, het brengt ongeluk.'

'Vandaag brengt niets ongeluk.'

Er volgde een stilte. Hij hoorde het gemompel van verre stemmen, en toen was ze er.

'Don, is er iets aan de hand?'

'Helemaal niets, lieverd. Ik… ik wilde alleen even weten hoe jij je voelt.'

'Ik ben bang, ik beef, en ik ben vol verlangen. O, Don, ik kan gewoon niet geloven dat het bijna zover is.' Haar stem klonk laag.

'Nog een uurtje, en dan zie ik je door het middenpad komen.'

'Ik houd van je. Ik houd heel veel van je.'

'Ik houd niet alleen van je, ik aanbíd je.'

'Oef! Dan moet je maar gauw gaan biechten.' Er klonk gelach aan de andere kant van de lijn. 'Aanbidding van afgoden.'

'Jawel, afgoden, maar in dit geval een aanbiddelijke afgodin. Goed, goed, ik houd je niet langer op. Tot ziens, liefste. Nee, niet tot ziens, maar *au revoir*.'

Hij legde de hoorn op de haak en bleef even voor zich uit staren. Het volgende uur zou het langste worden in zijn hele leven. Het zou het langste worden in hun beider leven.

# 4

De huwelijksmis was afgelopen. Ze waren getrouwd. Ze waren één. Het uur dat een eeuwigheid had geleken, was eindelijk voorbij. Ze waren ter communie geweest. Ze hadden naar de vriendelijke woorden van pastoor Ramshaw geluisterd. Het koor had uitbundig gezongen; de kleine jongenssopraan had zo mooi gekwinkeleerd dat velen er tranen van in hun ogen hadden gekregen. En ze hadden zojuist hun naam in het trouwregister gezet: Annette Allison was Annette Coulson geworden. Ze hadden elkaar aangekeken, en de opluchting op hun gezicht was voor de opmerkzame toeschouwer bijna pijnlijk geweest om te zien. Maar alles was een en al bedrijvigheid.

Het orgel schalde toen ze de sacristie verlieten en naar de voorste rijen banken liepen. Annettes moeder huilde openlijk, maar de ogen van Winifred Coulson waren droog en haar dikke gezicht was grauw, en het leek of Daniel haar naar voren, het gangpad in, moest duwen, om zich daarna onder de gasten buiten de kerk te mengen.

De fotograaf nam de leiding over en probeerde de bruid en bruidegom op te stellen met aan weerszijden de naaste familie, Joe als getuige voor de bruidegom, en de twee bruidsmeisjes, Annettes schoolvriendinnen Jessica Bowbent en Irene Stilton, die allebei giechelend aan Joes armen hingen en allebei heimelijk hoopten op zekere dag hier met Joe te staan, zoals Annette er nu met Don stond.

De gebruikelijke opstellingen waren gemaakt en gefotografeerd toen Daniel, die naast Harvey had gestaan, iedereen verbaasd deed opkijken door te roepen: 'Nog eentje! Kom op, nu met ons mannen. Wat zeg jij ervan, Harvey?' En tot verdere verbazing van iedereen stelden Joe en hij zich aan weerszijden van Harvey op, zodat de gasten niet langer allerlei veronderstellingen hoefden te maken, of zich af te vragen wie deze zwarte man was.

En ze vroegen zich inderdaad af wie hij was, maar ze zouden dit niet te weten komen tot bijna een uur later, toen er toosts werden uitgebracht en Daniel, enigszins boosaardig, zijn glas hief om op het gelukkige paar te toosten, en besloot met te zeggen: 'Ik weet dat zij de eersten zullen zijn om te zeggen dat ze hopen dat de volgende trouwerij vanuit dit huis die van mijn schoonzuster en haar verloofde zal zijn.' En hierop gebaarde hij naar Harvey, die drie plaatsen verderop aan de hoofdtafel zat. Toen boog hij zich naar voren, keek langs de rij de andere kant uit, waar pastoor Ramshaw zat, en zei: 'Wilt u hen in de echt verbinden, eerwaarde?' En de priester antwoordde jolig: 'Hen trouwen? Natuurlijk wil ik hen trouwen. Ik zou nog een halleluja met een jood in de echt verbinden als dat betekende dat ik ze de kerk in kon krijgen.'

Er steeg een bulderend gelach op. Maar Winifred deed niet mee, en Joe ook niet, want hij dacht: dat was niet erg aardig van je, pa. Want je weet hoe pijnlijk zij dit vindt. Maar aan de andere kant was het misschien Daniels manier om vriendelijk te doen, een manier om het bloeden te stelpen van de dolkstoot die haar had doorboord.

Het was nu zijn beurt om op te staan en wat hij zei, was heel zakelijk: hij deed geen pogingen om grappig te zijn. Hij zei eerlijk dat iedereen die hier aanwezig was, wist dat Don en hij geen bloedverwanten waren, maar als ze als Siamese tweeling waren geboren, hadden ze geen hechtere band kunnen hebben. En nu hij het hier toch over had, wilde hij graag de man bedanken die hij vader noemde, en de vrouw die hij moeder noemde, voor al hun zorgen in de afgelopen vijfentwintig jaar. Ten slotte wendde hij zich tot de bruid en bruidegom, hief het glas, en zei: 'Op de twee mensen van wie ik het meest ter wereld houd.'

Het was een ongebruikelijke speech voor de getuige van

de bruidegom, met niets amusants erin, zelfs geen grapje. Er volgde applaus, maar het was een sober applaus, vergezeld van het nodige hoofdschudden hier en daar.

Hij was een vreemde kerel, die Joe Coulson, hij was het soort man dat je nooit helemaal kon doorgronden. Een uitstekend accountant, en altijd hoffelijk en vriendelijk, maar wel met diepe gronden. Ja, hij had diepe gronden. Maar dat gebeurde natuurlijk vaak met aangenomen kinderen, en het was begrijpelijk, want je wist nooit waar ze vandaan kwamen...

De bruid en bruidegom waren bezig zich te verkleden, in afzonderlijke kamers uiteraard. Ze zouden om vijf uur vertrekken om de trein vanuit Newcastle te nemen, waarmee ze zouden beginnen aan een huwelijksreis in Italië, drie hele weken samen.

Toen Don zijn kamer uitkwam, verbaasde het hem niet dat hij zijn moeder bij de deur van haar slaapkamer zag, waar ze met een van de gasten stond te praten. Anderen liepen over de overloop en de trap, en het huis was vervuld van gelach en gepraat. Ze waren kennelijk uit de feesttent binnengekomen. Toen Winifred hem zag, zei ze tegen de gast: 'Neem me niet kwalijk,' en ze stak haar hand uit naar haar zoon en zei: 'Eén moment, lieverd.' Haar stem klonk hoog en vrolijk, als van een gewone moeder die onder vier ogen afscheid wilde nemen van haar zoon. Maar toen ze hem de kamer in had getrokken en de deur dichtdeed, ging ze een eindje bij hem vandaan staan, met haar handen tegen de welvingen van haar borst gedrukt. 'Je zou zomaar zijn weggegaan zonder nog iets tegen mij te hebben gezegd.'

'Nee, nee, echt niet, moeder. Ik was van plan naar je toe te komen.'

'Nee, dat was je helemaal niet van plan. Je weet dat dit het einde is?'

'O, tóé nou toch! Bederf deze dag nou niet,' zei Don, en hij sloot even zijn ogen. Maar toen hij ze weer opende, stond ze vlak voor hem, en haar adem was als een warme, vochtige wind op zijn gezicht toen ze zei: 'Ik ben er misschien niet meer als je terugkomt. Ik geloof niet dat ik in staat zal zijn om dit te verdragen. Misschien ben ik wel dood.'

'In godsnaam, moeder!' Zijn toon was scherp. En toen haar hoofd geagiteerd op en neer ging, gromde hij: 'Moeder, begin daar nou alsjeblieft niet mee!'

'O, je hebt nooit eerder zo'n toon tegen me aangeslagen. Het gebeurt nu al. Waarom moet ik dit alles toch ondergaan? Wat heb ik gedaan om dit te verdienen...? O, Don! Don!'

Opnieuw werd hij door haar omhelsd. Maar hij kon zich er niet toe brengen zijn armen om haar heen te slaan. Hij werd van weerzin vervuld door haar nabijheid, en dit was een nieuw gevoel. Hij legde zijn handen op haar schouders, duwde haar bijna ruw van zich af, en zei: 'Hoor eens, je moet proberen redelijk te blijven. Ik ben nu getrouwd, ik ga nu mijn eigen leven leiden. Kun je dat niet begrijpen?'

'Ja, ja, ik begrijp het. Ik ben je nu al kwijt.'

'Je bent me niet al kwijt, maar het zal nu anders zijn. Ik houd van je. Je bent mijn moeder.'

'Houd je van me?' Haar stem was zacht. 'Houd je echt van me, Don?'

'Ja, ja.' Hij bewoog zijn handen op haar schouders alsof hij haar door elkaar wilde schudden, maar haar lichaam reageerde niet.

Ze keek hem aan en jammerde: 'Beloof je dat je altijd van me zult blijven houden? Zul je altijd wat liefde voor me bewaren? Beloof je dat?'

Hij had zich het liefst omgedraaid om van haar weg te vluchten, weg van het huis en iedereen die erin was. Behalve van Annette. In gedachten holde hij hand in hand met Annette weg. Maar hij hoorde zichzelf rustig zeggen: 'Ik beloof het. Maar nu moet ik gaan.'

'Kus me.'

Hij boog zich langzaam naar haar toe om haar op de wang te kussen, en ze hulde hem opnieuw in een omhelzing. Maar nu drukte ze haar open mond op de zijne, en duwde zijn slanke lichaam tegen haar vlezige lijf.

Een minuut later slaagde hij erin de kamer uit te wankelen. Hij ging niet rechtstreeks naar beneden, maar eerst naar de badkamer, waar hij de deur op slot deed en zich over de wasbak boog om zijn gezicht met koud water te wassen. Hij beefde over zijn hele lichaam. Ze was krankzinnig. Dat kon niet anders. Hij spoelde zijn mond met water en wreef over zijn lippen. Toen droogde hij zijn gezicht af, veegde de druppels water van de voorkant van zijn pak, en haalde een paar keer diep adem voordat hij de badkamer verliet.

Boven aan de trap stond zijn vader.

'Ik wilde je net komen halen. Waar heb je gezeten? Annette staat beneden te wachten. Wat is er aan de hand?'

'Niets. Helemaal niets.'

Daniel keek de gang in, en zei toen zacht: 'Het laatste afscheid?'

Don haalde diep adem voor hij zei: 'Ja, pa, mijn laatste afscheid.'

'Nou jongen, het is nu voorbij, de band is doorgesneden. En houd het zo, begrepen?'

'Ja, ja, ik begrijp het.' Ze keken elkaar aan zoals twee mannen van dezelfde leeftijd en met dezelfde ervaring elkaar zouden hebben aangekeken. 'Kom mee dan.' Daniel pakte hem bij de elleboog en liep met hem de trap af, de drukke hal in, waar iedereen door elkaar heen praatte; en daarna liepen ze allemaal naar de oprijlaan.

Annette werd door haar moeder omhelsd. Daarna door haar vader, die het kennelijk moeilijk vond om zijn stijve houding te laten varen, en hij kuste haar eerst op de ene wang en toen op de andere, en zei toen, heel typerend voor hem: 'God zij met je, kind.'

Dat er twee mensen aan de menigte ontbraken, werd in alle opwinding niet opgemerkt: de moeder van de bruidegom en Dons broer Stephen. Stephen had weer een ongelukje gehad, wat niet bij iedereen bekend was. Maar hij zwaaide nu vanuit het raam boven, en hij was heel blij, want zijn vader had hem beloofd dat hij later die avond beneden mocht komen om naar het dansen op het grasveld te kijken. Misschien waren alleen Daniel, Joe, Flo en Don zich van Winifreds afwezigheid bewust.

Don en Annette zaten nu in de auto. Daniel en Joe stonden bij het ene raampje, Flo bij het andere, en ze praatten allemaal tegelijk: 'Maak er wat moois van.'

'Maak er een goed leven van, jongen.' Dit was van Daniel.

'Ik zal zorgen dat het huis goed warm is als jullie terugkomen,' zei Joe.

'Bedankt,' zeiden ze allebei tegelijk, en toen draaiden ze hun hoofd naar het andere raam, waar Flo haar hand uitstak, die van Annette greep, en zacht zei: 'Heb elkaar lief.'

Ze waren allebei te veel van alles vervuld om hier commentaar op te geven, en toen Don het sleuteltje in het contactslot omdraaide en de auto pruttelend tot leven kwam, verdwenen de hoofden van Daniel en Joe uit het raam, om plaats te maken voor dat van pastoor Ramshaw, die boven het lawaai van de motor uit riep: 'Jullie weten dat ik altijd het laatste woord wil hebben. God zegene jullie allebei.' En daarna riep hij, met een quasi-ernstig gezicht: 'Mochten jullie nog bij de paus op bezoek gaan, doe hem dan mijn groeten. En zouden jullie voorzichtig tegen hem willen zeggen dat ik nog een kapelaan over heb, die uitstekend geschikt zou zijn om hem als secretaris te dienen? Ik kan hem meteen sturen; hij hoeft maar een kik te geven.'

Ze schoten allebei in de lach, en Annette zei: 'Dat zullen we doen, met alle genoegen.'

'Tot ziens. Tot ziens.'

De auto schoot naar voren, en toen Don iets achterin hoorde rammelen, zei hij: 'Ik wed dat ze er iets aan hebben vastgemaakt. We moeten verderop maar even stoppen om te kijken.'

Annette draaide zich om, keek door de achterruit, en zei: 'Ze hollen de oprijlaan af.'

'Ze kunnen hollen wat ze willen, liefste, ze kunnen allemaal hollen, maar ze zullen ons nooit inhalen.' Hij keek haar aan, met ogen vol liefde. 'We zijn vrij. Besef je dat wel, liefste? We zijn vrij.'

'O ja, ja, en in heel veel opzichten. O liefste, nu hoeven we ons nooit meer zorgen te maken, nu hoeven we nooit meer bang te zijn voor wat er zal gebeuren als en wanneer...'

Hij nam één hand van het stuur, pakte haar hand en bracht die snel naar zijn lippen.

Ze naderden de poort die op het smalle zijweggetje uitkwam, toen Annette zich nogmaals omdraaide, door de achterruit keek en riep: 'Daar heb je Joe, en je vader. Ze hollen naast elkaar.'

En dit waren de laatste woorden die ze zich herinnerde te hebben gesproken. Ze zag de verhuiswagen. Het was net een toren die boven op hen viel, maar hij viel niet echt, hij tilde hen hoog in de lucht, en hun kreten klonken in haar oren als die van mensen in het reuzenrad, voordat de auto over de kop sloeg en omlaagdook. De auto was een groot paard geworden, een vliegend paard. Hij schoot door de omheining langs de akkers en werd toen de lucht in geslingerd, regelrecht de lucht in.

En toen werd alles stil.

# 5

Het was halfeen, in de nacht van zaterdag op zondag. In het ziekenhuis zaten Daniel en Joe aan de ene kant van een tafeltje, Flo aan de andere. Aan een ander tafeltje zaten Janet en James Allison; zij met haar ellebogen op de tafel geleund, maar hij rechtop, met dichte ogen. Hij had kunnen zitten dommelen, behalve dat hij af en toe een blik vol ergernis wierp op Winifred, die door de kamer liep te ijsberen in de ruimte voor het portaal, zestien stappen heen en zestien stappen terug.

Niemand had kunnen zeggen wanneer ze met ijsberen was begonnen, hoewel iedereen wel wist te vertellen dat ze tegen Daniel had gegild toen hij probeerde haar op een stoel te laten zitten, en dat ze Flo toen bijna met een felle uithaal van haar arm tegen de grond had geslagen. En ook dat toen Joe had gezegd: 'Toe, moeder, u bereikt er echt niets mee als u zo doet,' ze zelfs haar tanden naar hem had ontbloot.

De enige die nog niets tegen haar had gezegd, was Harvey. Hij kwam nu de kamer binnen met een dienblad met thee, dat hij op een tafel zette, waarna hij iedereen een kop gaf. Toen er nog twee koppen op het dienblad over waren, pakte hij er een op, draaide zich om en liep langzaam naar Winifred. Hij versperde haar de weg door voor haar te gaan staan en de kop naar haar uit te steken. Heel even dacht hij dat ze hem de kop uit de hand zou slaan. Toen pakte ze verbazingwekkend genoeg niet alleen de kop van hem aan, maar ging op de dichtstbijzijnde stoel zitten alsof er een crisis was overwonnen.

De spanning leek uit de kamer weg te vloeien. Maar dat

was maar voor even, want ze waren nauwelijks begonnen van hun thee te drinken, toen de deur openging en er een nachtzuster verscheen, die mevrouw en meneer Allison aankeek, hen bij de naam noemde en vroeg: 'Wilt u nu misschien even bij uw dochter komen kijken? Ze is bijgekomen. Maar u mag maar heel even blijven.'

Ze sprongen allebei uit hun stoel op alsof ze door dezelfde draden werden geactiveerd, en toen de verpleegster de deur voor hen openhield, greep Winifred haar bij de arm en zei: 'Mijn zoon?' Hierop antwoordde de verpleegster: 'Hij is nog op de operatiekamer, mevrouw Coulson. De dokter komt naar u toe zodra de operatie is afgelopen. Maakt u zich maar niet ongerust.'

Toen de deur achter de zuster dicht was, begon Winifred weer te ijsberen. Maar nu mompelde ze: 'Maakt u zich maar niet ongerust. Maakt u zich maar niet ongerust.' De woorden kwamen tussen haar opeengeklemde kaken door, en toen haar stem steeg, stond Daniel snel van zijn stoel op, greep haar bij de schouders en siste: 'Zo is het wel genoeg, mens! Houd op! En probeer er eens even aan te denken dat jij niet de enige bent wie dit aangaat.' Hij duwde haar hardhandig omlaag op een stoel, bleef ernaast staan met een gezicht dat bijna het hare raakte, en snauwde: 'Als je hier ook scènes gaat maken, dan sla ik je in je gezicht tot je niets meer kunt zien. Hóór je me?'

Dit was de tweede keer binnen een week dat hij had gedreigd haar in haar gezicht te slaan, en toen ze hem woest in de ogen keek, was haar haat jegens hem zo intens dat hij die bijna kon ruiken, en hij richtte zich op en hapte naar lucht, alsof hij dreigde te stikken. Daarna draaide hij zich om naar Joe en Harvey, die naast elkaar stonden alsof ze op het punt stonden in te grijpen om te voorkomen dat zij hem iets aan zou doen.

Na enige tijd gingen ze allemaal weer zitten, en Flo keek van de een naar de ander toen ze zei: 'Kom, drink je thee eens op. Die begint koud te worden.' En de mannen pakten als gehoorzame kinderen hun kop thee en dronken die op.

Een minuut of tien later ging de deur open en kwamen er twee artsen binnen, die zich voorstelden als dokter Walters en Richardson, de chirurg. Beide mannen zagen er uitgeput uit, vooral de chirurg, een man met een natuurlijk gebruinde huid die er op dat moment uitzag alsof hij was verbleekt.

Winifred sprong van haar stoel overeind en holde naar hen toe, en hij klopte haar op de arm en zei: 'Stil maar. Stil maar.'

'Hoe is het met hem? Hoe is het met mijn zoon?'

'Ga zitten. Ga zitten.'

Ze schudde ongeduldig haar hoofd en bleef staan, en dokter Richardson keek van haar naar de andere vrouw en de drie mannen; zijn ogen bleven op Daniel rusten en hij zei zacht: 'Het was een langdurige klus.'

'Zal... zal alles goed met hem komen?'

'Ik moet helaas zeggen dat we dat nog moeten afwachten; hij is zwaargewond.'

'Blijft hij leven?' Dit was een vraag van Winifred.

Hij keek haar nu recht aan en zei: 'Dat moeten we nog afwachten, mevrouw Coulson.' Zijn stem klonk nu gespannen. 'Er is één ding dat ik duidelijk moet maken' – hij keek Daniel weer aan – 'en dat is dat hij zijn benen niet meer kan gebruiken. De ruggengraat is in de lendenstreek beschadigd. Maar dat zou nog niet zo erg zijn, als er ook niet één long was dichtgeklapt en zijn lever was beschadigd. Dit laatste zou helaas wel eens ernstige consequenties kunnen hebben. Maar het is nog te vroeg om iets te kunnen zeggen. Ik zou u nu de raad willen geven naar huis te gaan en wat te rusten. Er is later nog tijd genoeg om...'

'Ik ga niet naar huis. Ik moet hem zien. Ik ga bij hem zitten.'

'Dat gaat helaas niet, mevrouw Coulson, vannacht niet.' De toon van de chirurg was beslist. 'Dit is een heel kritieke fase. Komt u morgenochtend terug, dan zullen we het verder bekijken. Maar op dit moment is het van het grootste belang dat hij op geen enkele wijze wordt gestoord.'

Het leek alsof Winifreds lichaam zwol tot het zou barsten. Haar borsten gingen op en neer en haar wangen zwollen op alsof ze haar adem inhield.

Maar de stem van Flo fungeerde als een speld die de ballon doorprikte toen ze vroeg: 'Hoe is het met Annette... zijn vrouw?'

Dokter Walters gaf Flo antwoord. 'O, zij heeft heel veel geluk gehad,' zei hij, 'een gebroken arm, gekneusde ribben, en een lichte hersenschudding. Het is verbazingwekkend hoe goed ze ervan af is gekomen. Met haar zal alles goedkomen. Ze heeft natuurlijk wel rust nodig. Daarom is het, zoals dokter Richardson al heeft gezegd, het beste als u allen naar huis gaat om zelf ook wat rust te krijgen. Wat ons aangaat' – hij gebaarde met zijn hoofd naar zijn collega – 'wij zullen ook blij zijn om naar bed te gaan. Ik neem aan dat u daar begrip voor zult hebben.'

'Ja, ja natuurlijk.' Dit was Joe. 'We... we zullen doen wat u zegt, dokter. En... dank u wel.'

'Ja, ja natuurlijk, dank u wel.' Het was alsof Joes woorden Daniel hadden herinnerd aan de hoffelijkheid die van hem werd verwacht, en zijn stem klonk aarzelend toen hij verderging: 'Ik... we zijn allemaal een beetje de kluts kwijt. Het... het was zo plotseling. De trouwerij. Ze waren net van huis vertrokken. Het lijkt net of het niet waar is.'

Dokter Richardson knikte voordat hij met de gemeenplaats kwam: 'Zulke dingen kunnen nu eenmaal gebeuren. We weten niet waarom. Maar er is altijd hoop. Ik wens u nu een goede nacht.' Hij knikte naar Daniel en liep toen naar buiten, gevolgd door dokter Walters.

Met uitzondering van Winifred maakten ze zich op om te gaan. Maar zij bleef staan terwijl ze strak voor zich uit staarde. Na een blik op haar te hebben geworpen, stapte Daniel langs haar heen de kamer uit. Flo keek ook naar haar; ze bleef zelfs even voor haar staan voor ze verderliep.

Joe was degene die bleef staan en zei: 'Kom mee, moeder; ik breng je morgenochtend wel weer hiernaartoe.' Heel even leek het of ze vastbesloten was te blijven staan waar ze stond, maar toen ze achterom keek naar de zwarte man die een meter bij haar vandaan stond en niet van plan leek in beweging te komen voor zij dit deed, bracht ze haar lichaam in beweging, terwijl ze Joes hand bij haar elleboog wegduwde.

Joe wisselde een blik met Harvey, en daarna liepen ze achter haar aan de kamer uit.

Het was twee uur in de nacht toen ze thuis arriveerden, en Winifred liep rechtstreeks naar haar kamer, nog steeds zonder iets te zeggen. Ook over de anderen leek een verbijsterd gevoel te zijn neergedaald, toen ze wat zaten te drinken van de warme drankjes die waren gemaakt door Maggie, die zonder enige klacht over dit late uur nu bezig was een kamer in gereedheid te brengen voor Flo en Harvey.

Met uitzondering van Stephen was iedereen de volgende morgen alweer voor acht uur op. Stephen had de vorige avond een zwaar slaapmiddel gekregen. Het bleek dat hij het ongeluk vanuit zijn zolderkamer had gezien, en hij had gegild en gejammerd en hij was zo onhandelbaar geworden dat de dokter erbij was geroepen.

Maggie was sinds zes uur op geweest. Ze had een uitvoerig ontbijt klaargemaakt waar niemand trek in had. Ze was nu in de zitkamer en keek Daniel aan. Haar ogen waren rood en opgezet, en haar stem klonk gebroken toen ze zei: 'Hij is toch nog niet ontkomen, hè?'

Daniel slikte moeizaam voor hij zei: 'Nee, hij is nog niet ontkomen.'

'Maar als hij er zo slecht aan toe is als jij zegt, dan zou ze hem alsnog kunnen verliezen. We zouden hem allemaal kunnen verliezen, maar ik denk dat ik hem nog liever dood dan hulpeloos zie, want dan is hij weer terug bij af, of zelfs nog erger.'

'O nee! God, dat niet. Ze hebben hun eigen huis, en ik heb begrepen dat Annette niet erg gewond is, en zij zal goed voor hem zorgen. En dan zijn er nog altijd verpleegsters. Nee, allemachtig nee, Maggie! Dat is één ding waar ik voor zal zorgen: op de een of andere manier moeten ze op zichzelf kunnen zijn. Zij zal er misschien de deur platlopen, maar ze zullen in elk geval hun eigen huis hebben. En hij zal een vrouw hebben.'

Ze staarde hem aan voor ze zich omdraaide en naar de ladekast liep, waar ze een schoon schort uit nam. Ze deed het om en zei: 'Komen jullie thuis voor de lunch?'

'Ik betwijfel het,' antwoordde hij.

'Zullen Flo en meneer Rochester blijven?'

'Ik weet het niet... Wat vind je van hem? Was je erg verbaasd te zien met wie zij zich had verloofd?'

'Eerst misschien wel, maar later niet meer, nee. Ik denk dat veel vrouwen blij zouden zijn als ze zo'n man konden krijgen, zo'n ontwikkeld iemand, en hij is heel knap om te zien. Maar dat zijn ze eigenlijk allemaal, hè? Ik heb nog nooit een lelijke zwarte man gezien. Jij wel?'

'Nou je 't zo zegt, nee, niet echt. Hoe dan ook, we denken er hetzelfde over: volgens mij heeft ze het heel goed gedaan, wat zijn kleur ook mag zijn. Maar nu moet ik echt gaan.' Hij bleef haar even aan staan kijken. Toen deed hij een stap in haar richting, sloeg zijn armen om haar heen, en zij sloeg haar armen om hem heen, en zo bleven ze enige tijd staan. Hij begroef zijn gezicht tegen haar schouder en stamelde: 'O, Maggie, mijn hart breekt, niet alleen om mezelf, maar om hem. Ik moet er niet aan denken wat de toekomst brengen zal.'

Ze duwde hem bij zich vandaan en veegde haar tranen weg voor ze zei: 'Daar kun je niets aan doen. Dat heeft de dag van gisteren wel laten zien. De mens wikt, maar God beschikt. Ga nu maar gauw; en bel me vanuit het ziekenhuis, wil je?'

Hij knikte, maar zei niets en liep de kamer uit.

In de hal stonden Flo en Harvey al met Joe te wachten, en toen ze hem zag, liep Flo vlug naar hem toe en zei: 'Ik heb geprobeerd met haar te praten, maar ze doet geen mond open.'

'Waar is ze?'

'Ze zit in de kleine eetkamer een kop thee te drinken, ze heeft nog helemaal niets gegeten.'

'Nou, dat zal haar geen kwaad doen.' Zijn stem klonk grimmig. 'Ze heeft genoeg vet om op te teren. Ga haar maar halen. Zeg dat we klaarstaan om weg te gaan.'

'Ze is zelf al meer dan een uur klaar om weg te gaan.' Flo klonk wat ontdaan over Daniels houding, maar ze deed wat hij vroeg.

De spanning leek toe te nemen, en daarom keek Joe Harvey aan en zei: 'Gaan jullie vandaag terug?'

'Dat is helemaal niet nodig. We hebben allebei een week vakantie, we zouden kunnen blijven, als we van enige hulp konden zijn.' Hij keek naar Daniel, en Daniel antwoordde alleen maar: 'Jullie zijn welkom om te blijven, zo lang je wilt. Jullie moeten het zelf maar beslissen.'

Op dat moment kwam Flo de hal inlopen, gevolgd door Winifred, die langs hen allen heen stapte alsof ze onzichtbaar waren, en het huis uitliep en in de auto ging zitten die op de oprit klaarstond. En toen ze recht ging zitten, stopte ze de panden van haar jas onder haar benen, alsof ze wilde voorkomen dat die het been van haar man zouden raken.

Toen ze door de poort de weg op draaiden, wendde Daniel zijn blik af van de vernielde omheining, en zweeg tot ze het ziekenhuis naderden. Toen zei hij, alsof hij iemand iets toefluisterde: 'Ga ons vanmorgen niet op je hysterische toestanden trakteren, want als je dat doet, zul je ervan lusten. Er bestaat een heel simpele remedie voor hysterie, weet je.'

Ze gaf niet meteen antwoord. Eigenlijk pas toen hij in een rij auto's op het plein voor het ziekenhuis had geparkeerd. Toen zei ze grimmig: 'Ik kríjg jou nog wel. Reken maar.' Waarop hij antwoordde: 'We krijgen elkaar nog wel. En we zullen God bidden dat dit snel zal zijn.'

Toen ze naar de ingang van het ziekenhuis marcheerde, draaide hij zich om naar waar de anderen uit hun auto stapten, en ze liepen samen naar de receptie, om Winifred op luide toon te horen verkondigen: 'Ik wil dokter Richardson spreken.' Waarop de receptioniste antwoordde: 'Het spijt me, maar dokter Richardson is op dit moment aan het opereren. Maar als u even in de wachtkamer gaat zitten, zal ik een andere dokter vragen u te woord te staan.'

Daniel kwam nu bij de balie staan, en hij onderbrak zijn vrouw en zei: 'Kunt u me zeggen op welke kamer mijn zoon ligt? Hij is vannacht geopereerd. Coulson is de naam.'

'Ja, ja,' – de receptioniste knikte naar hem – 'ik weet ervan. Maar zoals ik al heb gezegd, als u even wilt plaatsnemen in de wachtkamer, dan zal ik iemand voor u roepen.'

'Dank u.'

Hij draaide zich om, gevolgd door Joe, Flo en Harvey, maar Winifred bleef een volle minuut bij de balie staan alvorens hen te volgen.

Het was nu drukker in de wachtkamer dan de afgelopen nacht, er zaten minstens twaalf mensen, zodat er maar drie stoelen vrij waren. Bovendien holden er twee kleine kinderen rond de tafels.

Na één blik naar binnen te hebben geworpen, ging Winifred terug naar de gang, en Daniel en Joe wisselden een snelle blik, waarna de laatste haar volgde.

Harvey liep met Flo naar een stoel en ging naast haar zitten, terwijl Daniel bij de deur bleef staan, en ze waren zich allemaal bewust van de stilte die in de kamer was gevallen. Een blanke vrouw met een zwarte man. En wat voor zwarte man! En allebei piekfijn gekleed, niet als die gemengde stelletjes zoals je in Bog's End wel eens zag, die de gemeenschap wilden trotseren. Op de een of andere manier werd deze stemming uitgestraald door het publiek, dat met uitzondering van één jongen en één man, volledig uit vrouwen bestond.

Maar ze hadden nog maar een paar minuten gezeten toen de deur weer openging en Joe zei: 'Pa!' Daarna wenkte hij Flo en Harvey. En daar waren ze, allemaal weer in de gang, en ze stonden tegenover een jonge dokter die zei: 'Dokter Richardson wil u graag spreken. Hij is over een halfuur vrij. Intussen mag u even bij de patiënt kijken, maar echt heel kort. Meneer Coulson is nog niet bij bewustzijn.

Het zal nog wel even duren voor het zover is. Als u deze kant uit wilt komen. En... en met maar twee tegelijk, alstublieft.'

Hij liep met hen een gang door, en toen nog een, en vandaar naar een afdeling waar veel bedrijvigheid heerste en het gerinkel van borden op een etenskarretje dat de zaal uit werd gereden. De jonge dokter bleef voor een deur staan. Hij knikte eerst naar Daniel, daarna naar Winifred, duwde toen voorzichtig de deur open, en ze gingen naar binnen.

Daniel liep langzaam naar het bed en keek neer op zijn zoon, die wel al dood had kunnen zijn, zo weinig kleur had hij op zijn gezicht. Er zat een slangetje in zijn ene neusgat, er zaten slangen in zijn armen, en er was een rek over zijn benen geplaatst.

Daniel deed zijn ogen even dicht; zijn keel werd samengeknepen en hij schreeuwde inwendig: 'Zijn benen! Zijn benen!' Hij deed zijn ogen open bij het geluid van een snik, en hij keek over het bed heen naar zijn vrouw. Haar gezicht was verkrampt van verdriet, de tranen druppelden van haar kin. Hij hoorde haar kreunen.

Er dook uit het niets een zuster op, ze raakte Winifreds arm even aan en zei: 'Kom. Komt u alstublieft mee.'

Winifred trok haar arm weg en mompelde: 'Ik wil blijven. Ik kan bij hem zitten.'

'De dokter zegt...'

'Ik ben zijn moeder!' Ze siste de woorden zo ongeveer in het gezicht van de zuster, en de zuster keek over het bed heen naar Daniel, met een blik als een smeekbede. Bij wijze van antwoord liep hij langs de zijkant van het bed, en Winifred stapte snel weg. Ze liep naar de deur en mompelde: 'Ik wil de specialist spreken.'

Niet de dokter of de chirurg, maar de specialist.

Daniel maakte even een gebaar met zijn hoofd, en vroeg toen zacht aan de zuster: 'Wanneer... wanneer denkt u dat hij bij zal komen?'

Hierop antwoordde ze: 'Ik weet het niet... dat valt niet te zeggen.'

Daarna vroeg hij: 'Op welke kamer ligt zijn vrouw? Mevrouw Coulson?'

'O, ik geloof dat zij boven ligt, op de volgende verdieping.'

'Dank u.'

Een paar minuten later werd hij binnengelaten in een kleine kamer waar hij tot zijn verbazing Annette rechtop in bed zag zitten. Haar ogen waren open en toen hij dichterbij kwam, kon hij zien dat haar ene arm in het gips zat en dat de rechterkant van haar gezicht blauw gekneusd was, alsof ze een stomp had gekregen.

Haar stem klonk benepen toen ze zei: 'Pa.'

'O, liefje. O, mijn liefje, liefje.' Hij pakte haar andere hand van de sprei, en streelde die. Ze zei: 'Don?' En toen weer: 'Don? Is hij er erg... slecht aan toe? Ze... willen me... niets vertellen.'

Hij slikte even voor hij zei: 'Het... het zal wel weer goed met hem komen. Ik... ik heb begrepen dat zijn benen gewond zijn. Hij is nog niet bijgekomen, maar het komt wel goed met hem. Wacht maar af.'

De zuster, die hem naar binnen was gevolgd, schoof een stoel naar hem toe, en hij knikte om haar te bedanken en ging zitten. Hij hield nog steeds haar slappe hand vast en zei: 'Niet doen, liefje. Ga nou niet huilen.'

'We... we zouden juist...'

'Ja, liefje?'

'Ont... snappen.'

'Ja, jullie zouden ontsnappen. En jullie zullen wéér ontsnappen. Maak je maar niet ongerust.'

'Waarom, pa? O, waarom?' Het laatste woord, dat ze op luide toon riep, fungeerde als een teken voor de verpleegster, want ze gebaarde Daniel te gaan staan en zei tegen Annette: 'Stil nou maar. Stil nou maar. Je moet nu weer gaan slapen. Dan voel je je straks beter.'

Daniel liep achterwaarts bij het bed vandaan. Nog maar enkele uren geleden was ze een bruid geweest, een beeldschone bruid, en nu zag ze eruit als iemand die per ongeluk een boksring was ingestapt en de volle laag had gekregen.

Hij wachtte in de gang tot de zuster de kamer uit kwam, en hij vroeg zacht: 'Hoe erg is het met haar, zuster?'

'Ze is er verbazingwekkend genoeg heel goed vanaf gekomen. Ze is natuurlijk bont en blauw, maar het enige wat ze heeft gebroken is haar arm. Het is wonderbaarlijk goed voor haar afgelopen, terwijl haar man, heb ik begrepen, er heel slecht aan toe is. U bent... haar vader?'

'Haar schoonvader.'

'O, dus hij is uw zoon?'

'Ja, ja, hij is mijn...' Maar hij kon de zin niet afmaken, en de zuster zei: 'Het is een tragedie, nietwaar? Pas een paar uur getrouwd, en op weg naar hun huwelijksreis. Het is ongelofelijk dat zulke dingen kunnen gebeuren.'

Toen hij later van de wc kwam, waren zijn ogen rood, maar zag hij er weer beheerst uit. En toen hij terugging naar de wachtkamer, liep hij de chirurg tegen het lijf.

'O, bent u daar, meneer Coulson. Ik wilde u even spreken.'

'Goedemorgen, dokter Richardson. Ik ben net even bij mijn schoondochter geweest.'

'Ja, ja. Nou, zij heeft geluk gehad. Het is verbazingwekkend zo goed als zij ervan af is gekomen. Wilt u misschien even meegaan naar mijn spreekkamer?'

Ze gingen een kleine kamer binnen, en de chirurg wees naar een stoel en zei: 'Gaat u even zitten.' Daarna ging hij achter zijn bureau zitten, sloeg zijn handen boven op een schoon vloeiblad ineen, leunde iets naar voren en zei: 'Meneer Coulson, ik moet u helaas verzoeken resoluut met uw vrouw te praten met betrekking tot haar bezoeken aan haar zoon, op zijn minst gedurende de eerstvolgende dagen, tot we de volledige omvang van alle schade hebben kunnen vaststellen. Zoals ik u al eerder heb uitgelegd, is het uitermate onwaarschijnlijk dat hij ooit weer zal kunnen lopen, en is zijn lever ook beschadigd. Hij heeft eerlijk gezegd geluk dat hij nog in leven is, als je dat zo mag stellen. Naast dat probleem met zijn lever zal hij waarschijnlijk incontinent zijn. En daar komt nog bij dat we een stuk van een long hebben moeten verwijderen.'

Hij zweeg, stak een hand uit en tikte op de rand van het vloeiblad, alsof dat in contact stond met Daniel, en hij zei: 'Ik weet dat het afschuwelijk klinkt, maar er zou nog meer kunnen zijn. Er zijn fysieke problemen die op de een of andere manier kunnen worden behandeld, maar tot hij volledig bij bewustzijn is, kunnen we, om het maar heel eerlijk te zeggen, niet weten wat er hierbinnen is gebeurd.' Hij tikte op zijn voorhoofd. 'Het punt is dat u zich zult moeten afvragen of u hem liever dood wilt zien, en uit alle komende ellende verlost, of dat u hem in leven wilt hebben, al was het maar om voor altijd te moeten worden verpleegd. En hoe lang dat zal zijn… ach, ik ben geen God en ik kan geen tijd noemen. We weten niet of er schade aan de hersenen is, hoewel we wel weten dat hij een lichte schedelbasisfractuur heeft. En dezelfde vraag zal voor hem gelden, weet u, wanneer hij weet hoe zijn toestand is: zal hij willen blijven leven? De wil is altijd een sterke kracht, maar we moeten gewoon afwachten om die vraag te kunnen beantwoorden. En, zoals ik al heb gezegd, de volgende dagen zullen van cruciaal belang zijn. Daarom moet ik erop aandringen dat hij onder geen enkele spanning komt te staan, want ik houd me aan de theorie dat veel patiënten die buiten bewustzijn zijn, de emoties kunnen voelen van degenen om hen heen. En uw vrouw… tja, u zult haar beter kennen dan wie ook, maar ze lijkt me een nogal emotionele dame. Klopt dat?'

Daniel keek de chirurg even aan voor hij zei: 'Ja, dat klopt maar al te goed. En om het maar duidelijk te stellen: ze wás gisteren al in alle staten, omdat ze het gevoel had dat ze hem door zijn huwelijk had verloren. Maar nu, als hem iets mocht overkomen…' Hij gebaarde even met zijn hand voor zijn gezicht, alsof hij een vlieg wilde wegslaan. 'Het is allemaal heel gecompliceerd. Maar ik zal ervoor zorgen dat haar bezoeken kort worden gehouden.'

Dokter Richardson stond op uit zijn stoel en zei: 'Dank u. Ik zal bericht achterlaten dat alleen zij en u hem de komende dagen mogen bezoeken, en dan slechts voor enkele minuten. Maar,' – hij haalde zijn schouders op – 'ze schijnt per se bij hem te willen waken. U zult haar toch wel goed duidelijk maken dat dat op dit moment niet in zijn belang is, wel?'

'Dat zal ik zeker doen.' Maar zelfs terwijl hij sprak, had hij in gedachten een beeld van de scène die zou volgen wanneer hij haar vertelde dat ze de orders van de chirurg moest opvolgen, of anders… Het was dat 'of anders' dat hem zichtbaar deed huiveren, want hij betwijfelde het of hij, als ze weer tekeer zou gaan, in staat zou zijn zijn handen thuis te houden.

Dokter Richardson ging op vriendelijke toon verder: 'En u, meneer Coulson, zal ik niet zeggen dat u zich geen zorgen moet maken, want dat zou zinloos zijn, maar ik kan u verzekeren dat we alles zullen doen wat in onze macht ligt om hem erdoorheen te slepen; en wanneer, of indien, dat is gelukt, hem te helpen het leven te accepteren zoals hem dat wacht.'

'Dank u. Dank u hartelijk.'

Ze namen afscheid in de gang; maar Daniel hoefde niet naar de wachtkamer te gaan om Winifred op te halen, want ze stond bij de balie van de receptie. En ze trok daar veel aandacht, niet alleen van de mensen achter de balie, maar ook van andere mensen in de hal.

'Ik zal hier werk van maken. Ik zal naar de Medische Tuchtraad schrijven. Andere mensen kunnen wel bij patiënten waken, bij hun familie. Wie denkt die man wel dat hij is?'

Daniels stem was nauwelijks meer dan een fluistering, maar de woorden kwamen messcherp uit zijn mond toen hij zei: 'Hij is alleen maar de man die je geliefde zoon heeft gered. Jouw zoon. En van niemand anders. En niemand anders voelt verdriet of angst, alleen jij. Ben je al bij Annette geweest? Nee. En maak nu als de donder dat je buiten komt.'

Na een woeste blik op de starende gezichten te hebben geworpen, liep ze stampend het gebouw uit. En toen ze naar de auto liepen, draaide ze zich om, keek hem aan, en siste: 'Hoe dúrf je me zo voor gek te zetten!'

'Niemand kan jou voor gek zetten, vrouw, want jij bent een expert in het jezelf voor gek zetten. Dat ben je altijd al geweest. Stap nou maar gauw in de auto.'

Hij was gaan zitten en had de motor gestart, en ze stond daar nog steeds, tot het geluid van zijn schakelen haar het portier deed openen, waarna ze zich als een zak zand op de stoel liet vallen.

Tijdens de rit werd opnieuw geen woord gewisseld, maar hij had de auto nog niet stilgezet of ze duwde het portier al open en stapte uit. Het verbaasde hem opnieuw dat ze met haar gewicht nog steeds zo lichtvoetig kon zijn, vooral nu ze als een jonge vrouw over de oprit holde.

Joe was er al, en hij liep snel naar Daniels auto, bukte zich en zei: 'Doe maar een beetje rustig met haar, anders... nou ja.'

'Anders wat?'

Toen Daniel uit de auto stapte, antwoordde Joe: 'Als ik jou was, zou ik de dokter erbij halen. Ze kan zo niet doorgaan, anders knapt er iets.'

'Er is al lang geleden iets geknapt, Joe.' Daniels stem klonk vermoeid.

'Ja, in zekere zin wel, maar dit is anders. Ze heeft nooit eerder zoiets te verwerken gekregen.'

'Geen van ons heeft ooit eerder zoiets te verwerken gekregen.'

'Nee, daar heb je gelijk in. Maar wat moet ik doen? Moet ik de dokter bellen?'

'Ja, bel hem maar. Niet dat het veel uit zal richten.'

Daniel wist dat het te vroeg in de morgen was om te drinken, maar hij wist ook dat hij een flink glas whisky moest hebben voor hij naar boven ging om haar te confronteren met de mededeling dat ze niet bij haar zoon in het ziekenhuis mocht babysitten.

Hij had juist een dubbele whisky naar binnen gegoten toen de deur openging en een zachte stem zei: 'Pap.'

Hij draaide zich om en zag Stephen daar aarzelend staan. Daniel liep naar hem toe en zei: 'Jij bent al vroeg beneden.' Maar hij bedwong zich om eraan toe te voegen: 'Nee maar, helemaal uit jezelf?' In plaats daarvan vroeg hij: 'Waar is iedereen?'

'Maggie is in de keuken, pap. Lily is met Bill naar de kerk, en ik geloof' – hij zweeg even terwijl hij zijn hoofd scheefhield – 'dat Peggy de badkamer doet. Niet de mijne; ik ben braaf geweest, pap. Ik heb goed opgepast.'

'Grote jongen.' Daniël legde een hand op de schouder van zijn zoon en zei: 'En, wat ga je nu doen?'

'Ik... ik wil naar Joe toe. Ik... ik wil hem vragen hoe het met Don en Annette is.'

Het was Daniel al lange tijd duidelijk dat de jongen Joe opzocht als hij hulp nodig had met iets, en niet hem, zijn vader. Hij zei: 'Tja, ik denk dat Joe bezig is, omdat we allemaal net uit het ziekenhuis terug zijn, dus je moet...'

Hij werd in de rede gevallen door Stephen, die vlug zei: 'Stuur me niet weer naar boven, pap. Alsjeblieft, stuur me niet meer naar boven. Ik... ik ben heel verdrietig. Ik ben echt heel verdrietig. Ik... ik wil graag naar Don toe. Ik... ik heb het gisteren zien gebeuren. Ik...'

'Ja, dat weet ik,' onderbrak Daniel hem scherp, 'en je bent erg geschrokken, maar ik wil dat je rustig blijft en een brave jongen bent. En ik beloof je dit: zodra Don en Annette een beetje beter zijn, zal ik je zelf naar het ziekenhuis brengen. Wat vind je daarvan?'

'Zul je dat echt doen?'

'Ja, echt, zodra ze een beetje opgeknapt zijn. Maar je zult je goed moeten gedragen. Begrijp je wat ik bedoel?'

De man-jongen boog zijn hoofd en jammerde op bijna kinderlijke toon: 'Ja, pap. Ja, ik weet wat je bedoelt. En ik zal me echt goed gedragen.'

'Mooi zo, ga nu dan maar terug naar de keuken en blijf bij Maggie, terwijl ik even naar boven ga, en daarna kom ik weer beneden en dan kletsen we gezellig samen, hè? Of we gaan een spelletje biljarten.'

'Echt waar, pap? Biljarten met mij?'

'Ja, ja, dat zal ik doen. Ga nu maar gauw.'

Stephen grijnsde van blijdschap, draaide zich toen om en holde sloffend naar de keuken. En Daniel keek achterom naar de karaf op het buffet, aarzelde even, en liep toen de kamer uit, de trap op.

In plaats van op de deur van zijn vrouws slaapkamer te kloppen, riep hij: 'Ben je daar?'

Hij wachtte even, en toen er geen antwoord kwam, deed hij de deur open en ging naar binnen. Ze had haar jas en hoed weggehangen en zat achter haar kaptafel. Hij had zich vaak afgevraagd waarom ze zo vaak achter haar kaptafel zat, maar hij veronderstelde dat ze haar rimpelloze huid en de afwezigheid van grijs in haar haar zat te bewonderen. En dit had hem zich doen afvragen waarom ze zich niet meer concentreerde op het kwijtraken van haar overtollige vet, want zonder dat vet was ze een heel knappe vrouw geweest. Haar eetproblemen, had de dokter gezegd, kwamen voort uit innerlijke spanningen. En hij moest zeggen dat die spanningen van haar in de loop der jaren hun weerslag hadden gehad op de hele familie.

Hij liep tot aan het voeteneind van het bed, legde zijn hand op een pilaar en zei: 'Ik moet even met je praten.'

Ze gaf geen antwoord, maar staarde hem alleen maar aan via de spiegel, zoals ze dat altijd deed als ze achter haar kaptafel zat.

'Het gaat over het bezoek in het ziekenhuis,' zei hij. 'Dokter Richardson vindt het raadzaam dat wij de eerstkomende dagen onze bezoeken heel kort houden, een paar minuten maar. Dat zal Don een betere kans geven om...'

'Een betere kans?' Toen haar lichaam zich langzaam op haar zitplaats omdraaide, leek het te golven en te deinen. Hij zag het vet van haar armen trillen onder de mouwen van haar jurk. Hij zag haar grote borsten schommelen. Bij iemand anders konden deze bewegingen een zekere mate van verleidelijkheid hebben gehad, maar bij Winifred waren dit, zoals hij maar al te goed wist, de tekenen van een stijgende woede.

Haar woorden kwamen eerst langzaam, evenals haar bewegingen. 'Een betere kans?' zei ze. 'Een betere kans? Was je dan van plan hem een kans te geven? Zit je geweten je dwars? Jij hebt zijn hele leven uitgestippeld, je hebt zijn huwelijk gearrangeerd, je was tot alles in staat om hem maar van mij af te pakken. Maar hem laten trouwen was een soort wettige dekmantel voor je eigen daden, hè?' Haar stem was gestegen, maar nog niet tot gilhoogte. 'Je kon de gedachte niet verdragen dat ik hem rein wilde houden, dat ik erop toe wilde zien dat hij niet in jouw voetsporen zou volgen, met die smerige del van je.'

'Houd je mond! Houd je mond!'

Ze sprong opeens overeind en greep bij het voeteneind van het bed de andere pilaar beet alsof ze die eruit wilde rukken.

'Heb 't lef niet om tegen mij te zeggen dat ik m'n mond moet houden! Maar luister goed. Als m'n zoon sterft, vermoord ik jou! Hoor je me? Ik vermóórd je!' Haar stem was tot gegil gestegen. 'Jij verlángde gewoon naar vannacht, hè, wanneer hij zou worden ontmaagd, wanneer hij een man zou worden, net als jij met je smerige hoerenloperij.'

De klap raakte haar pal op de mond, maar ze wankelde niet. In plaats daarvan maaide ze met haar armen en krabde ze in zijn gezicht en gilde woorden waarvan hij wist dat ze obsceen waren, maar hij kon zijn oren haast niet geloven.

Hij greep haar bij de keel en worstelde met haar. En omdat zijn haat even groot was als die van haar, zou hij niet hebben geweten wat hij hierna zou hebben gedaan, als er geen handen waren geweest die hem hadden weggetrokken. Door een rood waas zag hij het zwarte gezicht dat dicht bij het zijne was, terwijl Joe zijn armen strak om Winifred heen had geslagen, die uitgestrekt op de chaise longue aan het voeteneind van het bed lag.

Toen Peggies verschrikte gezicht in de deuropening verscheen, riep Joe: 'Haal Maggie!' Maar Maggie kwam het volgende ogenblik de kamer al binnen, hoewel ze stokstijf bleef staan toen ze Daniel zag, bij wie het bloed over het gezicht stroomde.

Ze draaide zich snel om naar Peggie en riep: 'Haal mevrouw Jackson, die is met Stephen in de tuin. Bel daarna de dokter.' En tegen Harvey zei ze zacht: 'Neem hem mee. Hij moet hier weg.' Daniel liet zich gewillig meevoeren, maar op de overloop bleven ze allebei verbaasd staan toen ze de kapelaan boven aan de trap zagen.

Kapelaan Cody was een man van begin dertig. Hij had het uiterlijk van een asceet, zijn toon was afgemeten, en zijn stem had geen herkenbaar accent. 'Ik hoorde alle opwinding,' zei hij. 'Ik kwam even langs tussen twee kerkdiensten door om te horen hoe het met het jonge paar ging. Lieve God! Ik zie dat u hebt gevochten. Het lijkt me dat dit toch geen tijd is voor verwijten over en weer. Uw vrouw heeft de laatste tijd al genoeg moeten lijden. Weet u dat niet? Wat zij nodig heeft, is troost. Vooral in tijden als deze. Die twee arme onschuldige kinderen van gisteren. Maar weet u,' – hij hief een hand – 'ze zeggen nu eenmaal dat de zonden van de vaderen aan de kinderen zullen worden bezocht, tot in het derde en vierde geslacht. Alles in het leven heeft nu eenmaal een prijs. Daar zorgt God wel voor. Ja, Hij…'

'Eruit!' Daniel had zich uit Harveys greep losgerukt.

'Niets daarvan! Waag het niet!' De priester stak beide handen op. 'Sla niet zo'n toon tegen me aan, Daniel Coulson. Ik ben de biechtvader van je vrouw, en ik weet zeker dat ze op dit moment mijn hulp nodig heeft.'

'Luister jij eens even goed. Als je van mij geen trap voor je achterste wilt, moet je nu als de donder maken dat je mijn huis uit komt. En ik wil je hier niet meer zien. Nooit meer.'

Kapelaan Cody wierp een blik in de richting van Harvey, in de verwachting dat hij deze opstandige persoon wel terecht zou wijzen; maar het enige wat de zwarte man met lage stem zei, was: 'Ik zou maar doen wat je gezegd wordt, man, en vlug ook, als ik jou was.'

'U moet niet denken dat u mij kunt intimideren.' Kapelaan Cody keek van Harvey naar Daniel. Maar toen Daniel met gebalde vuisten een stap naar hem toe deed, bedacht de kapelaan zich, draaide zich abrupt om en zei: 'Gods wegen zijn ondoorgrondelijk; Hij beschermt Zijn getrouwen, dat zult u zien.'

'Loop naar de hel, jij!'

De twee mannen bleven boven aan de trap staan kijken hoe de in het zwart geklede gestalte de hal door liep, het huis uit. Daarna pakte Harvey Daniel bij de arm en zei: 'Kom mee. We zullen je eens schoon gaan maken.' En hij voegde eraan toe: 'We hoeven niet bang te zijn dat hij in de hel terechtkomt. Heb je gezien dat hij onder aan de trap een kruis sloeg?'

De dokter diende Winifred een kalmeringsmiddel toe, bijna zonder dat ze dit besefte want ze was nog steeds door het dolle heen. Toen hij Daniels gezicht zag, zei hij: 'Het lijkt wel of je door een tijger te pakken bent genomen; ik zal je een injectie geven.' Later, toen hij op het punt stond om weg te gaan, zei hij: 'Ze heeft zo langzamerhand hulp nodig, echte hulp. Begrijp je dat?'

Daniel begreep dat maar al te goed, en hij hoopte vurig dat dat moment snel aan zou breken.

Rond twee uur kwam pastoor Ramshaw langs. Het was ongewoon stil in huis. Hij stapte de hal in, liep door naar de keuken en vroeg: 'Maggie, waar is iedereen?'

'Ik denk dat u meneer in de studeerkamer zult vinden,' zei ze. 'De anderen zitten in hun kamer.'

'Nou, ik wilde meneer graag spreken. Heb je misschien wat thee klaar?'

'Nee, maar daar kan ik elk moment voor zorgen.'

'Dat lijkt me heel lekker.'

Hij liep naar de studeerkamer, klopte op de deur en riep: 'Ik ben het.'

Daniel lag languit op de leren bank, hij ging zitten maar kwam niet overeind. De priester bleef van schrik staan en zijn mond viel open. Toen zei hij: 'Grote genade, nee! Wat is hier gebeurd? Maar ik vraag waarschijnlijk naar de bekende weg.' Hij ging op de rand van de bank zitten, schudde zijn hoofd en zei: 'Er zal iets moeten gebeuren, maar God mag weten wat. Er is altijd een druppel die de emmer doet over-lopen, en het lijkt me dat jouw gezicht die druppel kan zijn. Voel je je erg beroerd?'

'Ik voel me niet zo best, eerwaarde. Maar u komt zeker in verband met uw assistent?'

'Ja, inderdaad.' De priester trok een ernstig gezicht en zei: 'Je hebt mijn kapelaan beledigd, weet je dat wel? Voor-zover ik heb begrepen schijn je hem zelfs naar de hel te heb-ben gewenst; dat heb je echt met zoveel woorden gezegd.' Hij wendde zijn hoofd af en zei: 'O, wat heb ik vaak gewenst dat ik zo moedig was om dat te zeggen.' Toen ging hij snel verder: 'Probeer maar niet te glimlachen, want dat doet pijn, dat kan ik zien.' Ze keken elkaar even zwijgend aan, voor de geestelijke, nu op ernstiger toon, mompelde: 'Ze moet nu echt volslagen gek zijn geworden. Wat heeft dit trouwens veroorzaakt?'

'Ze had in het ziekenhuis een scène geschopt omdat ze niet bij Don mocht waken, en de dokter heeft me terzijde genomen om te vragen of ik haar duidelijk wilde maken dat de eerstkomende dagen haar bezoeken maar enkele minu-ten mogen duren, en niet uren, of dagen en nachten, zoals zij dat had gewild. En toen heb ik geprobeerd haar dat heel voorzichtig duidelijk te maken. Maar', – hij zuchtte – 'ze houdt mij nu eenmaal verantwoordelijk voor dat ongeluk. Als ik hem niet op listige wijze tot een huwelijk had weten te brengen, waren ze niet op dat bewuste moment met de auto weggereden, en dan was dit alles niet gebeurd. Het is allemaal mijn schuld.'

'Nou, Daniel, je moet het maar zo bekijken: ze heeft ge-lijk, weet je, want jij hebt hen inderdaad bij elkaar gebracht, en jij hebt ervoor gezorgd dat ze gisteren konden trouwen. Vreemd, maar ze heeft in zekere zin gelijk. Je bedoelingen waren goed. Jawel, ze waren heel goed. Je wilde voorkomen dat die jongen volledig door haar werd opgeslokt. Als er ooit een omgekeerd oedipuscomplex heeft bestaan, dan was het dit wel. Het is beslist het ergste geval dat ik ooit heb meegemaakt. En ik heb op dat punt het een en ander meegemaakt. Het is helemaal niet zo zeldzaam. O nee. Maar het speelt zich vaak in het verborgene af. Hoeveel vrouwen behandelen hun schoondochters niet als oud vuil? Veroorzaken zelfs zoveel problemen dat ze het huwelijk laten mislukken? Ik weet er zelfs één die een echtscheiding tot stand wist te brengen. Ja, echt waar. En ze waren nog wel roomskatholiek. Ze had ervoor gezorgd dat ze van tafel en bed werden gescheiden omdat ze zo de pest aan elkaar hadden. Toen kwam het stel elkaar weer op straat tegen, en hij zei – zoals hij me in zijn eigen woorden heeft verteld – tegen zijn vrouw: "Ik moet wel stapelgek zijn geweest om naar haar te luisteren en haar voor jou te stellen. Als jij terug wilt komen, zal ik haar eens goed vertellen waar het op staat." En dat heeft hij toen ook gedaan, en ze hebben nog tien jaar lang een gelukkig huwelijk gehad. Maar het had een heel vreemd einde, want je kunt het geloven of niet, maar de twee vrouwen hebben daarna nog jarenlang heel gemoedelijk samengewoond. Kun je je zoiets voorstellen? Er is niets zo vreemd als de menselijke natuur. Ik maak daar heel wat van mee, van dichtbij, weet je.' Hij zweeg, wreef met een hand over zijn gladgeschoren kaken en zei toen rustig: 'Ik vrees dat ze binnenkort in een inrichting zal moeten worden opgenomen. Weet je dat? Op zijn minst voor een tijdje. Ze heeft speciale verzorging nodig. Het zal voor haar eigen bestwil zijn.'

Daniel keek de priester aan. Hij was verbaasd dat iemand anders de gedachte verwoordde die hem al zo lang bezighield. Maar het was bij een gedachte gebleven, want hij had tegen zichzelf gezegd dat je van niemand kon zeggen dat iemand geestelijke hulp nodig had alleen maar vanwege een onnatuurlijke liefde voor een zoon. Maar aan de andere kant... was ze niet juist daardoor gestoord geraakt?

'Ik hoor dat Don er slecht aan toe is. Als ik het goed heb begrepen, is het de vraag of het niet beter zou zijn als de Heer hem tot Zich nam...'

'Hoe komt u daar zo bij, eerwaarde? De chirurg, dokter Richardson, heeft hem niet opgegeven. Ik bedoel...'

'Ik weet wat je bedoelt: waar leven is, is hoop. Maar ik ken Freddie Richardson toevallig. Ik heb die familie al gekend vanaf dat hij een klein kind was. Ik heb contact met hem opgenomen. Ik wist niet of hij Don wel of niet onder zijn hoede zou nemen, maar ik had zo'n idee dat hij wel van dit geval zou weten, en hij zei dat de jongen er slecht aan toe was. En ik denk, Daniel, dat je dat feit onder ogen zult moeten zien. Ik weet dat jij dat wel zult doen, maar van haar vraag ik het me af. Je vertelde me een tijdje geleden dat je overwoog er weer vandoor te gaan, en ik zei toen dat je er nog even mee moest wachten, en dat heb je gedaan. Maar als ik jou nou zo zie, vraag ik me af of ik je wel zo'n goed advies heb gegeven. Soms wens ik dat ik dichter bij God zou staan, zodat ik zou weten wat ik onder zulke omstandigheden moest doen.'

Daniel kwam langzaam overeind en zei: 'Ik denk dat u dichtbij genoeg bent, zo dichtbij als een mens maar kan komen.'

'Ach, maak het nou. Ik doelde niet op vroomheid of zo. Ik had het alleen maar over mijn eigen feilbaarheid.'

'Ik weet hoe goed uw bedoelingen waren, en ik kan u één ding wel verzekeren. Misschien zeg ik dit omdat ik niet weet of ik waak of slaap, maar u bent de beste vriend die ik heb. U weet alles van me, het goede en het slechte, en ik denk niet, wat ik u ook zou vertellen, dat u zich ooit tegen me zou keren, zelfs als ik u vertelde dat ik haar vanmorgen had willen vermoorden.'

'Ach, onder de omstandigheden was dat een natuurlijke reactie, lijkt me, maar je weet dat we zulke reacties moeten bedwingen. Ja, ik weet maar al te goed dat we zulke reacties moeten bedwingen.' Hij glimlachte zuur en zei toen: 'Dank je, Daniel, dat je mij je vriend noemde. Dank je. Nou, ik moet weer eens gaan, maar,' – en hier hief hij een vinger naar Daniel – 'voor ik ga moet ik je nog berispen wegens het beledigen van mijn kapelaan en het hem naar de hel wensen. Dit moet ophouden, weet je, ik ben de enige die zich dat voorrecht mag veroorloven.'

Daniel stootte een geluid uit dat voor een lach had kunnen doorgaan, en zei: 'Nou, doet u dat dan maar, en houd hem bij mij uit de buurt, want ik heb hem nooit kunnen luchten of zien en dit van vandaag deed echt de deur dicht.'

De priester boog zich naar hem toe en zei op gedempte toon, met een grijns op zijn gezicht: 'Wat hij nog het ergste vond, was dat die zwarte man het waagde tegen hem te zeggen dat hij moest ophoepelen. Ik mág die kerel wel, weet je. En wat een stem! Een genot om naar te luisteren. En hij is ook heel knap om te zien. Weet je wel dat hij gisteren voor de nodige sensatie heeft gezorgd? Ja, maar op een leuke manier. De mensen vroegen naar hem. Zoals een ouwe taart opmerkte, sprak hij als een heer. Poeh! Vrouwen! Maar wat zouden we zonder hen moeten beginnen? Eén ding weet ik wel: mijn biechtstoel zou grotendeels leeg blijven. Goed, ik moet nu echt gaan. Ik denk niet dat ik je vanavond bij de zegening zal zien. Als je mijn advies opvolgt, neem je twee warme dubbele whisky's en ga je naar bed en bid – en je zult heel hard moeten bidden – dat dat gezicht van jou er morgenochtend weer wat beter uitziet, want ik weet niet wat voor excuus je voor je uiterlijk moet aanvoeren. Ik laat het aan jou over om dat te bedenken. Tot ziens, Daniel.'

'Tot ziens, meneer pastoor.'

Daniel ging weer op de bank zitten. Ja, hij zou een heel goede smoes moeten bedenken. Maar wie kon hij voor de gek houden? Niemand in de fabriek, en ook niemand erbuiten.

# Deel twee

# 1

Don lag naar de deur te kijken, in de hoop die open te zien gaan om dat ene gezicht te zien, maar ook in de vrees het andere te zullen zien. Hoe lang was het nu geleden? Jaren en jaren; zes jaar moest het zijn geweest, niet slechts zes weken. Maar het was zes weken geleden sinds zijn wereld was ingestort.

Hij hief langzaam een arm van de sprei en keek ernaar, en daarna hief hij langzaam de andere op. Hij had nog steeds zijn armen, hij had nog steeds zijn hoofd, en hij kon nadenken. Hij kon nog steeds zien en horen, en hij kon praten. Hij beschikte over al deze vermogens, maar wat waren die hem van nut? Zijn lichaam was weg. Nou ja, niet helemaal. Maar hij moest af en toe heel diep ademhalen om te weten dat hij nog steeds over longen beschikte. En, lieve God, hij wist dat hij een blaas en ingewanden had. O, dat was heel beschamend. Als, als... Maar hij had geen benen. Ja, hij had ze wel. Ja, zijn benen waren er, hij kon zijn tenen omhoog zien steken. Maar wat waren die hem van nut? Waarom haalden ze die er niet af? Ze hadden hem verder al zoveel ontnomen. Schiet op, Annette. Schiet op. Lieve God, laat moeder vandaag niet komen. Ik zou pa en Joe graag willen zien. Ja, Joe kon heel troostvol zijn. Gisteren had hij gezegd dat hij zou proberen om Stephen mee te brengen.

Gewoon even langskomen. Dat was het, wat de mensen deden. Ze kwamen even langs, en dan waren ze weer weg. Hij wenste dat sommigen langer zouden blijven. Hij wenste dat Annette de hele dag en de hele nacht zou blijven. Dat was gisteren ook gebeurd, gisteren was ze bijna de hele dag gebleven, en eergisteren ook. Nee, eergisteren niet. Zijn moeder had daar gezeten – hij keek naar de zijkant van het bed – en ze had hem gestreeld en geaaid en tegen hem gefluisterd. Dat zat hem dwars. Hij voelde zich te zwak om zijn moeder aan te kunnen. Ze zouden haar weg moeten houden. Hij zou er eens met zijn vader over praten. Die begreep het wel. En Joe ook. Annette begreep het uiteraard ook. Ja, Annette begreep het ook. Hij mocht haar familie niet. Hij had zojuist ontdekt dat hij haar familie niet mocht. Haar vader was een opgeblazen heerschap en haar moeder was in zekere zin net zo kwezelig godsdienstig als die van hem. Het was vreemd dat hij zulke dingen nu pas goed zag, terwijl andere dingen opeens zo verward en wazig konden zijn, en hij had zelfs gedacht: ik moet opstaan en me aankleden. Ja, dat had hij echt gedacht. Maar hij zou nooit meer op kunnen staan om zich aan te kleden. Dat wist hij. Nooit meer.

Hij deed zijn ogen stijf dicht en smeekte God: laat me alstublieft niet huilen. Alstublieft! Jezus, laat me niet huilen. Heilige Maria, moeder van God, laat me niet huilen.

'Don. Don.'

'O, Annette! O, lieverd, ik wist niet dat je er was.'

Hij bewoog zijn handen in de hare, en zijn vingers omvatten zwak haar zachte huid. 'O, liefste, ik heb er zo naar verlangd jou te zien.'

'Ik ben maar een uurtje weggeweest; ik moest naar de chirurg. Kijk, ze hebben het gips van mijn arm afgehaald. Ik moet massage en therapie hebben, maar binnenkort zal alles weer goed zijn.'

'Ben je maar een uur weg geweest?'

'Ja, liefste, een uurtje maar.'

'Ik ben zo in de war, Annette; mijn gedachten draaien steeds maar rondjes. Soms kan ik heel helder denken, en dan is het opeens weer of alles mistig wordt.'

'Dat gaat wel over. Je bent in de afgelopen week al een stuk opgeknapt. Iedereen is verbaasd over hoeveel beter je bent.'

'Echt?'

'Ja, echt waar, lieverd.'

'Zal ik ooit nog naar huis kunnen?'

'Ja natuurlijk, lieverd.'

'Ik bedoel, naar ons huis?'

'Ja, naar ons huis. Dat staat helemaal klaar.'

Hij wendde zijn blik van haar af en keek om zich heen in de witte ziekenhuiskamer, naar de bloemen die op een tafel bij elkaar stonden, naar de hoeveelheid kaarten op een andere, en hij zei zacht: 'Ik zal nooit meer kunnen lopen, Annette.'

'O ja hoor, vast wel. Ze kunnen nog van alles voor je bedenken.'

'Nee, Annette, dat kunnen ze niet. Ik heb ze gehoord, dokter Richardson en de anderen, ik heb ze gehoord. Ik kon niet verstaan wat ze zeiden, maar ik kon het wel horen. Hij had het met zijn studenten over de operatie, over mijn ruggenwervels. Ik hoorde hem zeggen: "En wat gebeurt er wanneer dat gedeelte verbrijzeld is?"'

'Lieverd, luister goed. Je moet daar niet over piekeren. Je zult beter worden, echt beter worden. Daar zal ik voor zorgen. En bedenk goed wat wij hebben om naar uit te kijken. Weet je wel?'

Hij keerde zijn hoofd naar haar toe en keek haar aan. Toen plooide zijn gezicht zich tot een glimlach, en hij zei: 'Ja, dat weet ik heel goed, Annette.' Op andere toon ging hij verder: 'En jij hebt alleen maar een gebroken arm?'

'Ja, dat is alles, lieverd, wat blauwe plekken en een gebroken arm.'

'Dat is geweldig, geweldig.' Hij draaide zijn hoofd weer op het kussen, keek omhoog en herhaalde: 'Geweldig, geweldig. Het heeft zo moeten zijn, hè?' En zij zei met tranen in haar ogen: 'Misschien, lieverd, misschien.'

Ze boog zich over hem heen en legde haar lippen op de zijne, waarop hij zijn armen om haar heen sloeg en haar omhelsde. Toen draaide ze haar lichaam, zodat haar hoofd op het kussen lag, met haar gezicht naar hem toe, en zei zacht: 'Ik houd van je.' En hij zei: 'Ik aanbid je. Ik heb je altijd aanbeden, en dat zal ik altijd blijven doen, zolang ik leef... zolang ik leef.'

Toen er tranen uit zijn ooghoeken rolden, zei ze: 'O, liefste, je zult echt blijven leven, je zult echt beter worden. Luister...' Maar haar woorden werden afgebroken doordat de deur openging, en daar stond zijn moeder.

Heel even bleven ze nog zo liggen, toen draaide Annette zich om en ging zitten, en ze staarde naar de vrouw die haar woest aankeek en zei rustig: 'Hallo, schoonmoeder.'

Winifred gaf geen antwoord, maar liep naar de andere kant van het bed en keek even op haar zoon neer. Toen bukte ze zich, kuste hem en schoof een stoel bij en ging zitten.

'Hoe gaat het ermee, jongen?'

'Goed, moeder... een stuk beter.'

'Ik heb een appeltaart voor je meegebracht, die Maggie heeft gebakken, je favoriete taart.' Ze gebaarde naar een pak dat ze op het nachtkastje had gelegd. 'En ik heb hun daar' – ze knikte naar de deur – 'verteld wat voor ijs jij het lekkerst vindt.'

Hij deed zijn ogen even dicht, en zei toen: 'Moeder, ze weten heel goed wat ik moet eten. Ze zijn heel vriendelijk.'

'Ja, vriendelijk, maar de helft is volslagen onnozel. Het is ziekenhuisvoer. Ook al lig je op een privé-kamer, toch krijg je gewoon ziekenhuisvoer.' Ze keek over het bed naar Annette en zei: 'Is het gips eraf?'

'Ja.' Annette bewoog haar arm. 'Het was geen slechte breuk. Ik heb geluk gehad.'

'Ja, je hebt veel geluk gehad.'

Er viel een stilte tussen hen, maar toen er zweetdruppeltjes op Dons voorhoofd verschenen en Annette die weg wilde vegen met haar zakdoek, stond Winifred op uit haar stoel en zei: 'Dat helpt niets,' en ze liep naar de wasbak in de hoek van de kamer, maakte een doek nat en liep naar het bed terug om het gezicht van haar zoon af te nemen, waarbij hij zijn ogen dichthield. Maar toen ze een hand begon af te vegen, rukte hij die weg en zei: 'Moeder! Ik ben al gewassen. Doe dat alsjeblieft niet. Ik ben al gewassen!'

'Wind je niet op. Stil blijven liggen.'

Ze keek over het bed heen naar Annette en vroeg: 'Hoe

lang blijf jij?' En toen ze resoluut als antwoord kreeg: 'De hele dag,' zei ze: 'O.' Toen ging ze verder: 'Het is echt niet nodig dat we er alle twee zijn. En ik dacht dat jij bezig was het huis in orde te maken.'

'Dat is al gebeurd. En dit is mijn plaats.'

Ze schrokken allebei toen Don riep: 'Zuster! Zuster!' En hij drukte tegelijkertijd op de bel.

De deur ging onmiddellijk open en er kwam een zuster binnen. 'Zuster, ik ben moe.'

De zuster keek van de oudere vrouw naar de jongere en zei: 'Wilt u alstublieft gaan?' Ze liepen allebei langzaam naar de deur, maar Don riep: 'Annette, Annette.'

Ze kwam bijna op een holletje bij hem terug en boog zich over hem heen. 'Ja, lieverd? Maak je maar geen zorgen. Ik kom zo weer terug. Wees maar niet ongerust.'

In de gang keken ze elkaar aan. Voordat Annette de kans kreeg om iets te zeggen, zei Winifred: 'Twee is te veel in die kamer.'

'Ja, dat ben ik met u eens. En ik heb het eerste recht, omdat ik zijn vrouw ben. Bedenkt u dat alstublieft wel.'

'Hoe dúrf je!'

'Ik durf het, en ik zal het blijven durven.' Hierop liep Annette naar een deur met 'Zuster Bell' en stapte zonder kloppen naar binnen, legde de zuster met een paar woorden het probleem voor, en besloot met: 'Wie heeft het eerste recht om bij haar man te zijn, zuster? De moeder of de vrouw?'

'De vrouw, uiteraard. En maakt u zich maar geen zorgen, mevrouw Coulson, ik begrijp uw positie en ik zal met dokter Richardson spreken in verband met de bezoeken die zijn moeder in de toekomst kan brengen. U hebt een moeilijke tijd achter de rug.' Ze liep om het bureau heen, legde haar hand op Annettes schouder en zei: 'Stil maar. U bent heel flink geweest. Huil nou maar niet. Laat het maar aan mij over, ik pak haar wel aan. Is ze nog steeds in de gang?'

'Daarnet wel.'

'Blijf dan maar even hier, tot ik terugkom.'

Een paar seconden later hoorde Annette de stem van

haar schoonmoeder met de woorden die ze de afgelopen weken maar al te vaak had gehoord: 'Hij is mijn zoon. Ik maak hier werk van.'

Er volgde een stilte, maar de zuster kwam niet meteen terug. Toen ze ten slotte kwam, leek haar glimlach enigszins geforceerd toen ze zei: 'De kust is vrij, u kunt nu naar uw man.'

'Dank u wel. Dank u wel, zuster. Trouwens…' – ze zweeg even – 'hebt u enig idee wanneer ik hem mee naar huis zal kunnen nemen?'

'Tja.' De zuster trok haar wenkbrauwen op. 'Dat zal helaas nog wel even duren, een paar weken of zo. Weet u, hij moet later deze week nog een operatie ondergaan. En als u hem eenmaal thuis heeft, zal hij voorlopig voortdurend moeten worden verpleegd. Dat weet u?'

'Ja, dat begrijp ik.'

'Maar laten we het gewoon per dag bekijken. Hij gaat veel sneller vooruit dan we hadden gedacht, en hij ziet er altijd beter uit wanneer u bij hem bent.'

Annette kon hier geen antwoord op geven, maar ze liep weer naar Dons kamer. Hij lag met zijn ogen dicht en had niet in de gaten wie er was tot ze zijn hand pakte. 'O Annette. Wat moet ik toch met haar beginnen?'

'Maak je maar geen zorgen; de zuster regelt alles.'

'Ze maakt me echt van streek, lieverd. Ik kan er echt niet tegen. Ik zie er nu al tegenop dat ze weer komt. Wat moet ik toch doen?'

'Je gaat nu rustig liggen en even een dutje doen. En stel je eens voor: over een paar weken mag je naar huis.' Ze kneep in zijn hand. 'Daar leef ik helemaal naartoe, dat jij zo gauw mogelijk thuiskomt.'

'Maar hoe wil je dat doen?'

'Nou,' – ze lachte hem toe – 'als dat alles is waar jij je ongerust over maakt, zet het op dit moment dan maar uit je hoofd. Hoe ik dat zal doen? Ik zal hulp zat hebben. En ik kan het ook wel alleen af. Ik zal je laten zien wat ik kan.'

'Maar… maar voor hoe lang, liefste?'

Ze staarde hem aan. Ja, voor hoe lang. Er waren twee achtergronden voor die opmerking, maar ze wist niet welke hij nu in gedachten had. Dus zei ze alleen maar: 'Voor zolang het nodig is. Doe je ogen dicht, lieverd, en ga slapen. Je wilt toch zeker niet dat ze mij er ook uitgooien?'

Hij gaf geen antwoord, maar draaide zijn hoofd opzij en lag haar aan te staren. En zij drukte zijn hand tussen haar borsten en staarde hem ook aan.

# 2

'Luister goed, liefje.' Daniel sloeg zijn arm om Annettes schouders toen ze van het ziekenhuis naar de auto liepen. 'Er is niemand die liever wil dan ik dat hij regelrecht naar de cottage gaat. Geloof me, liefje. Maar de enige manier waarop de dokter hem wil laten gaan is als we beloven dat Don goede verpleging krijgt. Ik weet dat jij een verpleegster voor dag en nacht kunt krijgen, maar één verpleegster zal niet genoeg zijn. Hij moet worden getild en gedraaid, en je weet dat hij incontinent is en dit altijd zal blijven ook. Door alle schade aan zijn lever en zijn borst heeft hij niet de kracht om zich omhoog en omlaag te hijsen. De enige reden dat dokter Richardson bereid is hem te laten gaan, is dat hij depressief wordt, voornamelijk omdat hij jou niet vaak genoeg ziet. En bedenk wel dat jouw arm nog maar net uit het gips is. Je zou een zuster echt niet kunnen helpen met tillen, terwijl Joe en ik hier altijd zullen zijn. In de cottage zouden we nou eenmaal niet zo bij de hand zijn, weet je. Dus hebben we dit toen bedacht. Of eigenlijk is het Joes idee. Je weet toch wel die spelletjeskamer naast de biljartkamer? Het is een grote, lichte kamer, met die twee grote ramen die uitkijken over de tuin. Dan is er nog die kamer waar we vroeger alle rommel uit de serre in bewaarden. Joe heeft bedacht dat de speelkamer een leuke slaapkamer zou kunnen zijn. Hij heeft zelfs al een bed van boven gehaald, en hij heeft uitgelegd dat we dat met een paar extra matrassen bijna tot de hoogte van een ziekenhuisbed kunnen brengen, je weet wel, om de patiënt gemakkelijker te kunnen tillen. Dan kunnen we van de andere kamer een zitkamer maken. En je weet hoe handig hij is in dat gepruts met draadjes – hij had elektricien moeten worden – nou, hij zei dat hij voor jou een intercom kan maken van jouw kamer naar de zijne, door de gang, en ook één naar mijn kamer boven, zodat we altijd bij de hand zijn als dat nodig is. Maar alleen als het nodig is.'

Ze bleef staan en zei, met iets van bitterheid in haar stem: 'En hoe zit 't met… schoonmama? Zij zal de hele tijd in zijn kamer willen zijn. Er zijn daar geen dokters of zusters die het voor mij op kunnen nemen. Het is haar huis.'

'Het is míjn huis!'

'Laten we daar maar niet over bekvechten, pa. Ik… ik zal het niet kunnen verdragen. Er wordt nu al genoeg strijd geleverd. En u weet hoe Don over haar denkt.'

'Dat weet ik. Dat weet ik, liefje. Maar ik beloof je dat ik hier de regels voorschrijf, en dat die zullen worden nageleefd. We hebben in elk geval het dreigement dat als zij haar plaats niet weet te houden, jij hem naar de cottage zult verhuizen. Kom, lieverd, probeer het voor een poosje. Het is voor Dons bestwil. Bekijk het maar zo.'

'Nee, ik kan het niet zo bekijken, pa, want het grootste deel van zijn zenuwstoornissen komt door haar. Dat zult u moeten toegeven.'

'Dat geef ik ook toe, meisje, dat geef ik echt toe. Maar op dit moment zie ik gewoon geen andere oplossing. Hij moet óf blijven waar hij is, óf terugkomen naar zijn ouderlijk huis. Zoals ik al heb gezegd, in elk geval voor een tijdje. Misschien dat we hem later in een rolstoel kunnen zetten. Stel je dat nou eens voor.' Hij sloeg zijn arm weer om haar schouders en zei: 'Kom op. Kom op. Je bent al die tijd heel dapper geweest, en ik heb echt behoefte aan een hart onder de riem. Ik voel me op dit moment ook heel down.'

'Het spijt me, pa.'

'Trouwens, hoe is alles bij jou thuis, op dit moment?'

'Ach, net als anders. Moeder loopt me te betuttelen en probeert een antwoord te bedenken op de vraag waarom dit alles is gebeurd. Vader is al net zo, alleen zegt hij niets, hij kijkt alleen maar.'

Hij keek haar even van heel dichtbij aan en vroeg zacht: 'Zijn ze lief en begrijpend?'

Ze antwoordde zacht: 'In zekere zin lief, maar niet erg begrijpend. Dat zijn ze nooit geweest, en dat zullen ze ook nooit worden.' Ze keken elkaar even aan, en toen zei hij opgewekt: 'Nou, kom maar mee, dan zet ik je thuis af.'

'Ik dacht dat je voor zaken naar Newcastle moest?'

'Moet ik ook, maar ik kan jou evengoed thuis afzetten en daarna die kant uit gaan.'

'Ik neem wel een taxi.'

'Niets daarvan. Stap in.'

Vijf minuten later zette hij haar af bij het hek dat naar haar huis leidde, en hij zei: 'Ik kom om ongeveer acht uur naar het ziekenhuis, en dan kan ik jou weer meenemen. Is dat goed?'

'Ja, pa. En bedankt.'

Hij zwaaide naar haar, keerde de auto, en reed naar Newcastle, rechtstreeks naar Bowick Road 42.

Maggie deed de voordeur open alsof ze op hem had staan wachten, en dat was in zekere zin ook zo. Toen de deur eenmaal dicht was, sloegen ze hun armen om elkaar heen en kusten elkaar langdurig. Toen zei ze nuchter: 'Je ziet er ijskoud uit. Ik heb wat warme soep klaar.' En hierop antwoordde hij: 'We zouden wel eens een witte kerst kunnen krijgen, het is er koud genoeg voor.'

'Kom, geef me je jas.' Ze pakte zijn jas en hoed aan en liep ermee de gang in om alles aan de kapstok te hangen. Toen ze terugkwam in de kamer, omhelsde hij haar opnieuw. Maar nu bleven ze maar even staan, tot ze zei: 'Ga zitten.' Ze wees naar een tweezitsbank die schuin voor de open haard stond, waarin een kolenvuur brandde. Hij ging zitten, strekte zijn benen voor zich uit, legde zijn hoofd op de rugleuning van de bank, en slaakte een diepe zucht. Zonder zich te verroeren riep hij: 'Hoe laat ben je weggegaan?'

Haar stem antwoordde uit de keuken: 'Tegen twaalf uur.'

'Wat!' Hij hief zijn hoofd op. 'Je was al klaar voordat ik naar de zaak ging.'

'Ja, dat weet ik, maar er waren wat problemen met Stephen. Je weet hoe hij is als ik mijn vrije dag heb, of wanneer hij weet dat ik weg moet. Nou, hij kwam dus in zijn ochtendjas beneden. Ik was in mijn kamer toen hij de keuken binnenkwam, maar ik kon hem horen. Je weet hoe zijn stem overslaat wanneer hij een aanval krijgt. Toen ik naar binnen ging, bleek het weer het oude liedje te zijn: hij wilde met mij mee, of hij wilde naar Don toe. Ze hadden nooit moeten beloven hem naar Don mee te nemen; hij herinnert zich zulke dingen. Er was immers al lang geleden besloten om hem geen dingen te beloven die niet konden. Nou, uitgerekend op dat moment moest zijzelf, in hoogsteigen persoon, ons zo nodig een verrassingsbezoek brengen, en toen kreeg hij het weer op z'n heupen. Hij wilde gewoon niet ophouden, hij lag op de grond te spartelen als een kind van drie. En toen heeft ze hem geslagen.'

'Wát zeg je daar?'

'Ze heeft 'm geslagen. En daar had ze gelijk in. Ja, voor deze keer had ze daar gelijk in. En hij hield meteen op. Maar toen begon hij te huilen, dus heb ik hem mee naar boven genomen en tegen hem gezegd dat hij in bad moest gaan en zich moest aankleden. En daarna ben ik weer naar beneden gegaan om met haar te praten.'

Ze zweeg, en hij hees zich overeind aan de leuning van de bank en riep: 'En toen?'

Ze kwam de kamer binnen met een dienblad waarop twee borden soep stonden, en ze zette dat op een tafeltje tegen de muur, tegenover de haard, en zei: 'Ik ben naar haar kamer gegaan. Ze stond uit het raam te kijken, met loshangend haar. Ik had haar nooit eerder met loshangend haar gezien, moet je weten. Ze draaide zich om en keek me aan. Ze had gehuild, Daniel. Ze had gehuild.'

Hij kwam overeind, liep naar haar toe en zei: 'Nou, en? Ze heeft alle reden om te huilen; misschien wel omdat ze medelijden met zichzelf had, wetend dat ze niet in alles haar zin kan krijgen.'

Maggie wendde haar blik even van hem af en ging toen

verder: 'Toen ik vroeg of ze het goed vond als ik een eindje met hem ging wandelen, zei ze: "Het is je vrije dag." En ik zei: "Dat weet ik, maar dat geeft niet, ik heb niets speciaals te doen." En weet je wat ze toen zei?' Maggie keek hem even aan, en ging toen zacht verder: 'Ze zei: "Dit was vroeger een gelukkig huis, hè, Maggie?"'

'Een gelukkig huis? M'n zolen! Het is nooit een gelukkig huis geweest, vanaf het eerste begin al niet. Ze wilde ermee opscheppen, en het was groot genoeg om Stephen uit het zicht te houden.'

'Weet ik, weet ik. Maar ik denk dat ze een vergelijking maakte tussen toen en nu. En toen ze daarna zei: "Het leven is niet eerlijk, hè?" antwoordde ik naar waarheid: "Nee mevrouw, ik vind dat het leven niet altijd eerlijk is." Daarna zei ze: "Ben jij gelukkig?" Wat moest ik zeggen? Maar ik antwoordde, weer naar waarheid: "Heel af en toe een keertje, mevrouw." Daniel, ik moet je zeggen dat ik voor de eerste keer van m'n leven met haar te doen had. Het valt ook wel een beetje te begrijpen: zij kan net zo weinig aan haar gevoelens voor Don veranderen als ik aan de mijne voor jou.' Ze legde haar handen op zijn schouders en zei: 'Probeer een beetje fatsoenlijk tegen haar te doen, Daniel. Weet je, Lily vertelde me dat ze ertegen opziet om naar binnen te gaan om het eten te serveren. Jij spreekt tegen Joe of zij spreekt tegen Joe; Joe spreekt tegen jou, of Joe spreekt tegen haar. Ze zei dat de gesprekken de laatste tijd zo houterig zijn, dat het net een marionettenshow is. En het gaat beter als jij er niet bij bent, want dan kan Joe vrijelijk met haar praten. Het is ook niet zo erg als Annette er is, maar het gaat nog beter wanneer mevrouw Jackson en meneer Rochester toevallig langskomen, die maken haar af en toe zelfs aan het lachen.'

Hij nam haar handen van zijn schouders en drukte ze tegen elkaar en zei: 'Het is vreemd dat jij zegt dat je met haar te doen hebt.'

'Ja, dat heb ik echt, en ik voel me ook schuldig.'

'Allemachtig, Maggie, dat slaat nou nergens op!'

Ze trok haar handen terug en zei: 'Toch is het zo. Maar ik

96

zit nou eenmaal de hele dag bij haar in huis. Ik zit er bij wijze van spreken met m'n neus bovenop. Ik mag haar niet, ik heb haar nooit gemogen, en niet alleen omdat ik van jou hield – ik mag haar niet als vrouw. Ze is een omhooggevallen egoïstische trut. Maar aan de andere kant heeft ze nu eenmaal zoveel liefde voor haar zoon; nee, geen liefde, het is eerder een bezetenheid. Ik kan er in zekere zin begrip voor hebben, want, lieve God, hoe vaak heb ik niet gewenst dat ik een zoon had om bezeten van te zijn? Jouw zoon.'

'O, Maggie, Maggie!' Hij sloeg zijn armen om haar heen en legde haar hoofd op zijn schouder. Maar ze bleef slechts even zo liggen voor ze snoof en zei: 'Die soep wordt helemaal koud. Kom, ga zitten, je zult wel rammelen van de honger.'

'Ja, ik heb een geweldige trek, Maggie. Maar niet in eten.'

'Goed…' Ze glimlachte en klopte hem zachtjes op de schouder. 'Daar zullen we daarna iets aan doen. Maar ga eerst wat eten.'

Om ongeveer zes uur was hij klaar om weg te gaan, en toen hij bij de deur stond, zei hij: 'Maggie, ik heb net als ieder ander geen idee hoe lang mijn leven zal zijn, maar ik kan je dit wel zeggen: ik zou er de rest van mijn leven voor over hebben om, al was het maar een paar weken, bij jou in dit huis te kunnen zijn.' Toen liet hij er glimlachend op volgen: 'Nou, misschien niet in dít huis, want ik zou Helen er niet bij willen hebben. Doe haar mijn hartelijke groeten, wil je?'

'Dat zal ik doen. Tot ziens, liefste. En doe voorzichtig onderweg, het vriest, de wegen kunnen glad zijn…'

Hij was nauwelijks thuis of Joe kwam hem in de hal tegemoet. Het leek wel of hij, net als Maggie, hem had opgewacht.

'Kan ik je even spreken, pa?'

'Ja. Wat is er? Kom maar mee naar de studeerkamer.'

Eenmaal in de kamer, zei Joe: 'Annette was vanmiddag hier. Ze heeft met mam zitten praten. Ik weet niet precies wat er is gebeurd, behalve dat ze duidelijk heeft gemaakt dat als ze toestond dat Don hierheen werd gebracht, zij een zekere mate van privacy moesten hebben. Er zou een dagverpleegster zijn, maar geen nachtverpleegster, aangezien ze jou of mij kon roepen, en wij zouden hem samen 's ochtends vroeg en 's avonds laat kunnen helpen. Daartussenin kon de verpleegster alles doen.

Ze zei niet hoe mam erop had gereageerd, alleen dat het zo was afgesproken. Maar je hebt geen idee hoeveel bedrijvigheid er daarna is losgebarsten. Mam heeft Lily en Peggie gelijk aan het schrobben gezet, en ze heeft zelfs Stephen naar beneden gehaald om mij te helpen de meubels te verzetten. Ik zei dat we misschien beter konden wachten tot jij thuiskwam, maar nee, Stephen kon dat best doen, want hij was heel sterk, zei ze. Dat is hij ook echt, weet je, en hij kan veel doen wanneer hij dat wil. En hij vond 't zelf natuurlijk geweldig.'

'Nou, nou, de zaken gaan erop vooruit.'

'Pa?' Joe stak zijn hand uit naar Daniel en zei: 'Ze leek heel gelukkig, anders, een beetje net als vroeger… nou ja,' – hij haalde zijn schouders op – 'voorzover ze vroeger gelukkig kon zijn. Pa, probeer een beetje mee te werken, in elk geval tot…'

Daniel keek in het gezicht van deze man die vele centimeters langer was dan hij en die een en al goedheid was, en hij bedacht hoe vreemd het was dat deze twee mensen die hem lief waren en die geen bloedverwanten van hem waren, het zo konden opnemen voor zijn vrouw, hem erop wezen dat zij ook haar goede kanten had. Hij antwoordde hem zacht en zei: 'Ik zal m'n best doen. In wezen ben ik een vreedzaam mens. Maar wat denk jij dat er zal gebeuren wanneer haar vrolijke bui voorbij is? Want je weet zelf dat er maar dát hoeft te gebeuren, of het is weer over. Maar goed… oké, ik zal meewerken, en ik beloof je dat ik niet degene zal zijn die de zaak verziekt.'

# 3

Vijf dagen nadat Don thuis was gekomen, ging het al mis. En het was vanaf het begin duidelijk dat Winifred van plan was geweest om absoluut niet met haar man te praten, en om Annette te negeren.

Er was eerst een klein meningsverschil geweest over het plaatsen van nog een eenpersoonsbed in dat wat Dons slaapkamer zou worden. Dit bed zou daar met een tweeledig doel worden neergezet: het zou niet alleen een plek zijn voor Annette, om naast haar man te slapen, maar het was ook handig als plek voor hem om op te liggen als zijn bed werd opgemaakt. Maar op de avond voordat Don thuis zou komen, was het bed weggehaald en in de aangrenzende zitkamer gezet. Het bleek dat John en Bill opdracht hadden gekregen het weg te halen. Maar Daniel was niet degene die opdracht gaf om het weer terug te zetten, want hij had nog niet gezien dat het weg was. Joe had echter, samen met Stephen, die in staat van grote opwinding verkeerde over Dons thuiskomst, het bed uit elkaar gehaald en daarna weer op de oorspronkelijke plek in elkaar gezet. En zodra Winifred dit hoorde, werd ze woest, want ze dacht uiteraard dat haar man hierachter zat.

Toen ze echter hoorde dat Joe het had gedaan, berispte ze hem met: 'Hoe dúrf je!' Maar hij legde haar op ongekende wijze het zwijgen op. 'Je kunt er niets aan doen, mam,' had hij gezegd. 'Ze zijn getrouwd; ze is zijn vrouw en haar plaats is aan zijn zijde. Je zult je veel beter voelen als je dat tegenover jezelf kunt toegeven. Dan zal feitelijk alles veel beter gaan.'

Ze had hogelijk verbaasd opgekeken, want van alle mensen in huis was hij degene die altijd beleefd tegen haar had gesproken, en vaak op een verzoenende toon.

Ze liep stampvoetend de kamer uit, en het bed bleef waar het was.

Maar ze presteerde het wel om elke morgen voordat de verpleegster aan haar dienst begon, haar in de hal op te wachten om haar volstrekt overbodige instructies te geven.

Zuster Pringle was een vrouw van middelbare leeftijd. Ze had vele jaren als particulier verpleegster gewerkt. Ze had al vaker mensen als Winifred meegemaakt, en dus glimlachte ze en zei: 'Goed, mevrouw Coulson.' Om daarna alles op haar eigen manier te doen.

Na het geven van instructies aan de verpleegster, ging Winifred ontbijten. Er bestond geen calamiteit die haar ervan kon weerhouden te eten: hoe meer ze piekerde, hoe meer ze at. En als de maaltijd was afgelopen, en beslist niet eerder, ging ze naar de kamer van haar zoon. Ze moest de verleiding weerstaan om niet in haar ochtendjas naar beneden te gaan zodra ze wakker werd, want ze kon de gedachte niet verdragen dat meisje zo dicht bij hem te zien, misschien zelfs wel naast hem te zien liggen.

In de afgelopen weken had ze bedacht dat Annette Allison zoveel was veranderd, dat ze geen enkele overeenkomst meer vertoonde met het stille meisje van de kloosterschool dat met haar zoon verloofd was geweest. Het was net alsof ze volwassen was geworden door haar huwelijk.

En er was nog iets anders waarin ze zich moest beheersen: ze kon haar zoon niet meer kussen en knuffelen, want sinds zijn huwelijk leek hij bezwaar te hebben tegen haar nabijheid. Ze was niet bereid te erkennen dat zijn afkeer van haar al lang voor zijn huwelijk was begonnen.

Ze legde zich neer bij de regeling waarbij haar man en Joe voor het verschonen van het bed zorgden. Maar toen ze hoorde dat de zuster Don niet zou baden, zei ze tegen Annette dat zij het wel zou doen. Maar het meisje had geantwoord: 'Als hij niet wil dat een ander hem wast, dan zal hij u dat zéker niet toestaan.' Er waren de afgelopen vijf dagen momenten geweest waarop ze het liefst een klap had gegeven in dat jonge, zelfverzekerde gezicht. Ze wilde niet zeggen 'dat mooie gezicht', want ze vond het niet mooi, zelfs niet aardig om te zien.

En daarom zette ze zich nu schrap, net als anders, toen ze door de hal liep om haar ochtendbezoek te brengen. Maar haar kaken verstrakten bij het geluid van gelach dat uit de richting van haar zoons slaapkamer klonk. Toen ze de deur opendeed, zag ze de reden hiervoor. Haar oudste zoon – ze kon de gedachte niet verdragen dat hij dit was, maar het viel niet te ontkennen – stond met zijn rug naar de deur en schaterde het uit, terwijl hij riep: 'Toe dan. Toe dan, Don, klop me op m'n rug. Toe dan. Dat doet Maggie ook altijd als ik een grote jongen ben geweest. Vanaf dat jij thuiskwam ben ik een grote jongen geweest. Toe dan.'

De zuster en Annette draaiden zich evenmin om toen ze binnenkwam. Zij stonden ook te lachen, terwijl ze toekeken hoe Don zijn broer op de rug klopte en zei: 'Dat is er dan nog eentje extra, voor vanavond.'

'Ja, Don, ik zal vanavond ook braaf zijn. Let maar eens op, ik zal braaf zijn. En je weet dat ik morgen zal helpen om je op te tillen. Ik heb 't aan pa gevraagd, want hij zegt altijd dat ik zo sterk als een beer ben. Ik heb Joe geholpen om het andere bed neer te zetten. Ja, echt waar…'

'Stéphen!' De jongen zweeg, hij richtte zich op, en zijn lichaam werd stijf toen hij zei: 'Ja, mam?'

'Ga naar je kamer.'

'Ik ben nog maar net beneden, mam. En… en Don vindt het leuk als ik er ben. Ik maak hem aan het lachen.'

'Vooruit, ga naar je kamer.'

Stephen keek naar Don, die naar hem knikte en zei: 'Ga nu maar. En kom straks weer beneden. Dan drinken we samen koffie, met chocoladekoekjes erbij.'

'O ja, Don, lekker! Chocoladekoekjes, ja.' Hij liep achteruit bij het bed vandaan en bewoog zich met een grote boog om zijn moeder heen toen hij naar de deur liep.

Winifred keek de verpleegster aan en zei: 'U moet heel

streng met hem zijn, hij kan echt niet zomaar in en uit lopen; hij maakt hem veel te moe.' Ze wendde haar blik van de zuster af en keek naar het bed, alsof ze geen antwoord van de zuster verwachtte. En de zuster gaf ook geen antwoord, maar Don zei rustig: 'Hij maakt me echt niet moe, moeder. Ik vind het leuk als hij komt.'

Ze reageerde hier niet op maar zei: 'Hoe gaat het ermee?' Ze was naar het hoofdeinde van het bed gelopen en keek op hem neer.

'Ik heb een goede nacht gehad, helemaal niet slecht eigenlijk. Honderd procent beter dan in het ziekenhuis. Ik zal vast gauw in die stoel kunnen zitten waar de zuster het gisteren over had. Wat zegt u, zuster?'

'Misschien. Het hangt ervan af. Maar net als uw broer, zult u ook braaf moeten zijn.' Toen keek ze van haar patiënt naar Annette en ging verder: 'Jullie kunnen nu samen aan die kruiswoordpuzzel werken, ik ga naar de hal om wat telefoontjes te plegen. Er zijn medicijnen die ik nodig heb, en ik wil dokter Richardson even spreken.'

'Wat wilt u tegen dokter Richardson zeggen?'

De zuster keek Winifred aan en zei rustig: 'Ik wil verslag uitbrengen over mijn patiënt.'

'U kunt het wel aan mij vertellen, dan doe ik het.'

'Het spijt me, mevrouw Coulson, maar dit valt binnen de bepalingen van mijn werk, en ik krijg mijn opdrachten van dokter Richardson.'

'U bent heel onbeschaamd.'

'Het spijt me als u dat vindt. Als u klachten hebt…'

'Zuster.' Annette stond aan de andere kant van het bed. Ze had zich omgedraaid van het schikken van bloemen op een tafel bij het raam. 'Doe wat u goeddunkt. En ik vind u niet onbeschaamd. Mijn man is heel dankbaar voor al uw goede zorgen, nietwaar, Don?'

Dons onderlip ging heen en weer en hij mompelde: 'Ja, ja, ik ben heel dankbaar voor al de goede zorgen van de zuster. En… en u zult het mijn moeder moeten vergeven, ze weet niet precies hoe de dingen in elkaar zitten.' Hij dwong zich tot een glimlach en zei: 'Zij heeft nooit wekenlang in een ziekenhuis gelegen.'

De zuster liep de kamer uit en liet het drietal achter in een sfeer van vijandigheid.

'Er moet hier echt iets veranderen, ik ben gewoon geen baas meer in mijn eigen huis,' zei Winifred, en ze benadrukte haar woorden door haar buik in te trekken.

'Moeder! Houd in godsnaam op! Als je weer begint, vraag ik of ze me weer naar het ziekenhuis terugbrengen. Nee, nee, dat doe ik niet' – hij schudde zijn hoofd op dezelfde manier als Stephen, wanneer die een woedeaanval had – 'dan gaan we naar de cottage. Ja, ja, dat doen we dan.' Hij greep Annettes hand en zei, bijna jammerend: 'Ik kan niet tegen al dit geruzie. We zullen een verpleegster voor dag en nacht nemen, en iemand als John, een klusjesman. Of,' – zijn stem steeg – 'een verpleger, een man. Ja.'

'Het spijt me. Wind je alsjeblieft niet op. Het spijt me. Het… het zal niet weer gebeuren,' zei Winifred.

Die woorden moesten zijn moeder veel hebben gekost, en dat besefte zowel Don als Annette. Annette zei verzoenend: 'Alstublieft, schoonmoeder, probeert u de dingen te zien zoals ze zijn. Het zou allemaal heel soepel kunnen verlopen. Hij… hij wil graag dat u komt. Hè, liefste?' Ze draaide zich om en keek haar man aan, en toen hij knikte ging ze verder: 'Weet u, als u nou eens probeerde om…'

De uitdrukking op het gezicht van de vrouw legde haar het zwijgen op, en Annette zag hoe ze zich omdraaide en haastig de kamer uit liep.

'Het wordt niets, Annette. Het wordt niets.'

'Ja, echt wel, lieverd, ze draait wel bij. Daar ben ik van overtuigd. Ik begrijp in zekere zin hoe zij zich moet voelen: ik heb jou van haar gestolen. Als iemand zou proberen jou van mij af te pakken, dan… dan zou ik me net zo voelen als zij.'

'Nee, echt niet!'

Hij had natuurlijk gelijk, ze zou zich nooit net zo kunnen voelen als die vrouw. Er was iets aan haar dat niet… Ze kon de term niet vinden om haar gedachten onder woorden te brengen, maar ze zei: 'Je moet je niet ongerust maken. Dat is het allerbelangrijkste, je moet je niet ongerust maken. Want, zoals je al zei, we zouden naar de cottage kunnen gaan. We kunnen er elk moment naartoe, liefste. Daar had ik je eigenlijk mee naartoe willen nemen.'

'Ik wou dat je voet bij stuk had gehouden.'

Dat wenste zij ook... Maar ze zaten nu hier, ook al was het niet voor lang, besefte ze, want de scène die ze zojuist hadden gehad, was kinderspel vergeleken bij wat hun nog te wachten stond.

En dat kwam die avond om halftien.

Winifred was in alle staten: er was wéér iemand in haar huishouden die zich openlijk tegen haar had gekeerd: de verpleegster. Nu deed alleen haar personeel nog beleefd tegen haar. Zelfs Joe stond volledig aan de kant van die meid. Maar dat sprak vanzelf, nietwaar?

Ze had honger. Het was meer dan drie uur geleden dat ze voor het laatst iets had gegeten. Ze moest echt wat hebben.

Ze ging naar beneden. Het was heel stil in huis, alleen het geronk van de verwarmingsketel in de kelder verbrak de stilte. Ze ging naar de keuken. Die was leeg. Maggie zou natuurlijk in haar kamer zitten. Lily was op dit late uur al naar de poortwoning, ze hield elke avond om acht uur op. Peggie Danish was waarschijnlijk nog niet naar bed, ze zou boven bij Stephen zijn, ongetwijfeld in de hoop dat Joe daar ook zou zijn. Ze zou dat meisje een beetje in de gaten moeten houden, ze was veel te brutaal.

Ze liep naar de koelkast, maar vond daar aan direct eetbaars alleen een in de winkel gekochte kalfsvleespastei en wat kaas.

Ze aarzelde bij de kaas, die hield haar meestal wakker. Dus sneed ze een dikke plak van de pastei af, legde die op een bord, en bleef toen even met het bord in de hand staan. Ze vond het nooit leuk om in de keuken te eten. Ze liep de keuken uit naar de eetkamer, maar veranderde toen van gedachten. De maan scheen, het zou leuk zijn om in de serre te zitten. Daar zou ze het opeten. En daarna ging ze nog even in de ziekenkamer kijken, heel eventjes maar.

De serre werd zacht verlicht door het maanlicht. Ze ging op een stoel zitten om de pastei te verorberen. Toen ze klaar was, likte ze haar vingers af en veegde die vervolgens aan haar zakdoek af. Daarna zat ze een tijdje peinzend voor zich uit te staren over de tuin, waar zo'n dikke laag rijp op lag dat het wel sneeuw leek.

Hoewel ze zelden last had van de kou, huiverde ze en trok haar ochtendjas strakker om zich heen voordat ze opstond en naar de deur liep. Maar vlak voor ze bij de deur was, keek ze naar de deur aan de andere kant van de serre, die toegang gaf tot wat nu Annettes zitkamer was. Waarom ging ze daar niet langs? Ze voegde er niet aan toe: om hen te verrassen en te zien wat ze uitspookten, of in elk geval wat zíj uitspookte, want ze achtte haar ertoe in staat om 's nachts bij hem te gaan liggen. Daarom was ze ook zo op die nachtzuster tegen geweest. En dat in zijn toestand! Het was weerzinwekkend!

Ze liep snel naar de andere deur. Hij ging geruisloos open. Ze bleef op de drempel staan. Het enige licht in de kamer kwam van onder de deur naar de slaapkamer. Maar er waren verder geen obstakels, de bank stond terzijde. Ze deed de deur achter zich dicht. Toen liep ze met uitgestrekte hand naar de strook licht op de vloer, zocht de kruk van de deur en duwde die open. Maar toen ze het tafereel op het bed aanschouwde, bleef ze stokstijf staan.

Die meid, die slet, die vrouw was poedelnaakt! En haar zoon had zijn hand op haar buik gelegd en haar twee handen bedekten die!

Bij het geluid van de deur die openging, draaide Annette zich met een ruk om, om naar haar ochtendjas te grijpen, en toen hoorde Winifred haar zoon roepen: 'Niet doen! Niet doen! Blijf zoals je bent!' En die meid bleef even zoals ze was, met haar ochtendjas los in de hand.

Winifred kon haar ogen bijna niet geloven. Dit was onvoorstelbaar! Het ongeluk was onder aan de oprijlaan gebeurd, ze hadden onmogelijk… Er steeg een afschuwelijke gedachte in haar op. Ze slaakte een doordringende gil.

'Jij smerige slet! Jij walgelijk schepsel! Je was zwanger, en daar wilde je mijn zoon voor op laten draaien. Jij laag, gemeen…'

'Houd op!' Don duwde zich op zijn ellebogen omhoog en riep: 'Houd je mond, mens!'

Ze deed vijf stappen de kamer in, en daarmee stond ze bijna aan het voeteneind van het bed. Ze gilde op haar beurt tegen hem: 'Nee! Nee! Ik kén je. Ik ben je moeder, weet je wel? Jij was goed, zuiver, puur…'

'Puur? Vlieg nou op!'

'Don. Don. Ga liggen. Ik… ik zal dit wel opknappen.'

Annette had inmiddels de ochtendjas omgeslagen, maar Don negeerde haar, hij hees zich nog wat verder omhoog en schreeuwde tegen zijn moeder: 'Luister jij eens, mens! Luister, voor deze ene keer. Dat kind is van ons… van míj. We zijn al een jaar samen geweest, een heel jaar lang. We hebben het al een jaar lang gedaan, pal onder je neus. Dat viel ook niet anders te verwachten, hè? Met haar moeder die haar als een Vestaalse maagd behandelde, en jij, die probeerde mij nog de luiers om te knopen. We zijn een heel jaar samen geweest. Toen dit gebeurde' – hij gebaarde met zijn hoofd – 'was het geen vergissing. Ik wilde het. Ik wilde een explosie. Ja, hóór je me? Ik wilde een explosie, om jou uit mijn leven weg te schieten!'

'Don! Don! Zo is het wel genoeg. Houd op! Ga toch liggen!'

'Ik heb nu al lang genoeg gelegen. Het moest eens worden gezegd, en nu heb ik het gezegd: het was een geweldig jaar, een jaar waaraan ik terugdenk als het jaar van de maagden.'

Winifreds geest weigerde de man in het bed te herkennen als haar zoon. Deze vent sprak smerige taal, net als haar man, en haar zoon was niet als haar man. Maar er was één ding zeker: hij had het zo van die meid te pakken dat hij bereid was haar gezicht en haar naam te redden.

Ze schreeuwde tegen hem: 'Ik geloof er helemaal niets van! Je kunt mij niet voor de gek houden. Je wilt haar alleen maar beschermen.'

In de verte klonk het geluid van een deur die dichtviel. Dat moest de deur aan de andere kant van de gang zijn, de deur die naar de cottage leidde, dacht ze. Ja, dat was het. Joe. En daarom riep ze: 'Hij was het, hè, Joe. Het was Joe. Hij heeft je altijd al willen hebben. En hij reed jou altijd overal naartoe, hè? Zelfs toen jullie eenmaal verloofd waren, reed hij je. Het was Joe. Zeg het nou maar eerlijk, meisje. Spreek de waarheid. Maar in jou schuilt geen waarheid. Je bent een smerige, vuile slet. Je bent een...'

Het opengaan van de deur en het binnenkomen van Joe veranderde niets aan de stroom verwensingen, maar stuurde die hoogstens een andere kant op, want nu gilde ze tegen hem: 'Jij wilde mijn zoon laten opdraaien voor jouw smerige daden, hè?'

Joe bleef even verbijsterd staan, en vroeg toen aan Don: 'Wat heeft dit te betekenen?'

Winifred was haar zoon echter te vlug af met een antwoord door te gillen: 'Vraag jij niet wat dit te betekenen heeft! Kijk maar naar haar buik! Maar dat weet jij natuurlijk al, hè? Een bastaard als jij, wil haar ook een bastaard geven!'

'Grote God!' hijgde Don, en hij liet zich in zijn kussens vallen. 'Ze is gek... Volslagen krankzinnig. Dat... dat is ze altijd al geweest. Neem haar mee, Joe, hiervandaan. Ze moet hier weg...'

Joe staarde zijn pleegmoeder aan, en hij wenste bij God dat het waar was wat ze zei. Toen zei hij met opeengeklemde kaken: 'Er was ooit een moment dat je zo'n baby maar al te graag in huis nam. Maar er bestaan ergere dingen, je kunt ergere dingen zijn dan een onecht kind. Denk daar maar eens goed over na. En ga nu naar bed.'

Bij wijze van antwoord draaide ze zich met een ruk om, greep de karaf van de tafel naast haar en smeet die naar zijn hoofd. Hij raakte hem op zijn oor en deed hem achterover tuimelen, en toen ze met uitgestrekte armen op hem af kwam, met haar vingers geklauwd, ging de deur open en holde Daniel naar binnen, terwijl hij schreeuwde: 'In godsnaam! Wat heeft dit te betekenen?'

Joe en Daniel hadden de grootste moeite om haar vast te houden en de kamer uit te slepen, terwijl ze vloekte en tierde en schold.

In de hal bleef Peggie Danish met uitpuilende ogen staan kijken, maar de taal maakte geen indruk op Maggie, toen ze probeerde de schoppende benen te ontwijken en de mannen te helpen haar naar boven te krijgen.

Op een gegeven moment dacht Maggie dat ze met zijn vieren van de trap zouden rollen, en ze klemde zich met één hand aan de trapleuning vast en schreeuwde naar Peggie: 'Bel de dokter. Snel, meisje, bel de dokter.'

Eenmaal op de overloop sleurden ze de spartelende, krijsende vrouw naar haar slaapkamer, en daar schopte Daniel de deur open en riep naar Joe: 'Loslaten!' Toen smeet hij haar op de vloer, draaide zich om, trok de sleutel uit de binnenkant van de deur, duwde Joe en Maggie weer de gang op, en deed de deur aan de buitenkant op slot. Ze stonden alle drie nog na te hijgen toen er een kreet uit de kamer klonk, met een paar seconden later het geluid van voorwerpen die in het rond werden gegooid. Ze deden verschrikt een stap achteruit toen er iets zwaars tegen de deur knalde, en Daniel keek Joe aan en zei: 'Wat heeft dit teweeggebracht?'

Joe stond nog steeds te hijgen, maar hij wist uit te brengen: 'Ze heeft eindelijk haar ogen opengedaan en eens goed naar Annette gekeken. Ik ben pas later binnengekomen, dus ik weet niet precies wat er is gebeurd.'

Toen er weer iets tegen de deur knalde, zei Maggie: 'Ze vernielt die hele kamer nog.'

'Ze doet maar.'

Daniel draaide zich om en liep naar beneden. Ze volgden hem naar de kamer van Don, die bleek en huiverend lag te wachten.

'Wat is er eigenlijk gebeurd?' vroeg Daniel aan Annette. 'Hoe is ze het te weten gekomen?'

Ze boog haar hoofd even en zei: 'Ik was uitgekleed, en ze zag hoe Don een hand op mijn buik legde. Ze moet in de serre zijn geweest; ze kwam onverwachts vanaf die kant binnen.'

'Nou ja, ze moest het toch eens te weten komen, nietwaar?'

Annette keek op en zei: 'We gaan hier morgen weg, pa.'

'Dat is misschien niet nodig, meisje. Als de dokter komt, zal hij er een tweede arts bij moeten halen, maar ze moet echt naar een inrichting. Dat zat er al een tijdje dik in.'

Toen de dokter een halfuur later voorzichtig met Maggie Winifreds kamer binnenging, bleef hij even op de drempel staan en keek verbijsterd om zich heen. Het enige meubelstuk dat nog heel scheen te zijn was het hemelbed, en daarop lag languit de vrouw die hij jarenlang medisch had begeleid en aan wie hij meer pillen had gegeven dan hij wist dat goed voor haar was.

Hij liep naar het bed, en omdat hij niet langs de kant wilde lopen waar haar benen over de rand hingen, liep hij eromheen naar waar haar hoofd lag. Hij raakte haar behoedzaam aan en zei zacht: 'Stil maar, mevrouw Coulson, stil maar. Gaat u even zitten, dat is beter.'

Ze hief haar hoofd op en staarde hem aan. Haar gezicht was volstrekt uitdrukkingsloos en stil, maar haar stem was hiermee in tegenspraak toen ze, alsof hij wist wat er allemaal was gebeurd, zei: 'Ik zeg u dat hij nog maagd was. Ik heb goed op hem gepast. Behalve…' Ze hield haar hoofd opzij en kneep haar ogen samen alsof ze probeerde zich iets te herinneren, en toen sprong ze van het bed af en riep: 'Híj heeft het gedaan! Hij wilde dat de vader op de zoon zou lijken; hij kon het niet verdragen zoiets puurs te zien. Nee, nee.' Ze schudde wild haar hoofd en stak een hand uit, greep de dokter bij de arm en zei op dringende toon: 'Nee, het was Joe. Je weet hoe hij is, hij doet zijn afkomst alle eer

109

aan. Joe heeft 't gedaan. Joe heeft haar altijd gewild.'

'Stil nou maar, stil nou maar. Ga zitten. Kom, ga toch zitten.' Hij duwde haar zachtjes weer op de rand van het bed neer, en hij keek even naar waar Maggie stond en gebaarde met zijn hoofd naar zijn tas, die hij op de grond had laten vallen. Ze pakte de tas op en zette hem bij hem neer, maar toen hij hem openmaakte en er één voor één wat spullen uit haalde, sprong Winifred overeind en riep: 'Nee, u gaat me niet in slaap maken, ik ben nog niet klaar, nog lang niet. Ik zal hen vernietigen en alles in dit huis erbij. Het zal volstrekt onbewoonbaar zijn als ik ermee klaar ben.'

'Nou, daar praten we morgen dan nog wel eens over. Kom, ga nu zitten.'

Ze liep achteruit bij hem vandaan, en hij bleef even hulpeloos staan kijken. Toen zei hij rustig, zonder Maggie aan te kijken: 'Ga de mannen halen.'

Aangezien die voor de deur stonden, was het een kwestie van seconden voor ze in de kamer waren, en toen Winifred hen zag, keek ze wild om zich heen, op zoek naar iets om mee te gooien. Maar toen ze naar de toilettafel liep, met alle flesjes en potjes die eromheen op de vloer verspreid lagen, renden Daniel en Joe naar haar toe en hielden haar zo goed mogelijk vast. Ze probeerden geen acht te slaan op de hoeveelheid obsceniteiten die opnieuw uit haar mond stroomde, en de dokter stak, niet al te zachtzinnig, een naald in het dikke vlees van haar arm.

Winifred spartelde nog een paar seconden voordat ze ten slotte op de vloer in elkaar zakte.

Dokter Peters stond even op de vormloze gestalte neer te kijken voordat hij een diepe zucht slaakte en tegen Daniel zei: 'Ze zal natuurlijk moeten worden opgenomen. En wel voordat ze weer bijkomt. Ik zal het ziekenhuis bellen om een ambulance te regelen.'

'Het Streekziekenhuis?' Joes stem klonk benepen, terwijl hij bleef kijken naar de verfrommelde berg vlees die eerder dierlijk dan menselijk leek.

'Als het het Streek niet is, dan maar Hetherington. In

haar geval denk ik dat Hetherington beter is, maar het hangt ervan af waar plaats is, dus dat kan ik maar beter gaan uitzoeken,' antwoordde dokter Peters.

Al die tijd had Daniel geen woord gesproken, en hij verbrak de stilte ook niet toen hij eenmaal met Joe en Maggie was achtergebleven.

Ze keken hem allebei aan toen hij neerkeek op zijn vrouw, en hij was zich er niet van bewust dat Maggie Joe op de arm tikte, waarna ze allebei de kamer uitgingen, want hij zocht diep zijn geweten af, stelde zich vragen, gaf antwoord. Was het zijn schuld?

Nee, nee. Hij kon niet zeggen dat het zijn schuld was, omdat hij het nooit met een ander zou hebben aangelegd als zij zich als een goede vrouw had gedragen.

Maar wás ze ooit wel een goede vrouw geweest, een gewillige vrouw? Had ze niet zozeer een man gezocht als wel geborgenheid en status?

Maar wanneer waren de grote ruzies begonnen, de verwijten?

Vanaf de tijd dat ze wist dat Stephen achterlijk was.

Was ze een goede vrouw voor hem geweest in de tijd dat ze moeder had gespeeld voor de aangenomen jongen Joe?

Slechts onder protest.

Hoeveel vrouwen had ze hem gedwongen te gebruiken? Want hij had die vrouwen echt gebrúíkt, er was beslist geen sprake geweest van tederheid of liefde.

Misschien kon pastoor Ramshaw die vraag beter beantwoorden dan hij, want hij had een goed geheugen waar het de biecht betrof. Elke keer dat hij uit de band was gesprongen, was hij na afloop gaan biechten.

Was het alleen maar vrees voor de toorn Gods geweest die hem ter biecht had gedreven? Of het feit dat hij de priester wel mocht, en had gedacht dat hij er begrip voor zou hebben? En hij hád begrip, zelfs waar het Maggie betrof.

Hoe kwam het dat hij Maggie liefhad? Hij moest haar altijd al lief hebben gehad, maar hij was zich daar pas de afgelopen jaren bewust van geworden. Als ze hem ook maar iets had laten merken, had hij zijn ziel niet zo hoeven te bezoedelen, want hij had geen enkele relatie lang volgehouden.

Wanneer hij terugkeek op zijn leven, was het een hel geweest. Hij had geld, een florerend bedrijf, een mooi huis, en hij werd alom, met uitzondering van slechts enkele mensen, onder wie Annettes vader, gerespecteerd. Maar wat leverde hem dit alles op? Hij kon alleen maar herhalen: een hel. Het enige wat er in dit leven toe deed, was de liefde. Het was zelfs niet nodig dat je je eigen naam kon schrijven; je kon doof of blind of gewoon stom zijn; maar als je de ware liefde kende, dan redde je het.

Hij strekte zich en wendde zijn blik af van zijn vrouw. Had zij niet liefgehad? Nee, dat was geen liefde, dat was een bezetenheid, een bezetenheid vol bezitsdrang. Meer dan dat, het was bijna incest. Liefde was iets heel anders. Wat dan wel?

Hij keek in de kamer om zich heen, alsof hij een antwoord zocht, en hij zei hardop: 'Vriendelijkheid. Jawel, dat is het.' Vriendelijk zijn, dat was liefde. Troost bieden, dat was liefde. Van iemand anders houden dan jezelf, elkaars fouten vergeven, ja, dat was het beste soort liefde. En hij zou zulke dingen nooit hebben ervaren als Maggie niet in zijn leven was gekomen. Vreemd was dat. Ze was er altijd geweest, maar ze was pas kort geleden in zijn leven gekomen.

Hij draaide zich om en bukte zich om een omgevallen stoel rechtop te zetten, en toen, juist toen hij een kapot schilderij van de vloer wilde rapen, richtte hij zich op en zei in zichzelf: daar hebben we morgen nog alle tijd voor. Want morgen heerst er vrede in het huis, en ook overmorgen, en de volgende week, de volgende maand, zo God wil.

Hij draaide zich om en keek naar zijn vrouw. En de wetenschap dat ze weldra weg zou zijn, en ook de aanblik van de manier waarop ze daar lag, maakte dat hij de aandrang voelde om haar op het bed te tillen, haar netjes neer te leggen, om haar een klein beetje waardigheid terug te geven. Want zoals ze daar nu lag, bezat ze die totaal niet meer. En hij herinnerde zich dat wanneer ze liep, ze dit altijd met waardigheid had gedaan. Ze mocht dan dik zijn geweest, ze mocht nog steeds dik zijn, maar ze had er altijd een goede houding bij gehad.

Hij kon zich er echter niet toe brengen naar haar toe te gaan, want een overweldigend gevoel van aversie weerhield hem ervan haar aan te raken. Als de mannen van de ambulance kwamen, zouden die wel voor haar zorgen, of anders Joe, of de dokter, of wie dan ook.

Hij liep haastig de kamer uit, waarbij hij over kapot meubilair struikelde. Joe stond buiten te wachten. Het leek wel of hij altijd stond te wachten, stond te wachten om te kunnen helpen, en het sprak voor hem vanzelf dat hij zijn hand naar hem uitstak en zei: 'Ik moet overgeven, jongen.' En Joe pakte hem bij de arm en liep haastig met hem over de overloop, deed de deur van de badkamer open en ondersteunde zelfs zijn hoofd bij het overgeven. Daarna liet hij hem op een stoel gaan zitten en waste zijn gezicht met koud water. Toen dit was gebeurd, zei hij: 'Pa, je kunt maar beter naar bed gaan. Ik zorg hier wel voor alles.'

'Nee, nee, ik moet dit zelf afhandelen.' Toen ging hij verder: 'De dokter zit lang aan de telefoon.'

'Hij moest ook naar Don, die was helemaal overstuur. Hij heeft hem een slaapmiddel gegeven. Hij is nu bij Annette, en die is er niet veel beter aan toe.'

Daniel kwam overeind en trok zijn kleren recht. Hij schikte zijn das weer en zei: 'Het is vreemd dat Stephen door dit alles heen is geslapen.'

'Hij is er helemaal niet doorheen geslapen; hij zit beneden, bij Maggie in de keuken. Hij is waarschijnlijk zijn bed uit geheld toen wij allemaal in de slaapkamer waren. Hij was stijf van angst.'

Het geluid van opwinding in de hal bracht hen nu beiden de badkamer uit en de trap af, om daar twee ambulancebroeders en de dokter te zien praten. De dokter draaide zich naar Daniel om, zag zijn witte gezicht en zei aarzelend: 'Denkt u dat u in staat bent om ons naar het ziekenhuis te vergezellen? Er moet in elk geval iemand mee. Misschien hebt u liever dat uw zoon...'

'Nee, nee, ik ga wel mee.'

'Goed.' De dokter en de twee ziekenbroeders gingen, voorafgegaan door Joe, naar boven terwijl Daniel, die midden in de hal bleef staan, het feit tot zich moest laten doordringen dat het nog niet helemaal voorbij was, dat hij haar nog naar het ziekenhuis moest vergezellen.

Er heerste een spookachtige stilte in het huis, het soort stilte dat het tikken versterkte van de staande klok die nu drie keer sloeg, om aan te kondigen dat het kwart voor twaalf was. Don lag verzonken in een diepe slaap, die tot de volgende morgen zou duren. Stephen sliep ook, evenals Peggie. Maggie was in haar kamer, maar zij sliep niet. Ze zou niet gaan slapen voordat ze Daniels auto op de oprit had horen stoppen. En Joe en Annette sliepen niet. Ze zaten in de salon op de bank bij de haard. Ze hadden daar al enige tijd gezeten, en ze wilden allebei iets zeggen maar wisten niet hoe te beginnen. Annette deed de eerste poging. Ze keek naar Joe, die voorovergebogen zat, met zijn ellebogen op zijn knieën, zijn handen slap neerhangend ertussen, en ze zei zacht: 'Het spijt me dat jij erbij betrokken werd, Joe. Ze... ze wist niet wat ze zei. Begrijp je dat?'

Joe draaide zijn hoofd langzaam naar haar toe en hij keek haar even doordringend aan, terwijl zijn gedachten door zijn hoofd raasden en tegen hem schreeuwden: had er maar enige waarheid in de opmerking gelegen. Maar hij zei alleen maar: 'Dat weet ik, lieverd. Het was volstrekt belachelijk. Maar zoals je zegt, ze wist niet wat ze zei. En... en jij bent altijd als een zusje voor me geweest.'

Ze glimlachte flauw en zei: 'O, ik heb je niet altijd als een broer beschouwd. Weet je nog dat ik vroeger altijd achter je aan liep? Ik was op m'n veertiende zelfs een beetje verkikkerd op je.'

Hij dwong zich tot een glimlach en zei: 'Dat is dan een heel klein beetje geweest.'

'Doe niet zo gek, Joe, je bent altijd veel te bescheiden over jezelf. Dat is altijd al zo geweest, maar dat hoef je echt niet te zijn. Neem nou Irene, Irene Shilton. Je zou maar met je pink hoeven te wenken. En Jessica Bowbent is al net zo.' Ze liet haar stem dalen en zei langzaam: 'Je zou moeten trouwen, Joe, en hier weggaan. Ja…' Ze schudde haar hoofd, keek in het vuur en zei opnieuw: 'Je moet hier weg. Weg van iedereen hier, weg van ons allemaal, van Stephen, hij is pa's verantwoordelijkheid, en weg van Don, hij is… nou ja, hij is nu mijn verantwoordelijkheid, en van pa zelf, want als je dat niet doet, zul je ons allemaal op je schouders vinden.'

Toen ze haar blik weer op hem richtte, had hij het liefst zijn armen uitgestoken om haar te omhelzen, en dan te zeggen: 'Ik ben bereid jou voor altijd op mijn schouders te nemen. Ik ben bereid een heel leven lang te wachten als ik wist dat er ook maar een kleine kans was dat ik jou als last zou mogen dragen.'

Ze ging verder: 'Ze maken misbruik van je, Joe, je bent gewoon te goed. Je bent altijd te goed geweest. Je denkt dat je bij hen in het krijt staat omdat ze jou als baby in huis hebben genomen. Maar volgens mij sta jij bij niemand in het krijt, je hebt je schuld allang voldaan door een leemte in hun leven op te vullen.'

'Misschien, maar slechts voor korte tijd.' Hij schudde spijtig zijn hoofd. 'Vanaf het moment dat Don ter wereld kwam, is die leemte gevuld. Ik heb het als kind onder ogen gezien, maar het maakte niet dat Don me minder dierbaar was. Ik ben nog steeds erg op hem gesteld.'

'O, Joe!' Ze stak haar hand naar hem uit, en hij aarzelde even voor hij die pakte. Maar toen greep hij de hand vast en zei: 'Huil nou niet. Alsjeblieft. Toe, Annette, huil nou niet. Het zal allemaal wel weer goed komen, dat zul je zien. We zullen hem weer beter weten te krijgen.'

De tranen stroomden over haar wangen. Haar lippen trilden en haar woorden kwamen hortend naar buiten. 'Houd jezelf niet voor de gek, Joe, en probeer mij ook niet voor de gek te houden. Hij zal nooit beter worden. Als het alleen zijn benen waren geweest, was er misschien nog enige hoop, maar hij is vanbinnen helemaal verbrijzeld. Dat weet je. En dat weet hij ook. We weten allebei dat hij nooit beter zal worden.'

'Annette. Annette. O, lieverd.' Ze legde haar hoofd op zijn schouder en hij sloeg zijn armen om haar heen, terwijl hij dacht aan wat hij tegen haar had gezegd: hij was heel erg gesteld op de man die hij als zijn broer beschouwde, de broer die zijn plaats in haar leven had ingenomen.

Hij liet zijn mond op haar haar rusten en zei: 'Hij zal nog heel lang blijven leven. We zullen er samen voor zorgen dat hij het kind in zijn armen zal houden en zal zien dat alles erop en eraan zit.' Hij wilde nog meer algemeenheden uiten, maar ze maakte zich al van hem los. En toen ze haar tranen had gedroogd, streelde ze hem zacht over zijn wang en zei: 'Je bent de liefste man van de hele wereld, Joe. Ik heb jou altijd alles kunnen vertellen zonder me ooit beschaamd te voelen. Ik schaamde me niet toen ik je over de baby vertelde. En nu kan ik je ook over mijn angsten vertellen. Ik ben bang om morgen naar huis te gaan – ik beschouw mijn ouderlijk huis nog altijd als een thuis – en hun mijn nieuws te vertellen. Want weet je wat er zal gebeuren, Joe? Ze zullen me verstoten.'

'Nee, dat doen ze vast niet!'

'Ja hoor, toch wel, Joe. In zekere zin is mijn moeder net zoals Dons moeder, ze is een godsdienstfanaat. Ik bid tegenwoordig niet meer, weet je. Ik bid nooit voor Don of voor wat dan ook, want ik heb m'n hele leven moeten bidden – 's ochtends, 's middags en 's avonds, aan tafel en overal. En ik heb godsdienstige boeken moeten lezen over het leven van heiligen, over het martelaarschap van die en die. En daarna de kloosterschool: elke morgen naar de mis en ter communie, in de vastentijd. Ik was soms draaierig van de honger, maar ze wilde per se dat ik ter communie ging. Zelfs de nonnen vonden het niet nodig dat ik elke dag ter communie ging, maar ze zagen me wel als een soort toekomstige heilige, zo'n braaf meisje. En al die tijd begon ik God steeds meer te haten. Ik had vanbinnen allerlei vreselijke gevoelens. En wat de Maagd Maria betreft, die bezorgde me ook heel wat kwellingen. En ik verlangde er zo vreselijk naar te kunnen vluchten. Op onze trouwdag dachten we allebei dat het ons was gelukt. Maar zoals moeder altijd zegt: God laat Zich niet misleiden. En na het ongeluk begon ik te geloven dat het waar was, en dat het ongeluk de straf voor onze zonde was. Maar nu geloof ik dat niet meer. De ménsen zoeken vergelding, niet God. En weet je, Joe, het zijn de mensen die ons van God afbrengen, het gepraat en het gedrag van anderen maken dat we ons tegen Hem keren. Maar hoe dan ook… je ziet waarom ik tegen de dag van morgen opzie. En weet je, Joe, ik ben bang voor dit huis. Er is iets boosaardigs aan.' Ze sloeg haar ogen op, keek de kamer rond en zei: 'Het is heel mooi om te zien, maar ik ben er bang voor. Ik wil hier weg, of weg van haar. Ze is nu weg, Joe, maar ik heb nu al het gevoel dat ze gauw terug zal zijn. En dan zouden we hier echt niet kunnen blijven, ik zou hem mee moeten nemen. Begrijp je dat?'

'Ja, dat begrijp ik. En pieker daar nu nog maar niet over. Je moet goed voor jezelf zorgen, en voor de baby… en voor Don.'

'Ja, ja natuurlijk. Weet je, we waren van plan jou iets te vragen, voordat dit van vandaag gebeurde. We hadden besloten hier weg te gaan en we wilden je vragen of je met ons mee wilde gaan naar de cottage. Had je… had je dat willen doen?'

Hoeveel pijn kon een mens verdragen zonder ineen te krimpen, of zelfs maar een kreet te slaken? Hier kon hij zich in zijn kamers terugtrekken nadat hij had gedaan wat er 's avonds en 's ochtends van hem werd verwacht, nadat hij had gezegd: 'Hallo, hoe gaat 't ermee, ouwe jongen?' en had geglimlacht en over koetjes en kalfjes had gepraat. Maar om bij hen samen in huis te gaan wonen!

Hij hield de boot af en zei: 'Nou, dat is voorlopig niet aan de orde. Zoals de zaken er nu voorstaan, hoef je hem nog niet mee naar de cottage te nemen.'

'Zou jij dan niet mee zijn gegaan?'

Hij pakte haar weer bij de hand, keek haar aan en zei: 'Ik zou alles doen wat jij vraagt, Annette. Alles om jou gelukkig te maken.' Hij liet dit blijken door eraan toe te voegen: 'En Don.'

# 4

De mis liep ten einde. Het missaal werd van de ene zijde van het altaar naar de andere gebracht. De priester dekte de miskelk af en maakte een kniebuiging voor het tabernakel voordat hij bij het altaar vandaan liep, voorafgegaan door twee misdienaartjes. Het was de mis van acht uur, en er waren maar een stuk of tien mensen aanwezig, en dat waren allemaal vaste kerkgangers, op één na.

Nadat pastoor Ramshaw zijn superplie had afgedaan, liep hij niet net als anders door de zijdeur naar het kerkhof en vandaar over het gazon naar de pastorie waar zijn ontbijt klaarstond – en hij was altijd hard aan zijn ontbijt toe – maar liep in plaats daarvan de kerk weer in, wetend dat één lid van de gemeente daar nog zou zitten.

Bij een bank achter in de kerk ging hij naast Daniel zitten en zei zacht: 'Als je nóg verder naar achteren was gegaan, had je buiten gezeten. Hoe is het met je? Je ziet er vreselijk uit.'

'Ik vóél me ook vreselijk, eerwaarde.'

'Wat is er nu weer gebeurd?'

'Winifred is gisteravond helemaal door het lint gegaan. Ze is erachter gekomen dat...' Hij zweeg.

'Waar is ze achter gekomen?'

'Dat Annette zwanger is.' Hij zweeg weer, en zei toen: 'Ze gaat een baby krijgen.'

'Ja, ik begrijp wel wat je bedoelt, dat hoef je echt niet uit te leggen. Het enige wat me verbaast is dat ze er zo lang over heeft gedaan om te zien dat Annette in verwachting is. Wat is er gebeurd?'

Daniel keek naar het altaar. 'Ze wilde niet geloven dat

het van Don was. Ze gaf Joe de schuld en vloog hem aan. En toen we haar gillend naar boven wisten te krijgen, moesten we haar in haar kamer opsluiten, waar ze vervolgens alles kort en klein heeft geslagen. Ze hebben haar toen naar het Psychiatrisch Streekziekenhuis gebracht.'

'O lieve hemel! Het doet me oprecht verdriet dat het zo ver heeft moeten komen. Hoewel het me niet verbaast. Maar God sta haar bij wanneer ze daar weer tot zichzelf komt. Ik kan je wel verzekeren dat ik het vreselijk vind om daar op bezoek te gaan. De echte gekken, daar heb ik niet zo erg mee te doen. Ach nee. Die zijn op hun manier gelukkig als ze Churchill of Tjiang Kai-sjek mogen zijn, of een van die zogenaamde televisiesterren van tegenwoordig. Nee, het gaat me om degenen die tijdelijk zijn afgeknapt door een zenuwinstorting of zo, want die beseffen wat er gebeurt. En zij zal in die categorie vallen.'

Pastoor Ramshaw legde zijn hand op de rugleuning van de bank voor hem, alsof hij steun zocht. Toen kneep hij zijn ogen een eindje dicht en vroeg aan Daniel: 'Zijn het schuldgevoelens die jou vanmorgen hierheen voeren?'

'Waarom... waarom zou ik me schuldig voelen? Ik weet hoe mijn leven is geweest. U...'

'Ja, ja, dat weet ik inderdaad. Maar jij bent ook niet vrij van schuld. En stel jezelf eens de vraag wat jou vanmorgen naar de mis heeft gevoerd, want bij mijn weten ben je nog nooit van je leven op een doordeweekse dag naar de mis geweest. Ja, Daniel, het is ook jouw schuld, het ligt niet uitsluitend aan haar. In zekere zin zijn we allemaal verantwoordelijk voor elkaars zonden. Maar we zijn vooral verantwoordelijk voor onze eigen gedachten, want daar komen onze gesproken woorden uit voort. En nu vraag ik je: zeggen wij ooit iets dat geen effect heeft op iets of iemand? Goed, goed, we zeggen het niet in alle gevallen met de bedoeling een ramp te veroorzaken. Maar kijk nou eens naar jezelf, Daniel. Je wilde je zoon losmaken van zijn moeder, en wat gebeurt er? Ja, ik weet het, van dik hout zaagt men planken, en dat op een moment dat jij behoefte hebt aan medeleven. Maar ik wil dat je beseft dat jij niet vrij bent van blaam.'

Daniel staarde de priester aan. Hij was hier gekomen om troost te zoeken. Hij was pas 's nachts om twee uur uit het ziekenhuis thuisgekomen en hij had de slaap niet kunnen vatten. Hij had daar een glimp opgevangen van slechts één afdeling, maar hij werd gekweld door alles wat hij daar had gehoord en gezien. Hij had tegen de dokter gezegd: 'Is er geen privé-kliniek waar ze naartoe kan?' En de dokter had geantwoord: 'Niet in haar huidige toestand. En er valt hier nergens in de buurt zoiets te vinden.' En nu nam zijn goede vriend ook nog eens zo'n houding aan! Hij zei op afgemeten toon: 'U lijkt wel heel plotseling haar kant te kiezen!'

'Ik kies niemands kant, Daniel. Zoals altijd loop ik me langs de lijn het apezuur te hollen, en aan de Scheidsrechter te vragen of Hij ervoor wil zorgen dat er eerlijk wordt gespeeld. Maar ik moet Hem wel voortdurend om Zijn aandacht vragen, want Hij schijnt te vinden, net als vele anderen, dat ik het zelf maar moet bekijken, dus kijkt Hij niet om naar de partij voor wie ik ben. Ik ben maar een heel gewoon mens, Daniel. Ik ben geen uitverkorene van God, en ik heb ook geen aspiraties om dat te worden, en ik zie niet dat de wereld in heiligen en zondaars is verdeeld; meestal zit er een hoop grijs in het midden.'

Daniel zweeg. Hij had nooit eerder meegemaakt dat de gelijkenissen van de priester hem irriteerden. Maar nu vond hij deze filosofie van een bemiddelaar allesbehalve bruikbaar, vooral vanmorgen, nu hij zich wanhopig voelde.

'Ik zal u niet langer ophouden, eerwaarde,' zei hij, 'u zult wel naar uw ontbijt verlangen.'

Toen hij aanstalten maakte om op te staan, duwde de hand van de priester hem niet al te zachtzinnig op de bank terug, en hij zei: 'Mijn ontbijt kan voor deze ene keer wel wachten, het zou me niet smaken als ik wist dat jij boos naar huis ging. Hoor eens...' Hij boog zich naar hem toe, met een hand op Daniels schouder, en zei: 'Ik weet wat je al deze jaren hebt doorgemaakt. Ik heb me zelfs neergelegd bij jouw remedie tegen haar, terwijl ik je gedrag ten aanzien van dat gerotzooi met vrouwen eigenlijk had moeten afkeuren. Ik heb meer dan eens gedacht, als ik haar tekeer hoorde gaan over haar zoon en God en alle goedheid, dat ik in jouw plaats hetzelfde zou hebben gedaan. God sta me bij. Maar Daniel, ik heb ook te doen met ieder menselijk wezen dat de last moet dragen van zo'n onnatuurlijke liefde als die van haar. Ze kon er net zo weinig aan doen als die twee jongelui aan hun liefde konden doen. Als je het wilt weten, ik sta aan je zij, maar aan de andere kant, zoals ik al zei, zijn we allemaal verantwoordelijk voor elkaars zonden. En je kunt niet zomaar naar de kerk komen en biechten en denken: dat was dan weer dat, de lei is weer schoon. Zo werkt dat niet. Je weet,' – zijn toon werd lichter – 'dat denken de protestanten dat wij doen. Ze denken dat je alleen maar even hoeft te biechten, tegen de priester hoeft te zeggen dat je een moord hebt gepleegd, en dat hij dan zegt: "O, heb je een moord gepleegd? Nou, geeft niet, hoor. Ik zal er eens even met God over praten, en dan is het probleem weer opgelost. Wees maar gerust." Dat is extreem, dat weet ik, maar zo gaat het bij dronkenschap, hoerenlopen, of hier op zondag naar de mis gaan terwijl je weigert om met je buurman of familie of zo te praten. Hoe dan ook…' Hij klopte Daniel even op de schouder, en vervolgde: 'Alles in dit leven heeft zo zijn prijs. Maar ik sta naast je, Daniel, bij alles wat er gebeurt. Maak nu maar dat je thuiskomt, en ik stel voor dat je een bad neemt, want je ziet er vanmorgen niet zo fris uit als anders. Ontbijt goed, en ga daarna naar je werk. Ja, dat is het, werken is de beste remedie.'

Ze waren weer op de oude voet met elkaar. De priester pakte Daniels uitgestrekte hand en liep met hem naar de deur. Huiverend zei hij: 'Allemachtig! Het is koud genoeg om de bacon in de koekenpan te laten bevriezen. We krijgen vast sneeuw met Kerstmis. Ik moet je zeggen dat ik een hekel heb aan sneeuw. Kijk goed uit, de wegen zijn spiegelglad.'

Vreemd, dat zeiden de mensen nou altijd: kijk goed uit,

de wegen zijn spiegelglad. Het was als een waarschuwing tegen het leven.

'Tot ziens, eerwaarde, en dank u wel.'

'Tot ziens, Daniel.'

Lily en Peggie waren bezig de puinhoop van de slaapkamer
op te ruimen, en Peggie stond met de poederschaal van ge-
slepen glas in haar hand en zei: 'Allemensen! Wat is die te-
keergegaan!' Ze keek Lily aan. 'Het is haar kennelijk helemaal in de bol geslagen. Dat kwam door de schok van de
ontdekking.'

'Nou, volgens mij is het haar al veel eerder in de bol geslagen. Maar ze moet wel blind zijn geweest om het niet eerder te ontdekken. En dan was de jonge mevrouw Annette
ook nog misselijk en zag er steeds heel bleek uit. Maar
wacht maar tot dit verder bekend wordt, dan heb je de pop-
pen pas echt aan het dansen...'

In de plantenkas bespraken John Dixon en Bill White de
gebeurtenissen van die avond.

'We waren nog niet naar bed,' zei Bill, 'toen we haar
hoorden. Ik wilde niet naar boven gaan, omdat ik dacht dat
het een gewone ruzie was. Maar toen de ambulance kwam,
ben ik naar boven gerend, en ik kon m'n ogen niet geloven.
Ze lag op een brancard. Ik dacht dat ze haar naar het ziekenhuis zouden brengen, maar nee, ze ging naar die inrichting. Allemachtig! Om daar terecht te moeten komen. Maar
het verbaast me eigenlijk niets, want ze is al jarenlang een
feeks geweest, zowel binnen als buiten het huis. O, de kap-
sones die ze had als ze in de auto zat. Weet je wat ze een
poosje geleden had bedacht? Ze vond dat ik een uniform
moest dragen. Ik stelde het aan de baas voor en hij zei: "Je
wilt zeker liever geen uniform dragen, hè Bill?" En ik zei:
"Echt niet, baas." "Nou, dan hoeft dat ook niet," zei hij. En
dat was dat. Nou, hij heeft 't wel zwaar bij haar te verduren
gehad. Als ik in zijn schoenen had gestaan, was ik haar allang naar de keel gevlogen.'

'Ach, hij heeft er wel voor gezorgd dat hij aan zijn trekken kwam.'

'Wie zal 't hem kwalijk nemen? Ik niet. Maar ik hoop dat we nu in een beetje rustiger vaarwater zullen komen.'

'Een beetje rustiger vaarwater, zeg je. Wacht maar eens tot het nieuws van de jongelui bekend wordt. Ik vraag me af hoe haar ouders het op zullen nemen. Want dat ís me een stel vrome kwezels! Heb je ooit zo iemand als haar vader gezien? Hij staat er gewoon, zegt niets, maar kijkt wel. Maar laten we maar gauw verdergaan met houthakken. We moeten een flinke voorraad hebben voor de sneeuw valt, want ik kan die al ruiken, het zit in de lucht.'

Zuster Pringle had zojuist de kamer verlaten na gezegd te hebben dat zij helemaal niet verbaasd was over wat er die nacht was gebeurd. Er was meer voor nodig om haar te verbazen. Bijna voordat de deur achter haar dicht was, zei Don tegen Annette: 'Da's een koele.'

'Ze zal wel moeten.'

'Is alles goed met je? Je ziet zo bleek.'

'Natuurlijk is alles goed met me. Maak je over mij alsjeblieft geen zorgen.'

'Over wie moet ik me anders zorgen maken?' Hij streelde de hand die hij vasthield, en hij keek haar aan en zei: 'Vreemd, maar het is net of die scène van vannacht alleen maar een nachtmerrie is geweest, alsof het niet echt is gebeurd. Maar aan de andere kant heb ik vannacht uitstekend geslapen. Ik zou eigenlijk vreselijk met haar te doen moeten hebben, maar ik ben alleen maar blij dat ik haar gezicht niet door die deur zal zien komen. Het is echt vreselijk, hè?' Hij keek naar Annettes gezicht. 'Het is in zekere zin onnatuurlijk. Maar niets aan onze verbintenis is ooit normaal geweest.' Hij liet zijn hoofd weer op het kussen vallen en zei: 'Vreemd, maar het is de eerste morgen die ik me kan herinneren dat ik geen pijn heb gehad. Ik voel me…' hij glimlachte even zuur, 'alsof ik zou kunnen opstaan om weg te lopen.'

'Dat is mooi. Dat is een goed teken.'

'Hoe lang denk je dat ze haar daar zullen houden?'

'Ik weet het niet. Pa gaat er vandaag naartoe. Hij zal wel meer horen. Ik denk dat het wel lang zal duren, ze moet echt behandeld worden.'

Ja, Annette hoopte vurig dat het heel lang zou duren. Lang genoeg om haar baby ter wereld te laten komen en haarzelf genoeg te laten aansterken om erop te staan dat ze Don naar hun eigen huis zou meenemen, want ze zag in dat Daniel en Joe hem ook graag hier hielden, dat ze het gevoel hadden dat zolang hij nog hier was, hun gezin bij elkaar bleef.

Ze besefte dat ze de laatste tijd veel meer inzicht had gekregen in dingen en mensen. Vier maanden geleden zouden zulke gedachten niet in haar zijn opgekomen. Maar vanaf het moment dat ze na het ongeluk was bijgekomen, had ze zich veel ouder gevoeld, alsof ze in één klap een volwassen vrouw was geworden. Maar had Don haar al niet veel eerder tot vrouw gemaakt, zoals hij tegen zijn moeder had geschreeuwd, een heel jaar eerder? Ze dacht terug aan die eerste keer dat ze samen waren geweest. Het was die dag dat ze aan haar moeders waakzaamheid waren ontsnapt en zogenaamd naar de film waren gegaan. Als haar moeder had geweten wat er die dag was gebeurd, was zij ook krankzinnig geworden.

O, lieve help. Ze moest die tocht nog steeds maken, met de onvermijdelijke scène die zou volgen.

Ze zei tegen Don: 'Hoor eens, lieverd, je weet wat ik vanmorgen moet doen.'

Hij trok even een moeilijk gezicht en zei toen bedroefd: 'O ja, ja. Het is niet eerlijk dat jij hier helemaal alleen voor staat. Ik had erbij horen te zijn. Ik hoorde…'

'Wind je nou alsjeblieft niet op. Ik moet het gewoon snel afhandelen. En daarmee is de kous dan af. En ik ben niet van plan me daarover op te winden.'

'Weet je 't zeker? Want het zijn tenslotte je…'

'Ga nou niet zeggen: je ouders. We hebben het hier samen toch al lang en breed over gehad?' Ze bukte zich over hem heen en kuste hem. Toen glimlachte ze en zei: 'Herinner je je nog die dag dat ik je vertelde wat ik van mijn ouders vond, en dat jij bijna stikte van de lach? En ik vond het vreselijk dat ik zulke dingen zei. Maar de tranen stroomden over je gezicht, weet je wel? En toen vertelde je mij over jouw moeder. Ik heb altijd geweten dat ze jou vreselijk betuttelde en in de watten legde, maar aan de andere kant liet jij het heel grappig klinken, en we klampten ons aan elkaar vast van het lachen. Weet je nog wel?'

'Ja, ja.' Hij gleed met zijn vingers over haar gezicht, en zijn stem brak even toen hij vroeg: 'Waarom moest ons dit overkomen?'

Ze gaf niet meteen antwoord, maar toen zei ze: 'Ik heb me dat wekenlang elke dag afgevraagd.'

De spieren van zijn gezicht verstrakten toen hij de gevreesde vraag stelde: 'En toen heb je bij jezelf gezegd: "Hij zal nooit meer de liefde met me kunnen bedrijven."'

'Nee, nee,' – haar stem was resoluut en ze ging rechtop zitten – 'want jij houdt van mij en ik houd van jou... ook zonder dat.'

'O Annette,' – hij stak zijn hand weer naar haar uit – 'probeer jezelf niet te misleiden. Het hoort er allemaal bij.'

'Nou, we hebben in elk geval ons deel gehad van wat er allemaal bij hoort, nietwaar?' Haar stem trilde even. 'Denk daar maar eens aan. Ik draag toch zeker het gevolg ervan met me mee?' Ze klopte op haar buik en probeerde haar tranen te bedwingen terwijl ze zei: 'En vanavond stap ik bij jou in dat bed, Don Coulson, dus dan moet je een eindje opschuiven.' Ze gaf hem een tikje in zijn gezicht, wendde zich snel af en zei: 'Ik ga me klaarmaken...'

Een halfuur later stapte ze in de auto. Het was een ritje van nog geen vijf minuten naar haar ouderlijk huis, en ze wist precies waar ze haar ouders kon vinden als ze daar om ongeveer tien uur arriveerde. Haar vader zou in zijn studeerkamer zijn, waar hij de verslagen van hun winkels van de vorige dag zou bekijken. Ze hadden vier kruideniers- en drie groentewinkels, benevens een antiekwinkel in de betere buurt van de stad en een rommelwinkel vlak bij de markt.

Om halfelf zou hij het huis verlaten om zijn winkels te inspecteren, waarbij hij zijn tijdstip van aankomst steeds veranderde, alsof hij iemand wilde betrappen bij het, zoals hij het zag, verzaken van zijn plicht. Er werd gezegd dat hij het snelst wisselende personeelsbestand van de hele stad had: wangedrag, hoe gering ook, werd onder zijn leiding niet getolereerd.

Haar moeder zou al in de keuken zijn geweest om Polly opdrachten te geven voor de maaltijden van die dag. Ze zou de provisiekast en de koelkast hebben geïnspecteerd. Ze zou de voorraden in het buffet hebben bekeken. En omdat het donderdag was, en het rooms-katholieke vrouwengilde 's middags in haar zitkamer bijeen zou komen, zou ze Janie en Sarah hun wekelijkse vermaning hebben gegeven met betrekking tot hun plichten – ze stond er nog steeds op dat de meisjes na de lunch een wit kapje en een wit schortje droegen. Ze had zich vaak afgevraagd waarom Janie het zo lang bij hen had uitgehouden, want ze vond het vreselijk om die dingen te moeten dragen. Ze had een keer gezien hoe ze het kapje van haar hoofd rukte en op de keukenvloer smeet, om het vervolgens weer op te rapen en lachend te zeggen: 'U vertelt het toch zeker niet verder, hè juffrouw?' En ze kon Polly horen zeggen: 'Die vertelt niks, anders krijgt ze om elf uur geen jamtaartje.' Bij haar thuis werd er tussen de maaltijden niet gegeten.

Sarah deed haar nu open. 'O, hallo juffrouw,' zei ze. 'Is het niet koud, vandaag? De druppels bevriezen je gewoon in de neus, met dit weer. Hoe gaat het met u?'

'Met mij gaat het prima, Sarah. Hoe is het met jou?'

'Ach, u weet hoe ik ben, ik wacht nog steeds op die rijke man die me mee zal nemen.'

Het was haar gebruikelijke opmerking, en Annette zei: 'Nou, als ik hem op de terugweg tegenkom, zal ik zeggen dat hij moet opschieten.' Dit was haar gebruikelijke manier van praten. Sarah, Polly en Janie en hun voorgangsters hadden haar enige lichtpuntjes in dit huis gevormd.

'Waar is moeder?'

'O, in haar rustkamer, u weet wel.'

'Is alles goed met Polly... en Janie?'

'Ja, juffrouw.' Sarah's stem klonk nu wat bedeesd. 'Het zou leuk zijn als u even langskwam, voordat u vertrekt.'

'Ik zal m'n best doen, maar ik weet niet of dat vanmorgen lukt.'

'O.' Sarah kneep haar lippen opeen... en dat zei veel over haar inzicht in de situatie in het huis.

Voor zo'n imposant huis was het vreemd dat er geen hal was. In plaats daarvan was er een heel brede en lange gang, met aan het eind een korter gangetje. Ze liep die kant uit en klopte op de eerste deur. Het duurde een paar seconden voor een stem riep: 'Binnen.'

Ze liep de kamer in, die in haar ogen altijd een soort kapel had geleken, want in de ene hoek stond een klein altaar, met in het midden een crucifix met aan weerszijden een beeld van Maria en een beeld van Jozef, en rechts van het altaar was aan de muur een glazen wijwaterbakje bevestigd. Voor het altaar stond een knielbank waarvan ze wist dat haar moeder daar zojuist van was opgestaan.

'Hallo, liefje.'

'Hallo, moeder.'

'Je komt vroeg op bezoek.'

'Ja, misschien wel.'

'Hoe is het met Don?'

'Ongeveer net als anders... Moeder?'

'Ja, liefje?'

'Ik moet u iets vertellen. Ga zitten.'

Mevrouw Allison staarde haar dochter aan. Ze was het niet gewend te horen te krijgen dat ze moest gaan zitten, en zeker niet door dit kind van haar. Ze ging zitten, maar ze constateerde dat haar dochter bleef staan. Ze zei: 'Goed, ik zit. Wat heb je mij te vertellen?'

'Schoonmama is vannacht naar een inrichting gebracht.'

'Wát!' Mevrouw Allison kwam half uit haar stoel overeind, maar ze ging toen weer zitten en haalde even diep adem voor ze zei: 'Nou, dat verbaast me niet echt. Winifred is altijd een nerveus type geweest. Maar wat heeft dit te-weeggebracht? Is er iets schokkends gebeurd?'

'Ja, dat mag u wel zeggen.'

Haar moeder staarde haar aan en haar mond ging twee keer open en dicht voor ze zei: 'Was jij erbij betrokken?'

'Ik was er inderdaad bij betrokken... Weet u, moeder, ik ben zwanger. Ik ga een baby krijgen. Het verbaast me dat u dit nog niet had opgemerkt. Maar ik heb natuurlijk wijdvallende kleren gedragen. En u hebt zelden naar mij gekeken, nietwaar?'

Ze zag de hand van haar moeder langzaam over haar gezicht gaan; ze zag de duim in de ene wang drukken en de vingers in de andere, zodat de bleke huid eromheen rood werd.

'Grote God!' riep ze, gesmoord vanachter haar hand. 'Ik... ik wist dat er iets was... dat ik had moeten zien... maar niet dit. O... o, je vader!' Ze haalde haar hand van haar mond en legde die boven op haar hoofd, alsof ze zichzelf in de stoel wilde duwen, en ze stamelde: 'Lieve God.'

Dat haar moeder de naam van God twee keer noemde, zonder dat dit in een gebed was, vormde een indicatie van hoe het nieuws haar aangreep. Toch had ze haar stem niet verheven. En dat was het verschil tussen de twee moeders, haar schoonmoeder had gegild van woede, terwijl haar eigen moeder zich had weten te beheersen. De schijn moest worden opgehouden.

Annette zag haar moeder op een bel drukken, terwijl ze haar dochter bleef aanstaren. Ze zei niets tot de deur openging en Sarah verscheen, en ze luisterde vol verbazing naar de volstrekt beheerste stem van haar moeder die kalm zei: 'Vraag meneer Allison of hij een ogenblik tijd heeft, ik wil hem graag even spreken.'

'Ja, mevrouw.'

Toen de deur weer dicht was, klonk de shock weer door in de stem van mevrouw Allison toen ze zei: 'Dit zal een vreselijk effect hebben op je vader, en op zijn aanzien in de kerk. O!' Ze deed haar ogen even dicht. 'Besef je wel wat je gedaan hebt, meisje? Je hebt ons geruïneerd. We zullen ons hoofd niet meer hoog kunnen houden. En die trouwerij! Al die mensen op die trouwerij, en jij in het wit... als reine bruid. O!' Ze sprong uit de stoel overeind en begon door de kamer te ijsberen.

Juist toen Annette zich wilde verdedigen, ging de deur open en kwam haar vader binnen. Zoals gewoonlijk leek zijn omvangrijke lichaam de kamer te vullen... die stijve, massieve gestalte die nooit uit de plooi te krijgen was. 'Goedemorgen, Annette,' zei hij. Zijn toon was effen.

'Goedemorgen, vader.'

'Je bent vroeg. Is alles...?'

Hij ademde zwaar in toen zijn vrouw het waagde om hem zomaar halverwege een zin in de rede te vallen door te zeggen: 'James, dit is geen moment voor beleefdheden, ze heeft je iets te vertellen.' Daarna verplaatste hij zijn vragende blik van zijn vrouw naar zijn dochter en bleef haar een volle minuut aankijken, zonder iets te zeggen, en vroeg toen: 'Ja?'

Ze had buikpijn gehad toen ze op weg was naar hier; ze was er misselijk van geweest. Maar de angst was niet nieuw, ze was altijd bang geweest voor deze man. Hij was haar vader, maar in tegenstelling tot andere vaders had hij nooit zijn armen om haar heen geslagen. Hij had nooit haar hoofd tegen die brede borst gelegd. Als hij haar had gekust, was het op het voorhoofd geweest, en dat was zelden gebeurd. Sinds ze zwanger was, had ze zich meer dan eens afgevraagd hoe haar eigen conceptie tot stand was gekomen. Wat had zijn zware lichaam ertoe gebracht zich voort te planten, en hoe had haar preutse, gefrustreerde moeder daarop gereageerd? Hadden ze zich allebei geschaamd voor deze daad? Ja, ja, dat kon ze zich heel goed voorstellen. En sinds die tijd moesten ze hebben gebeden om het uit te wissen, want ze had hen elkaar nimmer zien kussen. Ze had nooit gezien dat ze elkaars hand vasthielden. Ze sliepen in gescheiden bedden. Voorzover ze zich kon herinneren hadden ze altijd apart geslapen. Haar moeder, wist ze, kleedde zich in haar kleedkamer uit, onder haar nachthemd, en ze had haar dochter geleerd hetzelfde te doen. Haar gedachten keerden met een schok terug naar gisteravond, de vorige avond, toen ze daar naakt had gestaan met Dons hand op haar buik. Zou die aanblik het uitgestreken uiterlijk van haar vader hebben verbroken?

'Ik ga een baby krijgen, vader.'

Er bewoog geen enkele spier in zijn gezicht. Alleen zijn oogleden schenen iets te zakken.

'Heb je gehoord wat ze zei, James? Heb je gehoord wat ze zei?' Haar moeder kruiste haar armen over haar borst, alsof ze het opeens erg koud had. 'Weet je, het moet al zijn gebeurd...'

'Houd je mond!' Hij zei het rustig, maar het was een bevel. 'Zeg je dat je een kind gaat krijgen?'

'Ja, vader.'

'Buitenechtelijk verwekt?'

'Dat zou u zo kunnen zeggen, vader.'

'Zou ik dat zo kunnen zeggen? Maar wat heb jij te zeggen? Jij, die in uiterste vroomheid bent grootgebracht... jij hebt jezelf bezoedeld.'

'We zullen moeten verhuizen. Ik zou het niet kunnen verdragen,' verklaarde haar moeder.

Hij wierp een blik op zijn vrouw, maar zijn aandacht ging snel terug naar Annette, die uitriep: 'Ja, doe maar net als de familie Tollett. Die konden de schande ook niet verdragen dat Maria een baby moest krijgen. Zij was ook zo iemand die in uiterste vroomheid was grootgebracht. Jullie zijn grote hypocrieten, allebei.' Nu zag ze een verandering in het gezicht van haar vader. Hij liep paars aan en ze zag dat hij even niets kon uitbrengen, kennelijk verbijsterd over de beschuldiging en de vrijpostigheid van dit kind – zoals hij haar tot een moment geleden had beschouwd – want ze ging verder: 'Ik heb dit allang gedacht en ik zal het nu zeggen ook: het is allemaal uiterlijk vertoon: een glas-in-loodraam in de kerk, een schenking voor het nieuwe orgel, maar je winkelperso-neel nog geen shilling loonsverhoging gunnen. Het is allemaal uiterlijk vertoon. En kijk jullie zelf nu eens.' Ze gebaarde met haar hand van de een naar de ander. 'Zijn jullie ooit samen gelukkig geweest? Ik was blij als ik naar kostschool was, als ik niet thuis hoefde te zijn.'

Haar vader sprak, met verbeten mond: 'Besef jij wel wat je hebt gedaan, meisje?' Zijn stem klonk kortaf en dodelijk, met iets heel definitiefs erin. 'Je hebt je band met mij doorgesneden.'

Annette stond hem aan te kijken met knipperende ogen en een prop in haar keel. Ze had gedacht dat ze deze ontmoeting zou kunnen doorstaan zonder in te storten, maar nu stroomden de tranen over haar wangen, en ze riep: 'Mijn schoonmoeder is vannacht naar een inrichting gebracht, niet alleen omdat ze mij naakt bij mijn man aantrof, maar ook omdat ze, net als jullie beiden, een godsdienstmaniak is, en een ontaarde moeder. En jullie hoeven je niet om dat doorsnijden van familiebanden te bekommeren. Dat werkt echt wederzijds.'

Als ze in de vleesgeworden duivel was veranderd, hadden ze haar niet met meer afschuw en ontzetting kunnen aankijken, en Annette kreeg opeens het gevoel dat haar vader letterlijk opzwol, want zijn hele verschijning werd dermate angstaanjagend, dat ze het gevoel kreeg dat ze onmiddellijk het huis uit moest zien te komen.

Ze draaide zich om en haastte zich de kamer uit, de gang door, naar waar Sarah bij de voordeur stond te wachten. En toen ze haar zag, riep Sarah uit: 'O, juffrouw! Trek het u niet aan. Het komt wel weer goed. Houd voet bij stuk. We staan allemaal aan uw kant.'

Annette kon niets uitbrengen. Ze rende verblind over de oprijlaan naar de auto, maar toen ze eenmaal was gaan zitten, wilde ze niet wegrijden voordat haar huilbui was opgehouden. Toen keerde ze de auto om weg te rijden van haar ouderlijk huis, wetend dat of haar ouders daar nu bleven wonen of zouden vertrekken, ze haar nooit meer zouden erkennen.

# 5

Het liep tegen het eind van maart. De zon scheen fel en het was eindelijk rustig weer vandaag. Het was zaterdag en bezoekdag in het Psychiatrisch Streekziekenhuis. Daniel, Flo en Harvey stonden in de gang te midden van heen en weer lopende patiënten en bezoekers. Op het terrein buiten liepen overal mensen tussen de bloemperken, en toen Daniel door de openstaande deur naar buiten keek, zei hij op gedempte toon: 'Als de binnenkant ook maar half zo mooi was als de buitenkant, zou het er allemaal nog mee door kunnen.'

'Waarom denk je dat we moeten wachten?' vroeg Flo.

'Geen idee, Flo. Waarschijnlijk heeft iemand per ongeluk mijn naam tegen haar genoemd, en heeft ze het toen weer op een gillen gezet.'

'Ze leek een stuk beter toen we hier de vorige keer waren.'

Daniel keek Harvey aan en zei: 'Ja. Ik bedoel er niets raars mee als ik constateer dat ze zelfs jou tolereert terwijl ik nog steeds een nagel aan haar doodkist ben en dit waarschijnlijk altijd zal blijven ook. Daarom denk ik dat er niet veel kans is dat ze zal opknappen, zolang ik niet op de een of andere manier uit de weg ben geruimd.'

'Dat moet je niet zeggen, Daniel,' zei Flo scherp. 'Ik heb trouwens de indruk dat ze de patiënten hier heel goed behandelen.'

'Je bent hier pas twee keer geweest, Flo, dus daarin verschillen wij van mening. Uit wat ik heb gezien, moet je volgens mij, als je nog niet helemaal geschift bent als je hier binnenkomt, wel volledig gestoord zijn tegen de tijd dat je er weer uit mag. Ik ben ervan overtuigd dat ze hun kwalen op elkaar overbrengen. Ik vind het hier vreselijk.' Daniel keek snel naar een verpleegster die naar hem toe kwam en breed glimlachend zei: 'De directrice wil u graag even spreken, meneer Coulson.' Vervolgens glimlachte ze naar Harvey en Flo, en draaide zich toen om. Daniel liep achter haar aan de kale stenen gang door, naar een kantoor waar achter een bureau een betrekkelijk jonge vrouw zat, met naast zich een man van middelbare leeftijd.

De man stond op, stak zijn hand uit naar Daniel, en zei: 'Hoe gaat het met u, meneer Coulson?' Waarop Daniel antwoordde: 'Heel goed, dokter, dank u.' Waarna hij de directrice begroette.

Toen hij eenmaal zat, wachtte hij tot een van de anderen iets zei. De dokter begon. 'U zult uiteraard willen weten hoe het met uw vrouw gaat. In de afgelopen twee of drie weken... is het alweer drie weken geleden sinds u hier was?' Hij keek de directrice even aan. 'Klopt dat?' De directrice keek in haar boek en zei: 'Ja, ja, het is drie weken geleden sinds meneer Coulson voor het laatst op bezoek is geweest.'

Daniel dacht dat ze hem verweten dat hij nalatig was geweest, en hij zei: 'Ik ben zelf een beetje in de lappenmand geweest, een soort griep.'

'Nee,' – de dokter stak een vinger op – 'we hebben geen kritiek op uw afwezigheid, denkt u dat alstublieft niet. Maar de directrice vond dat u op de hoogte moest worden gehouden van de vooruitgang van uw vrouw, en van datgene wat die kan verhinderen...'

Toen hij zweeg, merkte Daniel op: 'En dat is?'

'Tja,' – de directrice nam het gesprek over – 'dat bent u helaas zelf, meneer Coulson. U weet wat er de vorige keer is gebeurd, toen ze u zag. Nou, het punt is dat ze elke keer... hoe zullen we het zeggen... een terugval krijgt wanneer uw naam of die van uw zoon wordt genoemd. De enige personen van wie ze een bezoek op prijs schijnt te stellen zijn uw schoonzuster en haar vriend.' De dokter knikte instemmend en zei: 'Vreemd, nietwaar? We hadden gedacht dat zij met haar problemen zich tegen alle mannen zou keren, maar nee, dat schijnt niet zo te zijn, want de twee keer dat hij hier geweest is, heeft ze hem heel normaal begroet, en is er geen terugval geweest. Haar andere vooruitgang is dat ze niet langer woedeaanvallen krijgt; de behandeling heeft zelfs verbluffend veel effect op haar. Daarom, meneer Coulson, zijn wij van mening dat het beter zou zijn als ze u voorlopig niet ziet, maar dat haar zuster haar, zo mogelijk, iets vaker bezoekt. Tot aan uw laatste bezoek hadden we de hoop dat ze binnenkort goed genoeg zou zijn om weer naar huis te gaan, al was het maar voor een dag of zelfs voor een weekend. Ik vrees dat daar voorlopig echter geen sprake van zal kunnen zijn. Dat spijt ons bijzonder.'

'O, het hoeft u niet te spijten, ik begrijp het heel goed. Maar zegt u mij eens, als haar houding jegens mij, en bij het noemen van haar gezin, haar dusdanig van streek brengt, hoe lang denkt u dan dat dit zal gaan duren?'

'O, dat valt in zulke gevallen heel moeilijk te zeggen,' antwoordde de dokter. 'Het is een zaak die veel tijd zal vergen. We hopen dat ze goed zal reageren op de elektroshockbehandeling, in zoverre, dat als haar vijandigheid jegens u zo niet verdwijnt, dan tenminste minder wordt.'

Daniel gaf hier geen commentaar op, maar hij bedacht dat alleen de dood haar haat jegens hem kon doen verdwijnen. Hij ging staan en zei: 'Is het dan beter als ik helemaal niet kom?'

'Voorlopig wel.' De dokter liep naar hem toe. 'Maar zoals ik al zei, als haar zuster iets vaker zou kunnen komen, zou dat een stuk helpen.'

'Ze woont in Londen. Het is voor haar onmogelijk om elke week hier te komen.'

'Nou, zo vaak als haar mogelijk is, zou zeer op prijs worden gesteld.'

'Ik zal het haar vragen. Dank u wel.' En hij knikte beiden toe en liep naar buiten.

In de hal stond Flo naar Harvey te kijken, die in de tuin met een patiënte praatte. Ze keek op toen Daniel naar haar toe kwam, en ze zei: 'Het is heel treurig, hè? Ze heeft heel normaal met hem zitten praten, die vrouw daar, net zo normaal als jij en ik. Toen vroeg ze hem of hij zin had mee naar buiten te gaan, om de tuin te zien.'

'Daniels gedachten waren bij andere dingen, en hij zei abrupt: 'Ze willen niet dat ik op bezoek kom de komende tijd, maar ze vragen wel of jij wat vaker kunt komen. Is dat mogelijk?'

Flo zweeg even. Toen haalde ze haar schouders op en zei: 'Ja, dat is goed. We kunnen misschien niet elke week komen, maar we zullen het proberen. Wat dan ook, als dat haar helpt. Mag ik nu naar haar toe?'

'Ja. Ja, ik denk van wel.'

Ze draaide zich al om, maar bleef toen staan en zei: 'Je moet niet verbaasd zijn dat ze jou niet wil zien, Daniel.'

'Nee, dat zal wel niet. Ik weet eigenlijk niet waarom ik nog kom.'

'Ik neem aan, omdat je denkt dat dat je plicht is.'

'Ja, dat zal wel. Maar nu schijn ik van die plicht te zijn ontheven en wordt de hele last op jouw schouders gelegd.'

'Ach, zo moet je het niet zien. Maar daar hebben we het later nog wel over.'

Toen ze weg was, stond hij uit het raam naar buiten te kijken, waar Harvey nu met de vrouw wandelde. Toen liep hij naar buiten om zich bij hen te voegen.

'O, ben je daar.' Harvey vroeg niet waarom hij niet bij Winifred was, maar zei: 'Dit is mevrouw Deebar.'

De dame in kwestie, die begin zestig was, boog zich naar Harvey toe, glimlachte breed en zei: 'U zegt het niet goed. Het is De... bar.'

'O, neemt u me niet kwalijk.' Harvey keek Daniel aan en zei: 'Mevrouw Debar is schrijfster. Ze heeft een boek gepubliceerd, met de titel...' Hij zweeg en keek de vrouw aan, en zij glimlachte vriendelijk en zei: 'Manieren en Decorum in het Victoriaanse Tijdperk.'

Daniel knikte beleefd en zei: 'Dat klinkt heel interessant.' Waarop de dame antwoordde: 'Ach, ik doe mijn best

'Maar ik heb veel hulp gehad van meneer Disraeli.'

Daniel en Harvey wisselden een veelbetekenende blik. Ze zeiden niets, maar ze bleven de dame aankijken. En zij richtte al haar aandacht weer op Harvey en zei: 'Dank u wel voor uw gezelschap. Het gebeurt niet vaak dat zich een gelegenheid voordoet om met een barbaar te spreken, maar ik moet zeggen dat het uitermate interessant is geweest, zelfs verhelderend. Als u mij nu wilt excuseren, want ik verwacht de heer Macmillan op de thee. Goedendag, heren.'

Ze mompelden allebei iets onverstaanbaars, en keken haar na zoals ze tussen de bloemperken wegtrippelde, en over de oprijlaan naar de hoofdingang liep. Pas toen ze was verdwenen, keken ze elkaar aan, en toen zei Harvey grinnikend: 'Ik denk dat ik het had kunnen weten. Maar ze praatte net zo zinnig als jij of ik.'

'God sta haar bij!'

'Ach, ik denk niet dat je medelijden met haar moet hebben. Misschien is zij in haar wereld wel gelukkiger dan wij in de onze. Je hoefde maar naar haar gezicht te kijken, dat was volstrekt sereen. En…' Zijn stem klonk wat treurig toen hij verderging: 'Ze moet in haar tijd heel knap zijn geweest. Maar die laatste opmerking van haar was wel een beetje' – hij grinnikte – '"barbaars". Maar ach, ik vermoed dat nog steeds veel mensen zo denken.'

Toen ze zich omdraaiden om weer naar binnen te gaan, vroeg Harvey: 'Wat is er gebeurd?'

'Iets dat jij misschien niet zo leuk vindt. Het schijnt dat Flo nu in een goed blaadje staat. Ze zijn erachter gekomen dat de aanblik van mij de zaken er alleen maar slechter op maakt, en dat de enige die volgens hen een goede invloed heeft, Flo is.'

'Nou, dat lijkt me niet zo'n probleem. Ik vind 't prima. Ik vind 't echt geen punt om hier te komen, ik ben blij om uit Londen weg te kunnen.'

'Maar je weet niet hoe lang dit gaat duren.'

'Ach, we zullen gewoon moeten afwachten, nietwaar? Maak je daar verder geen zorgen over, Daniel. Zoals je weet hebben Flo en Winifred het nooit goed met elkaar kunnen vinden, maar sinds dit is gebeurd, heeft Flo toch... nou ja, medelijden met haar gekregen.'

'Dat hebben de meeste mensen.'

'Ja, ja, dat zal wel. Het is net als bij een geval van mishandeling: het slachtoffer wordt vaak vergeten, en het belangrijkste punt is om de dader weer in het gareel te krijgen. Maar maak je over ons geen zorgen; je hebt thuis al genoeg aan je hoofd. Annette moet zo langzamerhand zeker bevallen?'

'Nou, nee, ze heeft nog even te gaan. En dat is ook zoiets: hoe zal ze het bericht opvatten als ze een kleinkind heeft gekregen? Ik heb weinig hoop dat het bij haar iets van belangstelling zal doen herleven. Ik weet niets te bedenken wat haar uit haar apathie kan wekken, behalve de aanblik van mij.'

Maar daarin had Daniel het mis. Winifred zat in de grote zaal, met Flo naast zich. Er waren andere mensen, zo te zien familiegroepjes, die overal zaten. Sommigen zaten samen te praten, anderen zaten alleen maar naar de patiënt te kijken terwijl die voor zich uit staarde. In één groep zaten twee meisjes te lachen. Het was een vreemd geluid, omdat het gewoon gelach was.

Toen Flo naar haar zuster keek, voelde ze een intens medelijden met haar. Ze had Winnie nooit gemogen, ze hadden niets gemeen. Maar ze zou zelfs de duivel uit de hel niet zo'n plek als deze toewensen. Winnie, wist ze, had altijd goed voor zichzelf gezorgd, maar ze had verder een leeg bestaan gehad. Ze had behoefte gehad aan liefde, en ze had willen liefhebben. Maar ze had die liefde op de verkeerde gericht.

Ze legde haar hand op Winnies hand en zei: 'Je moet de hartelijke groeten hebben van Don.'

'Van wie?'

Er lag geen krankzinnigheid in de ogen die haar aankeken. De blik in die ogen was tenminste niet de blik die ze bij een krankzinnige had verwacht. Wat deze nieuwe houding ook mocht zijn, ze dacht niet dat deze uit krankzinnigheid voortkwam. En haar stem klonk scherp toen ze zei: 'Toe, Winnie, doe nou niet zo! Don is je zoon, en je hebt altijd…'

'Ik heb geen zoon.'

'Je hebt drie zonen.'

'Poeh! Drie zonen, zeg je? Ben ik dan de moeder van een idioot, een bastaard en een kreupele?'

Flo kromp inwendig ineen bij de haat die op het gezicht van haar zuster te zien was, toen ze deze waarheid sissend uitspuwde, want ze was inderdaad de moeder van een idioot, een bastaard en een kreupele. Maar als je het zo stelde, klonk het afschuwelijk. Ze staarde Winifred aan toen ze besefte dat haar zuster niet gek was in die betekenis, maar dat ze eenvoudigweg verteerd werd door haat. Haat was een afschuwelijke emotie, een verterend vuur, dat in Winifreds geval nimmer kon worden geblust. Dat zou betekenen dat ze voor altijd hier… Nee! Ze schudde haar hoofd bij de gedachte dat haar zuster de rest van haar leven zou moeten doorbrengen op deze plek, een plek die haar al kippenvel bezorgde bij de gedachte erheen te gaan.

Achteraf bekeken vroeg ze zich af wat haar had bezield om zo'n opmerking te maken als: 'Zo moet je niet praten, Winnie; jij hebt zoveel om naar uit te zien. Er is een kind op komst, jij gaat grootmoeder worden.' Want ze kreeg een harde mep tegen haar hand, en ze staarde verbijsterd naar Winifred, wier lichaam beefde en schokte terwijl ze zei: 'Jíj zou degene moeten zijn die hier zit! Hoe wáág je het te beweren dat ik grootmoeder zal worden van een kind met een hoer als moeder en een andere bastaard als vader? Mijn zoon was rein, hoor je me? Mijn zoon was rein…'

Flo was zich bewust van het naderen van een verpleegster die niets zei, maar met een kleine hoofdbeweging Flo te kennen gaf dat ze maar beter kon vertrekken – wat ze onmiddellijk deed. Toch was ze niet snel genoeg, want Winifred gilde haar allerlei obsceniteiten na, waarmee ze veel tumult veroorzaakte in de zaal.

Zowel Harvey als Daniel kwamen naar haar toe toen ze de hal inliep.

'Wat is er aan de hand? Je ziet zo wit als een doek.' Ze keek even naar Daniel, boog toen haar hoofd en zei: 'Ik was heel dom. Ik heb het over dingen gehad die ik niet had moeten noemen. Ik dacht dat ik... O lieve help!'

Harvey zei niets maar sloeg een arm om haar schouders en liep met haar naar buiten.

In de auto zei Daniel verbitterd: 'Het is volgens mij beter als er niemand naar haar toe gaat. Laat haar toch in haar sop gaarkoken.'

'Daniel, zo moet je niet praten. Een mens zou gewoon al krankzinnig worden als hij op zo'n plek moest wonen, tussen die mensen.'

'Toe, wind je niet zo op, huil nou maar niet.'

Harvey trok haar stijf tegen zich aan. 'En heb maar geen medelijden met die mensen. Hoor eens, ik zal je vertellen wat Daniel en mij is overkomen.' Hij vertelde haar het verhaal van mevrouw Debar.

Maar het lukte hem niet haar aan het lachen te krijgen, of zelfs maar te laten glimlachen. In plaats daarvan zei ze: 'God sta haar bij. God sta hen allen bij.'

Ze waren klaar met het avondeten. Het gesprek aan tafel was wat moeizaam verlopen, en Daniel keek Annette aan en vroeg: 'Is alles goed met je, liefje? Je ziet er wat pips uit.'

'Ja, ja, alles is best, pa.'

'Ze is wat moe.' Dit kwam van Joe. 'Ze is de hele dag op de been geweest, omdat de zuster in het weekend weg is.'

Annette glimlachte en zei: 'Jawel, maar Stephen heeft me goed geholpen.'

Flo keek Daniel aan en zei: 'Het is opvallend hoe die jongen is veranderd. Vooral omdat wij er niet de hele tijd zijn, valt ons op hoeveel hij vooruitgaat. Hè, Harvey?'

'Ja, dat vind ik ook. Hij doet niet meer zo kinderlijk.'

'Daar heb je gelijk in.' Joe knikte. 'Ik heb tot mijn verbazing gemerkt dat hij al wekenlang droog blijft in bed. Het is eigenlijk vanaf het moment...' Hij zweeg, niet zeker wetend of hij met goed fatsoen kon zeggen: 'Vanaf het moment dat

140

ma weg is.' Dus zei hij: 'Vanaf het moment dat Don thuis is gekomen.'

'Hij vindt het heerlijk om bij Don te zijn,' verklaarde Annette, 'en de verpleegster is geweldig met hem. Ze noemt hem de hoofdinspecteur. Hij straalt gewoon als ze dat zegt. En Don vindt het leuk als hij er is. Moet je je voorstellen, een paar weken geleden hadden we hem niet zo lang alleen durven laten.' Ze keek op de klok. 'Al meer dan een halfuur. En dat betekent dat ik weer snel terug moet.'

'Moeten of niet moeten, jij blijft zitten waar je zit, en ik ga er even naartoe. En doe wat je gezegd wordt!' Joe hief zijn vinger naar haar en herhaalde: 'Doe wat je gezegd wordt, blijf zitten waar je zit.' Daarna keek hij Flo aan en zei: 'En zorg jij ervoor dat ze dat ook doet, vróúw!' Harvey lachte met hem mee en riep: 'Zorg maar dat jij geen praatjes krijgt, mán. Ik ben hier de enige die het recht heeft vrouw tegen haar te zeggen, want ik ben nu eenmaal een barbáár.'

Joe verliet de kamer, onder veel gelach, dat was bedoeld om de stemming weer enigszins normaal te krijgen. Toen hij de ziekenkamer binnenkwam, werd hij met nog meer gelach begroet, want Stephen hikte: 'Ik heb Don verteld over die keer dat mevrouw Osborne hier kwam, weet je nog wel, Joe? Toen ik tegen haar heb gezegd dat ze haar thee wel op haar schoteltje mocht gieten en mocht blazen, als ze dat wilde.'

Hij schoot weer in de lach, en Don lachte met hem mee. Joe zei: 'Ja, ik herinner me die dag nog heel goed. Je hebt toen wel een tik voor je achterste gehad, hè?'

Terwijl hij dit zei, probeerde hij Stephen te bekijken zoals Harvey hem nu zag. Hij leek inderdaad wat ouder te zijn geworden. En het was waar, hij had al in geen tijden in zijn bed geplast. En nu hij er zo over nadacht: hij had ook al in geen maanden een gilbui gehad. Hij was bovendien heel goed in het helpen van Don.

Joe keek naar het dienblad naast het bed en merkte op: 'Maar je hebt hem niet zover gekregen dat hij zijn eten opat, hè, slimme rakker?'

'Ik had geen honger.' Don stak zijn hand naar Stephen uit en zei: 'Weet je nog welk spelletje wij vroeger altijd speelden?'

'Halma, Don?'

'Nee, ik bedoel dammen. Met dat ruitjesbord. Het staat boven, in je kamer. Zou je dat even willen halen? Want ik heb wel zin in een spelletje.'

'O ja, natuurlijk Don. Ik ga al. Ik ga al.' Hij wilde de kamer al uit hollen, toen hij zich omdraaide, Joe aankeek en vroeg: 'Goed?'

'Ja hoor, dat is goed. Ga maar gauw.'

Zodra ze alleen waren, duwde Don zich op zijn ellebogen hoger in de kussens en zei: 'Ik wil graag even met je praten voordat Annette binnenkomt. We zijn tegenwoordig bijna nooit samen, hè? Er is iets dat ik al een hele tijd tegen je heb willen zeggen, Joe. Ga zitten en luister, wil je?'

Joe trok zijn stoel dichter naar het bed en keek naar het bleke gezicht. 'Steek maar van wal,' zei hij.

'Het gaat over Annette.'

'Wat is er met haar? Het gaat allemaal goed, hoor. Je hoeft echt niet lang meer te wachten voordat je…'

Don legde zijn hand op die van Joe en zei: 'Daar gaat het precies om. Ik heb niet veel tijd meer over.'

'Nee zeg!' Joe trok zijn hand ruw weg. 'Houd eens op met die onzin! Je moet me niet verkeerd begrijpen. Sinds je thuis bent gekomen, gaat het allemaal heel goed met jou.'

Don wendde zijn hoofd af en zei langzaam: 'Joe, toe. Alsjeblieft. Als ik niet eerlijk met jou kan praten, met wie dan wel? Je weet net zo goed als ik dat ik het niet lang meer zal maken.' Hij tikte op de sprei, in de richting van zijn buik, en vervolgde: 'Ze hebben overwogen om me daar weer voor op te nemen. Maar als ze dat doen, zou het wel eens snel afgelopen kunnen zijn, vermoeden ze. Daarom stellen ze het steeds weer uit. Maar ik weet zelf wel zeker hoe het ervoor staat. En mijn ademhaling wordt steeds slechter. Stil nou maar!' Hij keek Joe weer aan. 'Alsjeblieft Joe. Ze kan elk moment terug zijn, en ik wil juist over haar praten. Luister

goed, en zeg niets voor ik klaar ben. Wat je ook mag denken... zeg niets. En het is alleen dit. Eigenlijk had jij met
Annette moeten trouwen... Toe!' Zijn vingers balden zich
tot een vuist, en toen Joe hem het zwijgen op wilde leggen,
zei Don:'Als pa niet zo had gemanoeuvreerd en mij naar voren had geschoven, alleen maar omdat hij dacht dat dit de
beste manier was, weet ik zeker, om mij te bevrijden uit de
klauwen van mam, dan was Annette jou blijven bewonderen. Ze had je altijd al bewonderd, weet je... vanaf dat ze
een schoolmeisje was. Maar zelfs toen ze verliefd werd op
mij, was ik aanvankelijk bang dat het maar een bevlieging
was, en dat ze zich daarna weer op jou zou richten. Ik hield
van je, Joe, maar ik hield ook van haar. Daarom...' Hij
zweeg even om naar adem te happen, en zei toen snel: 'Ik
heb er expres voor gezorgd dat ze van mij was. Ik was degene die het eerste gebaar maakte, niet zij. En toen dat eenmaal was gebeurd, bleef het doorgaan. Toen leek dat niet
genoeg. Ik had ermee door kunnen gaan zonder dat er gevolgen waren, maar... maar ik was vastbesloten dat er wél
een gevolg zou zijn. Dat hoopte ik tenminste, want dat zou
het bezegelen. En het lukte. Maar ik was ook bang, we waren allebei bang, vreselijk bang. Daarom had ik zo'n haast
met die trouwerij. Maar "de mens wikt en God beschikt".'
   'Ik weet er alles van.'
   'O ja?'
   'Ja, ik weet er alles van: pa die zogenaamd de hele tijd bij
jullie was wanneer jullie uitgingen, maar die jullie in werkelijkheid alleen liet, zodat jullie regelrecht naar de cottage
konden gaan.'
   'Hoe weet je dat?'
   'Gedeeltelijk intuïtie. Maar afgezien daarvan ging ik een
keer met de tekeningen naar de cottage. Je weet nog dat
Annette de keuken graag iets groter wilde hebben. En
voordat ik het paadje opreed, zag ik de auto buiten staan.
En die avond zaten pa en jij allebei te praten alsof jullie de
hele tijd bij elkaar waren gebleven. Dus waar maak je je ongerust over? Vertel me liever iets dat ik niet weet.'

'Ja, goed. Wanneer ik er niet meer ben, wil ik dat jij voor Annette en het kind zorgt, dat je doet wat je altijd hebt willen doen: met haar trouwen.'

Joe stond langzaam op en zei resoluut: 'Je leeft, Don. Je zult nog lange tijd blijven leven. Waar jij geen rekening mee hebt gehouden is dat Annette mij als een broer beschouwt, als een grote broer. Ze houdt van jou, en ze zal altijd van jou blijven houden ook.'

'Ga zitten, Joe, alsjeblíéft. Ik heb hier de laatste tijd veel over nagedacht… over liefde en dood. Ja, Annette heeft me liefgehad gedurende het jaar dat we samen waren. Gek, maar toen ik zo tegen mam tekeerging, had ik het over "Het Jaar van de Maagden". En ja, we waren allebei maagd. Maar liefde kan nog steeds liefde zijn, zelfs als deze verandert. Annette houdt nog steeds van me, maar nu anders. Ze is mijn verpleegster, mijn metgezel, en ja, ze bemoedert me zelfs, terwijl ze nota bene in verwachting is en zelf moeder gaat worden. En doordat ze in verwachting is, is ze op de een of andere manier ook verder bij me vandaan komen te staan. Als het ongeluk niet was gebeurd, had ik moeten leren begrijpen dat zij, omdat ze een kind draagt, ook bezig is met iets anders. Ik denk dat alle vrouwen dat moeten voelen. En ik heb echt liggen bedenken dat de liefde nooit meer hetzelfde kan zijn als een vrouw eenmaal een kind heeft, omdat ze dit in haar lichaam heeft gehad en haar man ergens iets van haar heeft verloren. Vreemd is dat.' Hij glimlachte flauw. 'Als ik zo door redeneer, kan ik zelfs begrip opbrengen voor mam, hoewel, ik wil haar echt nooit meer zien, Joe!' Hij draaide zich om en greep Joes hand. 'Dat klinkt misschien afschuwelijk, maar ik ben doodsbang bij de gedachte dat ze hier ooit terug zal komen.'

'Ik denk niet dat je je daar veel zorgen over hoeft te maken. Uit wat ik van pa heb begrepen, en ook van Flo, zou de gedachte dat ze pa weer moet zien, haar op slag echt krankzinnig maken.'

'Nou, met de juiste behandeling zal ze er wel weer een keer bovenop komen. Maar ik hoop dat ik dood ben voordat het zover is.'

144

'Jij gaat niet dood. Wil je daar nou over ophouden?'

'Nee, ik houd niet op, Joe. Maar laat ik je wel zeggen dat ik niet bang ben om dood te gaan. Gezonde en sterke mensen zijn degenen die bang zijn voor de dood. Maar als je je lichaam verliest en je houdt alleen je verstand over, dan zie je de dingen in perspectief. Het enige punt is, dat ik wil blijven leven om mijn kind geboren te zien worden. En daarna zal ik heel blij zijn om te gaan, want' – zijn stem brak – 'ik heb veel pijn, Joe, erg veel pijn. Die pillen weten de pijn niet te stillen. De injecties wel, maar daar wil ik er niet te veel van.'

Joe kon niets uitbrengen, en hij was buitengewoon opgelucht toen Stephen met veel misbaar de deur opendeed en met een houten kistje binnenkwam. 'Ik heb heel lang moeten zoeken. Het stond boven op de kast. Weet je nog dat Maggie het daarbovenop had gezet, omdat het zo rammelde als we ermee speelden?'

'Helemaal niet,' zei Joe. 'Het was omdat jij vals speelde.'

'Niet waar, Joe. Echt niet, hè Don?'

'Nee, echt niet, Stephen, jij speelde nooit vals.'

'Je maakte alleen maar een grapje, hè Joe?'

'Ja, grote jongen, ik maakte alleen maar een grapje.'

Joe aaide even over het hoofd dat op dezelfde hoogte was als het zijne, en toen zei hij op rustige toon: 'Je moest vanavond maar geen spelletje met Don spelen, Stephen. Hij is een beetje moe.'

'Ben je moe, Don?'

'Ja, een beetje wel, Stephen. We zullen morgen een spelletje doen. Ach,' – hij keek naar de deur – 'daar hebben we de grote baas, en die wil vast niet dat we spelletjes doen op de schone sprei.'

'Wat zijn dit voor verhalen over een schone sprei?'

'Ik had Stephen het damspel van boven laten halen.'

'O, die stoffige rammeldoos.'

'Zie je nou wel.' Joe knikte naar Stephen. 'Maar als ik jou was, zou ik nu maar gauw de benen nemen.'

Toen Stephen in de lach schoot, besefte Joe dat benen

een tactloos onderwerp van gesprek voor Don vormden. Maar Don glimlachte en zei: 'Vooruit, jullie tweeën, maak allebei dat je wegkomt. Een mens kan tegenwoordig ook geen moment met zijn vrouw alleen zijn. Goed, goed.' Hij hief zijn vinger naar Stephen. 'Ik zal morgen een spelletje met je spelen.'

'Kom mee, grote jongen.' Joe loodste Stephen de kamer uit, en Annette ging zitten in de stoel die Joe had vrijgemaakt. Ze zei tegen Don: 'Vind je niet dat Stephen een stuk is veranderd, in zijn voordeel, bedoel ik?'

'Ja, dat vind ik ook. Ik dacht dat ik het me verbeeldde, maar nu je 't zo zegt, ja.' Hij keek haar aan en vroeg: 'Hoe voel jij je eigenlijk? En geef een eerlijk antwoord, zeg niet alleen maar "goed".'

'Om je de waarheid te zeggen, lieverd, weet ik niet precies hoe ik me voel, want ik heb nooit eerder het voorrecht gehad om in deze positie te verkeren.' Ze tikte hem even op de neus. 'Ik denk dat het heel normaal is om… om het gevoel te hebben dat… nou ja…' Ze trok even een scheef gezicht. 'Soms denk ik dat hij of zij morgen al komt, maar ik heb nog een paar weken te gaan.'

'Voel je je niet lekker? Ik bedoel, een beetje…'

'Nee, ik voel me echt wel goed. En maak je nou maar niet ongerust. Kom, laat me je kussens opschudden.'

Toen ze van de stoel opstond, vroeg ze zich af: 'Voel ik me ziek?' En het antwoord luidde: 'Ja, in zekere zin voel ik me vreemd, zo vreemd, dat ik vind dat ik maandag naar de dokter moet gaan.'

# 6

Het was de laatste week van maart 1961 en het was erg koud. Sommige mensen zeiden dat ze konden ruiken dat er sneeuw in de lucht zat, terwijl andere ertegenin gingen met: doe niet zo gek, we hebben alleen maar twee nachten met strenge vorst gehad.

Het was zeven uur geweest en het beloofde een rustige avond te worden in het huis, toen de bel van de voordeur ging. Maggie liep toevallig door de hal, en toen ze opendeed, zei ze: 'O, goedenavond, meneer pastoor.'

'Goeienavond Maggie. En wat is het koud! Het zou me helemaal niets verbazen als we sneeuw kregen.'

'U hebt geen idee hoe vaak ik dat vanavond heb moeten horen. We zitten bijna in april, de narcissen komen al op. Maar gaat het weer wat beter met u? Ik heb gehoord dat u het zwaar te pakken hebt gehad.'

Maggie hielp hem uit zijn jas. Hij zei: 'Ik heb de afgelopen twee weken iedereen aardig weten bezig te houden, en ik moet je bekennen dat ik er met volle teugen van heb genoten.' Hij hoestte even, met een diep, zwaar gerochel, en Maggie knikte en zei: 'Ja, dat wil ik direct geloven, eerwaarde. Als ik dat zo hoor, geloof ik het meteen.' Lachend pakte ze zijn jas aan en legde die over een stoel. 'En ik geloof ook meteen dat u een buitengewone lastpak zult zijn geweest.'

'Zeg dat wel, Maggie, zeg dat wel. Iedereen die zegt dat ik iets anders ben, noem ik een jokkebrok. Er bestaat geen grotere lastpak dan ik. Waar zit iedereen?'

'O, overal zo'n beetje.'

'Nou, ik denk dat ik ze wel weet te vinden.' Hij was al op weg toen hij zich met een ruk weer omdraaide en zei: 'Heb je nog een moment, Maggie?' Ze keek hem vragend aan en liep naar hem toe.

'De vastentijd is nu bijna voorbij, en dan horen we iets op te geven wat ons na aan het hart ligt, of iets te doen wat ons veel moeite kost. En je weet, Maggie, dat er één ding is dat ik altijd vreselijk graag heb willen doen, en dat is een feit. Voorzover ik weet heb ik nog nooit iemand bekeerd, in mijn hele loopbaan niet. Zou jij een arme man nou geen plezier willen doen en die stap willen zetten?'

Ze duwde hem giechelend van zich af en zei: 'Maakt u het nou gauw, meneer pastoor. Als er iemand was die me bij uw club had kunnen praten, dan was u het wel. Maar zelfs u en alle anderen bij elkaar kunnen mij er niet toe overhalen.'

'Je bent een harde vrouw, Maggie. Ik heb altijd al geweten dat jij een harde vrouw bent.' Zijn glimlach was in tegenspraak met zijn woorden. Toen boog hij zich naar haar toe en zei zacht: 'Wanneer je de fles te voorschijn haalt, zou je er dan ook wat warm water en suiker bij willen brengen?'

Ze grinnikte en zei: 'Warm water en suiker dan, voor die lastpak. Warm water en suiker.'

Toen hij zich lachend omdraaide, zag hij Annette de gang door komen. Ze begroette hem met: 'Hallo, eerwaarde. Bent u weer op de been?'

'Nou, als dat niet het geval is, dan loop ik te slaapwandelen met m'n kleren aan. Hoe gaat het met jou, liefje?' Hij legde een hand op haar schouder. 'Het laatste wat ik heb gehoord was dat jij een tijdje het bed moest houden.'

'Ja, maar nu gaat alles weer goed met me.'

'Weet je 't zeker?'

'Bijna zeker.'

'Op die manier?'

'Op die manier.'

'Wordt alle spanning je een beetje te veel?'

'Nee, niet echt. Maar ik ben er gewoon niet zo aan gewend, weet u.' Ze glimlachte, en legde een hand op de welving van haar buik. Hij keek nu ernstig en zei: 'Wees heel voorzichtig, kindlief. Het is een kritieke tijd. Doe alles wat de dokter zegt. En bedenk wel: hij wil zijn kind graag zien. Dat weet je toch?' Hij voegde er niet aan toe: 'Daarom weet hij het nog zo lang vol te houden.' Maar ze antwoordde: 'Ja, ja, dat weet ik.'

'En je weet ook dat de mogelijkheid bestaat dat hij weer naar het ziekenhuis moet?'

'Ja, dat weet ik ook, eerwaarde.'

'Nou, dan weten we allemaal waar we aan toe zijn, nietwaar?' Hij begon iets luider te spreken toen hij besloot: 'Waar is de heer des huizes?'

'De laatste keer dat ik hem zag, was hij op weg naar zijn studeerkamer.'

'Nou, dan ga ik daar eens even een praatje met hem maken.'

'Hij zal blij zijn u te zien. Hij heeft u deze weken gemist.'

'Ach, dat is fijn om te weten. Het is mooi als je wordt gemist. Maar ik kan je één ding wel vertellen: er is er één die me niet heeft gemist. Hij heeft de tijd van zijn leven gehad, heb ik begrepen, op die preekstoel. Je weet wel wie.'

'Ja, dat weet ik, meneer pastoor. Het is de afgelopen zondagen heel warm geweest in de kerk.'

Zijn lach schalde. 'Ha, ha! Dat is een goeie. Heeft zeker het hellevuur wijdopen gezet. Nou, ik zal de zaak daar weer eens een beetje laten afkoelen. Neem dat maar van mij aan.'

'Daar twijfel ik niet aan.'

Ze gingen lachend ieder huns weegs, en de priester klopte op de deur van de studeerkamer, roepend: 'Ik ben het! Mag ik binnenkomen?'

'Jazeker, eerwaarde, komt u binnen,' riep Daniel, en toen de priester de kamer binnenkwam, zei hij: 'Ik had u echt nog niet verwacht. Ik wist niet dat u op was.'

'Niemand schijnt nog iets van me te verwachten, behalve m'n begrafenis. Ik kan je verzekeren dat ik al heel wat mensen heb teleurgesteld. Maar nu ben ik dan toch hier, en ik heb Maggie zojuist al instructies gegeven voor warm water en suiker. Is dat goed?'

Daniel gaf hier geen antwoord op, maar zei: 'Ga zitten. Kom dichter bij de haard.'

De priester ging zitten, hij staarde naar de flakkerende elektrische blokken en zei: 'Die geven een beste warmte. Met een klein beetje fantasie denk je dat je er een pook in kunt steken. Ik ga mezelf er ook eens op trakteren, door zoiets in m'n slaapkamer te laten installeren, want geloof me, IJsland is niets vergeleken bij die kamer. Daarom heb ik dit ook opgelopen.' Hij klopte op zijn borst. 'Nu de schade is aangericht, gaan ze er centrale verwarming in zetten. De gedachte dat een ijzige kou goed voor de ziel is en alle emoties doodt, is lariekoek. Er zijn meer mensen die met elkaar in bed springen omdat het zo koud in de kamer is, dan waar dat soort kletskousen weet van heeft. Maar hoe is het met jou?'

'O, met mij gaat het wel goed. Maar hoe is het met u? Hoe lang bent u alweer op en buiten?'

'Nou, een dag of drie, vier. Trouwens, als ik zo vrij mag zijn het te zeggen, ik vind dat Annette er niet goed uitziet. Ze lijkt erg pips en heel erg moe. Het is uiteraard niet meer dan natuurlijk dat ze in dit stadium moe is, maar ik vind dat ze er niet goed uitziet.'

'Ze is erg ongerust geweest over Don, net als wij allemaal.'

De deur ging open en Maggie kwam binnen met een dienblad waarop een karaf, een kan heet water, twee glazen en een schaaltje bruine suiker stonden. De priester begroette haar met: 'Aha, daar is de troost voor onze ziel. Dank je, Maggie, je bent een vrouw uit duizenden. Blijf je bij je besluit om de stap niet te zetten?'

Toen Daniel vragend van de een naar de ander keek, zei de priester met een ernstig gezicht: 'Ik heb haar aangeboden mijn eerste bekeerling te worden, maar dat weigerde ze. Ze heeft het vierkant geweigerd. Ze weet echt niet wat ze mist. Weet je, als jong jochie geloofde ik – of dat vertelde m'n moeder me tenminste altijd – dat als je in je leven ook maar één bekeerling kon maken, die net zo goed was als de sleutel naar de hemel, wat je daarna ook mocht doen, want het zou je nooit meer worden ontnomen. Ik heb er als kind hard aan gewerkt, want ik begreep dat als ik die sleutel eenmaal had, ik net zo tekeer kon gaan als ik wilde, omdat mijn hemelse toekomst dan toch was verzekerd: een huis met een biljart en zo…'

'Is het geen vreselijke man?' Maggie keek Daniel aan, en deze zei: 'De ergste die ik ooit heb meegemaakt. Bedankt.' Hij knikte naar het dienblad.

Maggie zei: 'Wanneer jullie dat op hebben, moet je maar even bellen, voor een nieuwe voorraad.' En hierop barstten beide mannen in lachen uit.

Toen ze de kamer weer voor zichzelf hadden, zei de priester: 'Ze is een goede vrouw, die Maggie, en jij bent geen goede man voor haar. Besef je dat, Daniel?'

'Het hangt allemaal af, eerwaarde, van wat je met goed bedoelt. Goed voor wat? Goed voor wie? Goed voor elkaar? Of niet goed voor elkaar? Ik heb een heel leven achter de rug, zoals u weet, van niet goed voor elkaar zijn.'

Terwijl Daniel de whisky inschonk, keek de priester naar hem. Daarna pakte hij het glas aan en snoof er goedkeurend aan alvorens een flinke slok te nemen. Daarna leunde hij achterover in zijn stoel en staarde even voor zich uit. Toen zei hij: 'Ik heb haar vanmiddag gezien.'

'O ja?'

'Ja, ik moest er toch zijn, en toen heb ik even bij haar gekeken.'

'En hoe was het met haar?'

De priester zuchtte. Toen zette hij zijn glas op de tafel en zei: 'Volgens mij zou er een wonder voor nodig zijn, een heel groot wonder, om haar weer terug te brengen naar een normaal bestaan. En toch praat ze af en toe heel verstandig, tenminste…' – hij gebaarde even met zijn hand – 'tot dit huis wordt genoemd, of enig persoon erin. Misschien had ik dat moeten laten, maar ik heb het wel gedaan. Ik wees haar erop dat haar geliefde zoon binnenkort vader zou worden, en zij grootmoeder, en of dat niet geweldig was.'

'En toen werd ze woest.'

'Nee, dat niet. Ze zat me alleen maar aan te staren. Maar

ik kon het niet verdragen om die blik in haar ogen te zien, of mee te maken hoe haar lichaam helemaal verkrampte, dus belde ik een zuster en vertrok. Op de terugweg moest ik onwillekeurig nadenken over de dingen die we in naam van de ethiek doen, zoals mensen overhalen zich te houden aan een bepaalde, erkende gedragscode, om aan plichten te denken. Ik bedacht toen dat als ik jou niet had overgehaald om bij haar te blijven, maar jou gewoon had laten doen wat je wilde, zodat je die eerste keer bij haar weg was gegaan, alles misschien niet zover zou zijn gekomen.'

'O, breekt u zich daar het hoofd maar niet over. Het was uiteindelijk toch allemaal op hetzelfde uitgelopen, want vergeet u niet dat ze een zoon had die – en ik wil niet blasfemisch zijn – volgens haar door Onbevlekte Ontvangenis tot stand was gekomen, of via Maagdelijke Geboorte, of hoe het ook allemaal heten mag. Het was niet alleen het feit dat ze haar zoon aan een andere vrouw kwijtraakte, maar het feit dat hij zich vóór het huwelijk had bezoedeld – ze is dol op dat woord – met een vrouw, en dat deze smeerlapperij, zoals ze het vaak betitelde, zich meer dan een jaar lang praktisch onder haar neus had afgespeeld. Dat was bij haar de druppel die de emmer deed overlopen. Natuurlijk wist ik al lange tijd dat ze mij niet kon luchten of zien, maar aan de andere kant wilde ze niet dat ik wegging, omdat ze dan de gedachte niet had kunnen verdragen een in de steek gelaten vrouw te zijn, of de voldoening van al haar kerkelijke vriendinnen te moeten zien over haar val. We weten allebei, eerwaarde, dat zelfs haar eigen familie haar niet mocht, want vanaf het eerste begin heeft ze de dame gespeeld, maar dat laagje was zo dun, dat je er dwars doorheen kon kijken. Bovendien was ze zo'n vrouw die wilde heersen, of het nu de Moedervereniging of de Kinderen van Maria of het Heilige Comité voor de Arme Kinderen was. Jawel, ze wilde graag als nobele dame bekendstaan.'

'Je moet niet zo verbitterd doen, Daniel, want God sta haar bij, ze moet zwaar betalen voor haar ijdelheid. En dat beseft ze in zekere zin zelf ook, en dat is het ergste van haar problemen: ze is niet gek, ze is alleen gestoord door haat en verbittering en een gevoel van mislukking. Je moet heel sterk in je schoenen staan om een mislukking onder ogen te zien en ongedeerd uit de strijd te voorschijn te komen. Nou, wat ik wil zeggen is dit: zoals de zaken er nu voorstaan en uit wat ik uit mijn gesprek met de directrice, later, heb begrepen, zal ze daar nog lange tijd moeten blijven, want als ze haar nu naar huis zouden sturen, zou ze een gevaar betekenen voor zichzelf en voor anderen.'

'Ik kan niet zeggen dat het me spijt, eerwaarde, ik zou een hypocriet zijn als ik dat wel zei, maar als ze ooit dit huis weer binnen mocht komen, zou ik het moeten verlaten. En Annette en Don beslist ook.' Hij wendde zijn blik af en zei: 'Maar zoals u maar al te goed weet, zal Don het niet lang meer maken. Dus zou het voor ons allemaal veel beter zijn als ze haar niet laten gaan.'

De priester gaf geen commentaar op Don, maar ging verder: 'Stel dat ze er wel uitkwam en Annette en jij gingen weg, wat zou er dan met Joe en Stephen gebeuren?'

'Stephen zou met mij meegaan, hij is mijn verantwoordelijkheid. En Maggie zou ook met me meegaan.'

De priester bleef Daniel strak aankijken en zei: 'En Joe?'

'O, Joe zou hier vast niet alleen willen blijven, en hij zou ook niet met ons mee willen gaan. Hij ziet mij weliswaar als zijn vader, en ik zie hem als mijn zoon, maar dat is eigenlijk een spelletje. Hij is een individualist. Zal ik eens een voorbeeld geven? We kwamen er laatst achter dat hij op zoek is geweest naar zijn ouders, of in elk geval heeft geprobeerd erachter te komen wie zijn moeder was. Ik kwam heel toevallig een oude verpleegster tegen, die jarenlang in het rooms-katholieke tehuis had gewerkt waar wij hem vandaan hadden. Ze is vorig jaar met pensioen gegaan, en al ver in de zeventig. Ze was heel vriendelijk, en ze zei dat mijn aangenomen zoon zich tot zo'n leuke kerel had ontwikkeld. Ik wist niet dat ze hem kende, en dat zei ik. Maar zij zei dat hij een tijdje geleden bij de directrice was geweest, maar dat hij bij haar niet veel was opgeschoten. Ze zei dat zij hem had kunnen vertellen wat hij had willen weten, maar dat hij het haar niet had gevraagd. Ze worden trouwens geacht hun mond te houden. Maar zij was het hier niet mee eens, ze vond dat ze het moesten weten.'

'En, heb je haar gevraagd wie zijn moeder was?'

'Ja, dat heb ik gevraagd.'

'En wat voor antwoord kreeg je toen?'

'Het juiste antwoord. Ze gaf me de achternaam die de vrouw nu heeft, en het laatste adres dat ze kende.'

'Heb je daar verder iets mee gedaan?'

'Ja, in zekere zin wel. Ik ben naar het huis gegaan, maar daar woonde nu een Aziatische familie, en die woonde er al elf jaar.'

'En je hebt hem dat niet verteld?'

'Nee.'

'Vind je dat je 't moet vertellen?'

'Ik hink op twee gedachten. Hij is in staat om een wilde zoektocht in Australië te beginnen. Wat vindt u dat ik moet doen?'

'Ik zou m'n mond dichthouden en me nergens mee bemoeien, want laat me je wel vertellen dat jouw probleem niets nieuws onder de zon is. En ik weet dat hoogstens één op de tien blij is die zoektocht te hebben ondernomen, de meesten schamen zich voor wat ze vinden. Dat is iets heel vreemds met onwettige kinderen, weet je, ze willen zich graag vastklampen aan iets wat meer is dan zijzelf, want de maatschappij heeft gemaakt dat ze een heel lage dunk van zichzelf hebben. Dus wie kiezen ze uit als vader? Of als moeder? Maar meestal is het: wie kiezen ze uit als vader? Het is nooit een dokwerker of een buschauffeur of een glazenwasser of een schoonmaker. O nee. Ze beginnen meestal met dokters, klimmen op naar chirurgen; of, als het op het gebied van onderwijs is, dan zoeken ze er meestal eentje die naar Oxford of Cambridge is geweest. Het is niet ongewoon dat ze denken dat ze familie zijn van het koninklijk huis. Ja, je kunt je wenkbrauwen nou wel optrekken, maar een priester krijgt echt álles te horen over gewezen idealen en idolen.

154

Wanneer een aardig meisje met een aardige kantoorbaan en met aardige adoptie-ouders de drang voelt om uit te zoeken waar ze vandaan komt, dan is het meestal de moeder die ze zoekt. En dan ontdekt ze steevast dat haar moeder uit een groot gezin komt, en dat het een gezin is dat niets met haar te maken wil hebben. Waarom niet? Omdat ze jarenlang had getippeld. Ik verraad geen biechtgeheimen wanneer ik dat vertel, want het is mijn zuster en zwager overkomen, die een meisje hadden geadopteerd en stapelgek op haar waren. Het meisje is daarna nooit meer dezelfde geweest. Is ze bij haar adoptie-ouders gebleven? Nee, ze heeft hun hart gebroken, net zoals háár hart was gebroken. Maar aan de andere kant kun je misschien zeggen dat een man als Joe de zaken anders zou bekijken, dat hij zo'n klap misschien zou kunnen verwerken. Man, geloof dat maar niet. Mannen zijn nog kritischer op hun moeder dan welke vrouw ook, want iedere man wil in wezen dat zijn moeder een goede vrouw is. Ik heb hier bewijzen van, ik zit echt niet zomaar wat uit mijn duim te zuigen. Dus mijn raad aan jou is: maak geen slapende honden wakker, in Australië of Timboektoe, of waar dan ook. Goed…' Zijn toon veranderde en hij stak een hand uit naar de warmte van de imitatie-houtblokken, en zei: 'Ik zit hier zo lekker, dat ik het liefst altijd zo zou blijven zitten. Maar ik moet nu echt met Don gaan praten. Wil je me even voorgaan?'

Ze gingen allebei staan. Toen zei de priester, terwijl hij omhoogkeek naar het plafond, en toen omlaag naar zijn glimmend gepoetste zwarte laarzen: 'Wat het bedienen van de jongen betreft, je zult het me wel laten weten, hè, als er een plotselinge verandering is? Ik wil er niet te vroeg mee zijn, want hoewel het in negenennegentig van de honderd keer rust brengt, weet ik dat er ook een kans is dat hij zich dan juist laat gaan. En we willen dat hij het nog even volhoudt, hè? Dus als je denkt dat zijn tijd is gekomen, of het nou dag of nacht is, laat het me gewoon weten.'

'Dat zal ik doen. Maar ik denk niet dat u zich zorgen hoeft te maken dat zijn heengaan erdoor zal worden bespoedigd, want hij weet dat hij zal gaan, en gauw ook. Zoals ik al zei, hij houdt alleen nog vol omdat hij zijn kind wil zien.'

Later die avond stond Daniel in de keuken tegenover Maggie en zei: 'Wat maakt dat nou voor verschil, hier of bij jou?'

'Dat maakt voor mij alle verschil, Dan. Dit is nog altijd haar huis. Ik moet je eerlijk bekennen dat ik het gevoel heb dat ze er nog steeds is. En dan vraag je me mee naar boven te gaan, naar jouw bed. Dat is wel heel ongevoelig van je.'

'Zo zie ik het niet. Ik heb je zojuist verteld wat de priester heeft gezegd: het is niet waarschijnlijk dat ze binnenkort terugkomt, misschien zelfs wel nooit. Dus waarom kunnen wij dan maar één keer per week met elkaar naar bed? O, Maggie!' Hij sloeg zijn armen om haar heen. 'Ik verlang zo naar je. Ik heb je nodig, in alle opzichten. Er zijn momenten van de dag, midden tussen alle drukte op de zaak, dat ik het liefst alles zou laten liggen om naar de telefoon te hollen alleen maar om jouw stem te horen. Als ik 's avonds thuiskom, wil ik rechtstreeks naar de keuken gaan om jou in m'n armen te nemen. Ik wil jou niet voor alleen maar één ding, jij betekent alles voor mij, je bent mijn metgezel, mijn vriendin, mijn minnares. Ja, vooral minnares. 's Nachts lig ik daar boven' – hij gebaarde met zijn hoofd – 'te tollen en te draaien bij de gedachte dat jij maar een trap en een gang van mij verwijderd bent. Hoor eens, liefste, als jij niet boven wilt komen, laat je me dan in jouw kamer?'

Ze stond binnen de beschutting van zijn armen en boog haar hoofd tot haar voorhoofd op zijn schouder rustte, en ze riep gesmoord: 'Jij verlangt niet meer naar mij dan ik naar jou, Dan, en ik lig 's nachts ook aan jou te denken, zoals jij daar ligt, en dan zou ik het liefst naar boven hollen. Ja, echt waar. Maar er is iets wat me weerhoudt.'

Hij liet haar los en deed een stapje achteruit, en er lag een zweem van een droevige glimlach op zijn gezicht toen hij zei: 'Winifred liet me niet in haar kamer, uit angst dat mijn lichaam het hare zou aanraken, en jij wilt niet naar míjn kamer om dezelfde reden.'

'O, dat is niet eerlijk, Dan, en dat weet je. Je verdraait de zaak. Ik zal overal naar jouw kamer willen komen, behalve hier.'

'Nou, kom dan niet naar boven, maar laat mij hier beneden in jouw kamer komen. Hoor eens, Maggie, deze toestand zou nog jaren zo voort kunnen duren. Ik bedoel, gezien de plek waar ze zit, en waar ze waarschijnlijk nog vele jaren zal moeten blijven. Wat moeten we toch doen? Allebei ons eigen leven leiden, zoals jij zegt? Slechts één keer per week met elkaar naar bed kunnen? Ons dan tot de liefde moeten dwingen, omdat we geen gelegenheid voorbij mogen laten gaan? Ik wil ook rustig naast je kunnen zitten, rustig naast je kunnen liggen, alleen maar weten dat je er bent.'

Toen ze elkaar even zwijgend aan stonden te kijken, hoorden ze de telefoon in de hal rinkelen, en Daniel zei: 'Wie kan dat op deze tijd van de avond nog zijn?'

'Ik neem wel even op.'

Hij duwde haar opzij en zei: 'Nee, nee, dat doe ik wel.' Toen liep hij snel de hal in, nam de hoorn van de haak en zei: 'Hallo.'

'Daniel, met Flo.'

'Flo! Is er iets gebeurd?'

'Hier is niets aan de hand. Alles is prima. Maar ik heb wel nieuws voor je: Harvey en ik gaan trouwen.'

Hij zweeg even, en zei toen lachend: 'Nou, ik kan niet zeggen dat dat me verbaast.'

'Nou, misschien niet, maar het is wel binnenkort. Het is volgende week zaterdag, en ik zou het leuk vinden als jij erbij kon zijn.'

'Volgende week zaterdag! Vanwaar die haast? Je bent toch niet…?'

'Nee! Ik ben niet zwanger. Maar Harvey heeft een schitterend aanbod gehad. En het is op het juiste moment gekomen, op een moment dat hier niet veel te doen is, althans niet voor hem. Het is in Canada, en hij heeft er uiteraard veel zin in.'

'Ja natuurlijk. Ik ben blij dat te horen, Flo. Maar aan de andere kant betekent dit dat we jullie kwijt zullen raken. Ik zal Harvey en jou echt missen. Ik ben erg op die vent van jou gesteld geraakt, weet je.'

'Ik ook. Hij schijnt het al een paar weken te hebben geweten, van dat aanbod tenminste, maar hij wilde nog niets zeggen voor het geval het niet door zou gaan. En Daniel…'

'Ja, Flo?'

'Je begrijpt dat ik dan niet meer elke week bij Winnie op bezoek kan, hè? Daar zul je iets aan moeten doen.'

'Ik kan er niets aan doen. Pastoor Ramshaw was vanavond nog hier. Hij was vandaag bij haar op bezoek geweest, en uit wat ik heb begrepen schijnt zelfs mijn naam haar door het dolle heen te maken. Maar maak je daar maar geen zorgen over. Ik moet je bedanken voor alles wat je de afgelopen weken hebt gedaan. Ik zal in elk geval zaterdag komen. En als ik niet kan, dan stuur ik Joe.'

'Kunnen jullie niet proberen om allebei te komen? Nee, ik denk dat dat te veel gevraagd is. Dat begrijp ik. Ik ben al heel blij als een van jullie beiden komt. Hoe is het met Annette?'

'Op dit moment helaas niet zo goed. De dokter heeft haar een week bedrust voorgeschreven. Maar ze is er maar één dag in gebleven. Onder ons gezegd en gezwegen, het zou me verbazen als ze haar volle tijd uitdient. Hoe lang zijn jullie trouwens van plan weg te blijven? Gaan jullie er permanent wonen?'

'Ja, voorzover ik weet wel. Maar we moeten er natuurlijk eerst eens naartoe en kijken hoe alles gaat, hoe Harvey wordt ontvangen. Begrijp je?'

'Ja, dat begrijp ik. Maar als ze Harvey eenmaal kennen, zullen ze hem met open armen ontvangen, daar ben ik van overtuigd.'

'Ik wou dat ik net zo zeker kon zijn. Hij zal niet in de grote hotels worden toegelaten. Dat weet je toch? Of in clubs. En ik heb hem op dat punt altijd heel verstandig gevonden, want Gerry Morley – je weet wel, die vriend over wie we het hebben gehad – is weggestuurd uit een arbeidersclub. Het is gewoon niet voor te stellen, hè? En hij is heel anders dan Harvey, die is veel beheerster in zulke dingen. Hij heeft echt een soort rel veroorzaakt, en de politie moest er bijna aan te pas komen. Dus wat Canada betreft zullen we gewoon moeten afwachten.'

'Nou, ik wens jullie beiden alle geluk van de wereld. En ik zal jullie missen. We zullen jullie allemaal missen, want Harvey en jij hebben de afgelopen maanden nog voor enige vrolijkheid gezorgd hier in huis, en dat was hard nodig.'

'Dank je, Daniel. En tot zaterdag. Je kunt misschien beter al op vrijdagavond komen, want het zal zaterdagmorgen vroeg zijn.'

'Dat zal ik doen, Flo. Welterusten. En het allerbeste.'

Toen hij, terug in de keuken, het nieuws aan Maggie vertelde, zei ze: 'Wat heerlijk voor hen. Maar ik betwijfel of ze het daar gemakkelijker zullen hebben dan hier. Het is afschuwelijk om zoiets te moeten denken, want het zijn de twee aardigste mensen die er ter wereld bestaan. En ik heb nooit eerder iemand als hem ontmoet, met zulke beschaafde manieren. Hij is op en top een heer, en dan doen ze vervelend over zijn huidskleur! Af en toe moet je toch spúgen op sommige mensen! En je hoeft daarvoor niet ver te kijken, hè? Neem nou Annettes vader, hij is de enige die nog nooit één woord tegen Harvey heeft gezegd. Maar hij spreekt niet eens met zijn eigen dochter. Is het waar dat hij probeert zijn zaken te verkopen?'

'Nee, nee, dat waren alleen maar geruchten. Die zaken van hem zijn veel te winstgevend om van de hand te doen.'

'Maar het is wel waar dat ze gaan verhuizen?'

'Ja, voorzover ik heb begrepen wel.'

'Ergens in de buurt van Carlisle, zei iemand.'

'Nou, wat mij betreft verhuizen ze naar de maan. Maar om op ons terug te komen, Maggie, wat dacht je ervan?'

Ze wendde zich van hem af en liep naar de haard, en daar bukte ze zich om de klep voor de ketel te schuiven, waarna ze zacht zei: 'Ik… ik moet erover nadenken, Daniel. Wil je het voorlopig even laten rusten?'

Ze draaide zich om en keek hem aan, en hij liep naar haar toe, sloeg zijn armen om haar heen en zei: 'Laat dat "voorlopig" alsjeblieft heel kort zijn, Maggie. Alsjeblieft.'

# 7

Donderdagmorgen om halfzeven werd Annette ziek. Ze voelde een felle steek van pijn door haar onderbuik gaan, en ze dacht even dat ze flauw zou vallen. Ze schoof langzaam naar de rand van het bed en keek op de wekker. Daniel en Joe kwamen meestal pas om zeven uur de kamer binnen, en de zuster arriveerde pas om acht uur. Ze stapte uit bed en keek naar Don, die nog steeds lag te slapen onder invloed van zijn pil, en ze liep voorzichtig langs het voeteneind van zijn bed naar de deur van de zitkamer. Ze wist daar net de bank te bereiken voor ze door een volgende wee werd overvallen en ze sloeg dubbel van de pijn, met haar handen op haar buik.

Ze keek naar de belknoppen op de muur; toen wist ze die met grote moeite te bereiken en ze drukte er één in. Het leek maar één minuut te duren voor ze voetstappen door de gang hoorde rennen, en toen kwam Joe al binnen en zei: 'Wat is er?'

'Joe.'

'Ja, lieverd? Kalm aan maar. Kalm aan.' Hij bracht haar weer terug naar de bank en ging naast haar zitten, met zijn arm om haar heen. 'Zijn het weeën?'

'Ik denk dat de baby eraan komt, Joe. Je moet de dokter maar bellen.'

'Weet je het zeker?'

Ze hapte even naar adem en zei toen: 'Vreselijke pijn.'

Hij stond onmiddellijk op en liep naar de telefoon die op een bijzettafeltje stond.

Toen kwam hij weer bij haar terug. 'Hij komt eraan,' zei hij. 'Hij zou snel hier zijn. Ga maar liggen.'

'Dat gaat niet, Joe. O, mijn God!' Ze kreunde het uit. Hij hield haar stevig vast en zei: 'Stil nou maar. Stil nou maar. Blijf jij rustig liggen, dan bel ik pa. Hij zal iets warms voor je te drinken halen. Misschien helpt dat.'

Hij stak zijn vrije arm uit en drukte op de andere knop, en binnen een minuut kwam Daniel haastig de kamer binnen. Hij aarzelde heel even voor hij naar haar toe kwam en zei: 'Is het zover?'

'Ik… het is nog te vroeg.'

'Dat weet ik. Maar zulke dingen gebeuren wel vaker. Alles zal goed komen, wacht maar af. De dokter?'

'Heb ik gebeld. Hij komt eraan.'

'O! O, mijn God!' Haar gezicht verkrampte van pijn, en ze hielden allebei haar verwrongen lichaam vast terwijl Daniel mompelde: 'Waar blijft die vent toch, verdomme!'

'Hij sliep nog. Ik heb hem uit zijn bed gebeld. Hij moest zich nog aankleden.'

'Het is maar vijf minuten met de auto.'

'Hoor eens, ga jij Maggie even wakker maken. Maar doe het zachtjes, het is beter als Don het niet weet, nog niet, tenminste.'

Maggie kwam bijna tegelijk met de dokter binnen. Annette lag languit op de bank, haar lichaam verkrampte en ze stak een hand uit naar de dokter, greep die en zei: 'Alstublieft! Doe iets!'

'We zullen iets doen, liefje, maak je maar niet ongerust. Hoe vaak komen de weeën?'

'Het lijkt wel aan één stuk door… steeds weer.'

Hij draaide zich om, keek in de kamer om zich heen, stapte toen langs Daniel en greep de telefoon. Daarna zei hij: 'De ambulance komt eraan. En blijf nu maar rustig liggen, je gaat naar het ziekenhuis.'

'Ik… ik dacht…'

'Wat je ook mag hebben gedacht, dat kun je nu in het ziekenhuis bedenken, liefje. Dat is de juiste plaats voor jou, en alles zal goed komen. Maak je maar niet ongerust.' Hij keek de mannen aan en zei: 'Als ik jullie was, zou ik me maar aankleden. Een van jullie moet met haar mee.'

Toen ze allebei de kamer uitliepen, zei Joe tegen Daniel: 'Blijf jij hier, pa, en zorg voor Don. Dan ga ik met haar mee.' Daniel maakte vreemd genoeg geen bezwaar, maar zei slechts: 'Goed, jongen. Goed.' En ze gingen zich haastig aankleden, want beide missies waren dringend.

Voordat de ambulance arriveerde, kreeg Annette, die zich nu aan Maggie vastklampte, nog drie pijnlijke weeën. Maar toen de mannen binnenkwamen met de brancard, wuifde ze die opzij en zei: 'Ik kan wel lopen. En... en ik wil nog even bij mijn man kijken.'

De dokter en Daniel hielpen haar overeind en liepen samen met haar naar de slaapkamer. Gelukkig had alle bedrijvigheid Don niet wakker gemaakt, en ze bukte zich over hem heen en kuste hem op de wang. Maar toen hij bewoog en iets zei, voerde de dokter haar snel bij het bed vandaan. Eenmaal in de gang zei hij echter: 'Nu heb je ver genoeg gelopen. Ga op die brancard liggen, dan pakken we je goed in, en daarna kun je alles vergeten, behalve dat je een mooie baby gaat krijgen. Ik kom later nog wel bij je kijken. Ik heb contact opgenomen met dokter Walters, en die staat je al op te wachten.'

Toen ze door een volgende wee werd overvallen en begon te kreunen, bleven de ambulancemannen staan; ze keek hijgend naar Joe op en zei: 'Blijf jij bij me, Joe?'

'Ik zal bij je blijven. Wees maar niet bang, ik zal bij je blijven.'

Twee uur later had Joe vier koppen thee gedronken en minstens zes keer tegen drie aanstaande vaders in de wachtkamer gezegd dat hij niet de vader was, maar de zwager. En toen een jonge vent had gevraagd: 'Waar is die gozer dan? Is-ie 'm gesmeerd?' had hij goedmoedig geantwoord: 'Nee, hij ligt nog in bed.' Waarop, na een korte aarzeling, klonk: 'Je méént 't niet!'

'Toch wel.'

'Dronken?'

Hierop had Joe treurig gezegd: 'Nee, niet dronken – was het maar zo – hij heeft een ongeluk gehad.'

'O.' De vrager had duidelijk spijt. 'Zal moeilijk voor 'm zijn,' zei hij. 'Als man wil je toch weten wat er gaande is, hè?' Toen Joe antwoordde: 'Ja, zeg dat wel,' had de jongeman naar de andere kant van de wachtkamer gewezen, waar een aanstaande vader liep te ijsberen, en op gedempte toon gezegd: 'Die kerel daar wilde erbij zijn. Kun je je dat voorstellen? Hij heeft dan kennelijk nooit meegemaakt wat ik heb meegemaakt, anders had hij er echt niet om gevraagd. Je hébt van die mensen!'

Aan de ene kant moest Joe lachen, maar aan de andere kant was hij verwikkeld in het smeken van God dat Hij Annette zou sparen. En als het tot een keuze tussen haar en het kind mocht komen, Hij het kind zou laten gaan. Dat gedoe over het kind tot elke prijs was hem een gruwel. De kerk had het op dat punt echt bij het verkeerde eind, en hij zou dat de volgende keer eens duidelijk zeggen als hij pastoor Ramshaw zag. Of ja, kapelaan Cody. Dat was degene om het eens duidelijk bij aan de orde te stellen. Als haar iets zou overkomen, omdat ze het kind wilden redden, zou het laatste beetje licht in zijn leven doven.

Hij had een voortdurende strijd moeten voeren om verder te gaan, zelfs achter de façade die hij had opgetrokken. Want naarmate hij haar buik had zien zwellen, was ook zijn afgunst jegens Don gegroeid. Hoewel hij wist dat Don haar nooit weer een nieuw leven te dragen zou kunnen geven, was hij in zekere zin nog altijd jaloers, want hij moest zichzelf eraan blijven herinneren dat dit niet had hoeven te gebeuren. Hij had sterk moeten zijn, hij had voor de dag moeten komen met zijn gevoelens, voordat zijn vader zijn eigen ideeën was beginnen te ontwikkelen voor de ontsnapping van zijn zoon. Als hij meteen zijn liefde had verklaard, had Don nu niet op zijn rug gelegen en had zijn pleegmoeder niet in een inrichting gezeten.

'Meneer Coulson?' De zuster tikte hem op de arm. 'Alles is goed. Kijkt u maar niet zo bezorgd. Alles is prima.'

'Is ze…?'

'Ja, alles is goed met haar. Ze slaapt nu. We hebben haar

een keizersnede moeten geven. U hebt een dochtertje... Ik bedoel een nichtje.'

'Is het een meisje?'

'Nou,' – de zuster schoot in de lach – 'als het een nichtje is, dan neem ik aan dat het een meisje is; er bestaan maar twee soorten.'

Zijn opluchting en dankbaarheid uitten zich in een diepe zucht, die voldoende was om alle hoofden zijn richting uit te doen draaien, en toen hij achter de zuster aan de kamer uit-liep, keek de een de ander aan en zei: 'Rare snuiter, die daar. En dat moet dan een zwager zijn. Poeh! Hij zat meer in de rats dan ik!'

De zwager keek door een raam naar waar een zuster stond te wijzen naar een wieg waarin hij juist een klein, rim-pelig gezichtje kon ontwaren, als dat van een oude vrouw.

De zuster naast hem zei: 'Ze is heel mooi; klein, nog geen zes pond, maar mooi.' En Joe glimlachte naar haar en zei: 'Mag ik even naar haar toe? Ik bedoel naar mevrouw Coulson?' Maar de zuster zei: 'Dat heeft geen zin. Ze zal voorlopig nog een tijdje blijven slapen. Als ik u was, zou ik naar huis gaan, om de vader het nieuws te vertellen, een lek-ker bad te nemen, en eens flink te ontbijten. Als u dan later terugkomt, zal ze wel weer bij zijn gekomen.'

'Dank u, zuster. Dat zal ik doen. Maar denkt u dat ik de dokter even zou kunnen spreken voordat...'

'O nee,' viel ze hem met een lachje in de rede, 'u hebt meer kans als u terugkomt, want hij is nog steeds in de ope-ratiekamer om er nog een uit de diepten omhoog te voeren.'

Hij lachte, knikte, en zei toen: 'Dank u wel, zuster.'

Uit de diepten, had ze gezegd.

Uit de diepten roep ik tot U, o Heer.
Heer, hoor naar mijn stem;
laten Uw oren opmerkende zijn
op mijn luide smeekbeden.

Hoe vaak had hij dat de laatste tijd gezegd, en hij vroeg zich tegelijkertijd af waarom hij het zei, want hij had zijn twijfels, ernstige twijfels, over de vraag of iets of iemand zijn stem zou horen. Maar wat nog belangrijker was: hij besefte dat als haar vanmorgen iets was overkomen, dit hem ongetwijfeld had doen inzien dat hij alleen maar tegen zichzelf had lopen praten, en dat hij nooit meer uit geloof zou kunnen bidden.

Maar ze had het overleefd.

Hij liep naar buiten, de koude ochtendlucht in, en ademde diepe teugen ijzige lucht in. Hij keek omhoog. De lucht was helder en blauw, maar het was nog steeds koud genoeg om hartje winter te kunnen zijn.

Omdat hij met de ambulance was meegereden, nam hij de bus terug, een die hem het dichtst bij huis zou brengen. De bus zat vol mensen die commentaar hadden op de plotselinge kou, afgezien van één passagier, de vrouw die naast hem zat, want zij keek hem aan en zei op gedempte toon: 'Het is helemaal niet plotseling, het is nu al een paar ochtenden zo geweest. Ik zei vorige week nog dat we sneeuw zullen krijgen, en dat gaan we krijgen ook. Eind maart of geen eind maart, sneeuw gaan we krijgen. Ik moet er hier uit.' Hij schoof zijn knieën opzij om haar erlangs te laten, en ze zei: 'Doei.'

Hij antwoordde eveneens: 'Doei.' En hij merkte tegen zichzelf op dat je een hoop miste als je een auto had. Je snelde niet alleen door het landschap zonder iets te zien, maar je ontmoette ook geen mensen. 'Doei,' had ze gezegd. Niemand had in lange tijd 'Doei' tegen hem gezegd. De drie mannen en de twee meisjes op zijn kantoor zeiden altijd 'Tot ziens!' of 'Tot morgen!' Hij bleef uit het raam zitten kijken. Die vrouw had zijn moeder kunnen zijn. Hij keek achterom. Ieder van deze vrouwen had zijn moeder kunnen zijn. Maar aan de andere kant, nee, dit leken allemaal arbeidersvrouwen, terwijl zijn moeder... Wat was zij geweest? Nee, niet weer. Hij moest eens ophouden met zich van alles in het hoofd te halen, want daar zou het niet mee ophouden. Als hij haar eenmaal had gevonden, zou hij natuurlijk ook zijn vader willen opsporen. Als hij echt een eind wilde maken aan al dit gepieker, was er maar één manier om dat aan te pakken: hij zou terug moeten gaan naar het tehuis, om het te vragen.

In zijn tienerjaren had hij gedacht dat alle vragen zouden verdwijnen met het ouder worden. Maar dat was niet het geval geweest. Het was alleen maar heviger geworden. Maar stel dat hij haar inderdaad vond, en ze bleek een teleurstelling te zijn? Dat risico zou hij moeten nemen. Maar kon hij dat? Hij was door zijn moeder verstoten, hij was door zijn pleegmoeder verstoten. Hij was, in zekere zin, ook door Annette verstoten. Kon hij nog een afwijzing of een teleurstelling riskeren? Maar hij voelde zo'n grote leegte vanbinnen. Hij had behoefte aan iets... aan iemand... om die leegte te vullen. En hij zag zich nog niet in de voetsporen van een dode treden, wat Don zelf ook mocht hebben gewild... het was gewoon niet fatsoenlijk. Bovendien was hij voor Annette niet meer dan een broer.

Hij wenste dat hij niet in die bus was gestapt. Maar aan de andere kant vond hij het fijn om onder de mensen te zijn. Was dat niet inconsequent? Waarom had hij gevraagd zijn intrek te nemen in de cottage, gescheiden van de familie? Ach, dat wist hij ook wel, want hij wilde zoveel mogelijk weg zijn, om maar niet te moeten worden geconfronteerd met zijn pleegmoeders afwijzing. En ook met zijn vader, die zich in allerlei bochten wrong om die afwijzing te compenseren, wat het in zekere zin alleen maar erger maakte.

Hoe zat het met Jessica? Jessica Bowbent. Of Irene Shilton... Ja, hoe zat het met hen? Nee, niet Irene. Dus dan bleef Jessica over, of nog beter, Mary Carter. Ja, nog beter, Mary...

Maggie stond op de stoep te wachten, met Daniel achter zich, en Peggie en Lily weer achter hen beiden.

'En?'

'Alles is goed. Het is een meisje.'

Daniel sloot even zijn ogen en slaakte een diepe zucht van opluchting. Toen viel hij uit tegen Joe: 'Waarom heb je verdomme dan niet even gebeld? We zaten allemaal in spanning.' Maar hij keek niet verbaasd op toen Joe terugblafte: 'Jullie hebben hier toch zeker ook telefoon? Je had toch zelf het ziekenhuis kunnen bellen?'

'Goed, goed, rustig maar.' Daniel klopte hem op de schouder. 'Jij zat daar, en ik kan me voorstellen dat je ongerust moet zijn geweest. Maar ik durfde eerlijk gezegd niet goed te bellen. Kom binnen. En ga iets eten.'

'Ik kom zo. Ik wil eerst naar Don.'

'Natuurlijk. Hij heeft de hele tijd op hete kolen gezeten. Hij kon niet geloven dat ze was weggegaan en dat hij niet wakker was geworden.'

Joe liep vlug door naar de ziekenkamer, maar voor hij naar binnen ging, zette hij zich even schrap. Toen duwde hij de deur open en riep: 'Waar is pappa dan?'

De zuster draaide zich bij het bed om en riep: 'Is het gebeurd?'

'Ja, het is achter de rug.' Hij stond op Don neer te kijken. Maar Don zei niets, en dus riep hij: 'Nou! Zeg dan iets, man!'

'Hoe is het met haar? Is alles goed met haar?' Dons stem was dun en zwak.

'Met haar is alles prima.' Joe wist niet of dit waar was of niet, maar voor dit moment moest het maar zo zijn. 'Je hebt een dochter,' zei hij.

'Een meisje?' De woorden waren kort, maar Joes stem was extra luid toen hij zei: 'Dat bedoelen ze als ze dochter zeggen. Dat heeft de zuster me tenminste verteld.'

Don duwde zijn hoofd achterover in het kussen, en zette zijn tanden in zijn onderlip. De zuster vroeg: 'Wat weegt ze? Is alles goed met haar? Ik bedoel, er mankeert niets aan?'

Joe zei nog steeds met luide stem: 'Natuurlijk is alles goed met haar. Ik weet niet wat de baby weegt. O ja, toch wel. Ik geloof dat de zuster zei dat ze bijna zes pond woog. Ik was een beetje de kluts kwijt. Die hele wachtkamer zat vol met ijsberende mannen die allemaal vader moesten worden.' Hij zag de tranen uit Dons dichte ogen stromen, en hij zei: 'Niet doen, man. Niet huilen. Dit is toch zeker geweldig nieuws? Niet huilen. Toe nou.'

'Mag een man dan niet huilen van blijdschap? Dat is toch zeker niet meer dan normaal?' De zuster veegde Dons gezicht af alsof hij een klein kind was, en zei: 'Je moet dit vieren. Eigenlijk kunnen we er allemaal wel eentje gebruiken. Wat jij?' Ze wierp Joe een ondeugende blik toe, en hij ving haar stemming op en zei: 'Ja, dat lijkt me een prima idee.' En hij liep haastig de kamer uit.

Het had hem verbaasd dat Daniel niet mee was gekomen naar de kamer van Don, dus toen hij naar de eetkamer liep en zijn vader de trap af zag komen, zei hij: 'Wat is er aan de hand? Waarom ben je niet mee naar binnen gegaan?'

Daniel haalde zijn hand door zijn haar en zei: 'Ik… Op de een of andere manier kon ik hem niet onder ogen komen, had ik het gevoel dat ik zou afknappen. Ik zal er nu naartoe gaan.'

'Ik ga iets te drinken halen voor ons allemaal.'

'Dat lijkt me een goed idee.' Daniel glimlachte. 'En dan moeten ze allemaal komen. Ik zal Stephen ook roepen. Peggie is bij hem boven.'

Toen Joe zich om wilde draaien, zei Daniel: 'Nog één ding. Hoor eens, wil jij iets voor me doen?'

'Dat hoef je echt niet te vragen, dat weet je wel. Wat is het?'

'Zou jij zaterdag in mijn plaats naar Flo's bruiloft willen gaan? Je zou dan vrijdagavond al moeten vertrekken. Wil je dat doen?'

'Ja natuurlijk. Maar wil je zelf niet?'

Daniel wendde zijn blik even af en keek de hal door voor hij zei: 'Ja, ik had zelf graag willen gaan, maar ik heb zo'n vreemd voorgevoel… ik wil Don niet alleen laten. Ik vind dat hij snel achteruitgaat, Joe. Wat vind jij?'

Joe wachtte even met antwoorden. Toen zei hij: 'Hij gaat achteruit, dat is een ding dat zeker is, maar snel… nou, nee. Hij zou het nog lang vol kunnen houden, en de geboorte van de baby zal hem een nieuwe prikkel geven.'

'Volgens mij helpen prikkels niet veel meer. Maar misschien heb je gelijk. Ik heb alleen wel het gevoel dat ik hier moet blijven. Begrijp je?'

'Ja, ja. Maar ik blijf daar niet, ik kom meteen na de bruiloft terug. Ik ben zaterdagavond weer hier. Trouwens, ik vind dat we Flo even moeten bellen om haar van de baby te vertellen.'

'Ja, dat denk ik ook. Maar als we Don dat eens zelf lieten doen? We kunnen het toestel van de andere kamer met een verlengsnoer naar hem toe brengen.'

'Ja, dat is een idee. Ga het maar tegen hem zeggen, dan haal ik de drank en roep de anderen.'

Tien minuten later stonden ze allemaal rond het bed: Maggie, Lily, Peggie, de zuster, Daniel, Joe en Stephen. En ze hadden allemaal een glas in de hand, behalve Joe, die zojuist Flo's nummer had gedraaid en zei, terwijl hij wachtte op de verbinding: 'Ze moet op kunnen zijn.' Toen ging zijn kin omhoog en vroeg hij: 'Kan ik alstublieft mevrouw Jackson spreken?'

'Mevrouw Jackson. Met wie spreek ik?'

'Nou, weet je dat nu nog niet? Met je stille aanbidder, Joseph Coulson.'

'O, Joe! Hoe is het ermee? Is er iets gebeurd?'

'Nee hoor. Maar ik heb hier iemand die je even wil spreken. Blijf aan de lijn.'

Hij gaf de telefoon aan Don, die zich overeind hees en zei: 'Hallo, Flo.'

'Nee maar… Don!'

'Ja, met Don. Wie dacht je anders? Enne… een beetje respect graag, want je spreekt met de vader van een dochter.'

'O lieve help! Is de baby er? Is alles goed met Annette? En met de baby?'

'Niet zoveel vragen tegelijk, vróúw!' Hij zei het woord op dezelfde toon als Harvey, wat veel gelach van de mensen rond het bed veroorzaakte. Toen ging hij verder: 'Ja, alles is goed met haar, en we hebben een dochtertje.'

'O, maar dat is geweldig! Geweldig! Wat zou ik nu graag even naar jullie toe komen, Don. Maar ik kom in elk geval volgende week.'

'Flo?'

'Ja, lieverd?'

'We gaan haar Flo noemen.'

Terwijl hij dit zei, keek hij naar de verbaasde gezichten om hem heen, en hij knikte toen hij weer in de hoorn sprak. 'Annette en ik hebben afgesproken dat als het een jongetje was, we hem Harvey zouden noemen, en als het een meisje was Flo. Geen Florence, maar gewoon Flo.'

Het bleef even stil voordat Flo zei: 'Dat is geweldig, ik ben echt vreselijk trots. En te bedenken dat jullie een jongetje Harvey zouden hebben genoemd. Was hij nu maar hier geweest. Hij is net even naar de rechtbank, maar hij zal dolgelukkig zijn. Je weet toch dat we zaterdag gaan trouwen?'

'Ja, dat weet ik, en ik hoop dat jullie altijd gelukkig zullen zijn. Hij is een prima kerel, die Harvey van jou.'

Zijn ademhaling begon te haperen, en hij zei: 'Ik geef je terug aan de grote baas.' Hij liet zich weer in de kussens vallen.

Joe nam de hoorn over en zei: 'Is dat geen geweldig bericht?'

'Ja, fantastisch. En hoe is het met háár?'

Hij zweeg even voor hij kon zeggen: 'Prima. Ik ben pas net uit het ziekenhuis terug, en ik moet nog iets eten, en dan ga ik er op weg naar mijn werk nog even langs.'

'Doe haar mijn hartelijke groeten, wil je? En bedank Don en haar heel erg. Ik hoor de rest van het nieuws wel als Daniel morgen komt.'

Hij zei niet: 'Ik kom in plaats van pa.' Maar hij zei wel: 'Je zou ze hier eens moeten zien, Flo, allemaal met het glas in de hand om een toost uit te brengen op de kleine Flo. Tot ziens.'

'Tot ziens, Joe.'

Hij legde de telefoon neer, pakte toen zijn glas en hield dit omhoog naar de hijgende gestalte van Don, en naar de anderen, en zei: 'Op de kleine Flo.' Hij voegde eraan toe: 'En op haar vader en moeder.'

Ze hadden nauwelijks hun glas leeg of zuster Pringle nam

de leiding over en zei: 'Goed, we hebben allemaal werk te doen, en daarom zou ik u zeer erkentelijk zijn als u mij liet verdergaan met mijn werk, met een klein beetje hulp van u, meneer Coulson, zodat die twee grote kerels kunnen gaan ontbijten.'

Joe begreep haar haast, want Don had nu veel moeite met ademhalen, dus liep hij snel met Stephen de kamer uit. En Stephen protesteerde niet. Hij was tegenwoordig heel rustig. Hij kon urenlang in de ziekenkamer blijven, waar hij stilletjes in een hoekje bleef zitten als de zuster er was. Maar zodra de zuster de kamer uitging, glipte hij zachtjes naar het bed om daar Dons hand vast te houden, zolang die hem liet. En vreemd genoeg begon hij dan niet te kwebbelen.

De zuster zei tegen Daniel: 'Wilt u me even helpen om hem op te tillen?' En toen hij dit deed, zei ze: 'Houd hem even vast, terwijl ik er nog wat kussens bij haal.' Terwijl Daniel zijn zoon in zijn armen hield, en zijn zwoegende borst zag gaan, leed hij met hem mee, maar het was eerder door berouw dan door fysieke pijn, want hij maakte zichzelf hevige verwijten dat hij zijn zoon in deze situatie had gebracht. De vraag leek nu te zijn: had hij hem werkelijk van zijn moeder willen bevrijden, of was het alleen maar om in de ouderlijke strijd haar te slim af te zijn?

Even later, na twee pillen te hebben geslikt en die met een dikke, bruine vloeistof te hebben weggespoeld, ging Dons ademhaling iets lichter. Hij deed zijn ogen open, keek zijn vader aan en zei, met een zwakke glimlach: 'Ik moest de feestvreugde wat bederven, hè?'

'Dat geeft niets. Is de pijn weg?'

'Ja, bijna. Is de wetenschap niet geweldig?' Hij haalde diep en langzaam adem en zei: 'Ik moet daar geen ophef over maken, want ik lig hier vaak te bedenken hoe het moet zijn geweest voordat er pillen en drankjes waren. Want weet je, pa,' – hij keek naar Daniel omhoog – 'een mens kan maar een bepaalde hoeveelheid verdragen van alles, ook van geluk. Ja, echt. Is het niet geweldig, van de baby? Wanneer denk je dat ze thuis zullen komen?'

'Ik weet het niet, jongen. Ik ga er even langs met Joe, als hij op weg is naar kantoor, maar ik zal niet lang blijven. Ik kom meteen weer terug om je te vertellen over hen allebei.'

Don trok zijn kin naar zijn borst en keek omlaag over zijn bed, naar waar zijn machteloze benen een dal vormden in de sprei, en heel even zag hij zijn tenen als de toppen van twee bergen, en het dal als een diepe kloof. Het was niet de eerste keer dat zijn geest hem op deze manier parten speelde. Hij had onlangs een vlieg over het plafond zien kruipen. Het was de eerste vlieg die hij dit jaar had gezien, en hij vroeg zich af waar hij vandaan was gekomen. Hij realiseerde zich dat het zicht om het insect beperkt was, en ook dat het beestje meer macht had dan hij. Hij had een geest die erover na kon denken, maar hij kon zich niet bewegen. Het was die keer dat de pillen niet het gewenste effect hadden bereikt; ze hadden die dag traag gewerkt, omdat de zuster hem niet tegelijkertijd de bruine vloeistof had gegeven. Hij mocht maar een bepaalde hoeveelheid van die vloeistof hebben, wat het ook mocht zijn. Hij had er nooit naar gevraagd, maar het was op de dag dat hij zich verbaasde over het wonder van de vlieg, maar nog meer over een mier of een mug, want, zoals hij zichzelf erop had gewezen, in die kleine wezens waren spijsverteringsorganen aanwezig. Ze konden zuigen en uitscheiden. En hij besefte dat hij nooit eerder zo had gedacht, niet langs die lijnen in elk geval. En de verbazing over de constructie van een werkbaar systeem in een minuscuul lichaampje had hem even op wonderlijke wijze dichter bij God gebracht. En hij had Hem gevraagd de pijn weg te nemen, en die was gek genoeg ook verdwenen. Of misschien was hij gewoon in slaap gevallen. Hij scheen tegenwoordig niet verantwoordelijk te zijn voor zijn gedachten, en soms weerhield hij zich er zelfs niet van uitdrukking te geven aan die gedachten, zoals nu, toen hij zei: 'Ze moeten Joe voor de vader hebben aangezien, pa.'

'O nee, nee! Hij heeft hun verteld wie hij was.'

'Nee. Hij zei dat ze met z'n allen liepen te ijsberen, al die wachtende vaders. Hij heeft het hun vast niet verteld; ze hebben vast gedacht dat hij de vader was.' Hij draaide zijn hoofd helemaal opzij, keek Daniel aan en zei: 'En dat had hij eigenlijk ook moeten zijn, hè?'

'Wat een onzin. Waar haal je die flauwekul nou vandaan? Jij bent de enige geweest in Annettes leven. Joe en zij waren als broer en zus. Dat was hun relatie. Kom, doe nou niet zo gek. Maar ik denk dat je nu wel zult willen rusten. Ik laat je achter in de handen van de zuster, die zal je wel onder de duim weten te houden.'

Hij wapperde met zijn hand naar zijn zoon en zei: 'Ik kom nog wel even langs voordat ik naar het ziekenhuis ga. Misschien wil je haar een briefje schrijven.'

'Ja, dat zal ik doen…'

Twintig minuten later, toen Daniel op het punt stond het huis te verlaten, kwam Maggie haastig door de hal naar hem toe en zei: 'Ik heb even nagedacht. Als Flo zaterdag niet bij haar op bezoek kan, moet je misschien de inrichting even bellen, want zij zal waarschijnlijk op haar komst zitten te wachten, gezien het feit dat Flo de enige is die ze ooit wil zien.'

'Ja, dat moet even aan hen worden doorgegeven.' Hij knikte. 'Denk je dat jij het zou kunnen doen? Ik moet nu gaan, maar ik kom nog wel even langs als ik in het ziekenhuis ben geweest, en daarna heb ik nog een lange dag voor de boeg.'

'Ja, dat zal ik doen.' Toen ze de deur voor hem openhield, zei ze: 'Lieve help! Het is gaan sneeuwen, en dat zo laat in het jaar! Wees voorzichtig.' Hij glimlachte naar haar en zei: 'Voor jou zal ik voorzichtig zijn.' Ze wisselden een veelbetekenende blik, en hij liep naar buiten. Toen ze de deur had dichtgedaan, pakte ze de telefoon en belde het psychiatrische ziekenhuis, waar ze vroeg of ze de directrice kon spreken: ze wilde informeren naar een patiënt, naar mevrouw Coulson. Toen haar werd verteld dat de directrice in een bespreking zat, maar dat zuster Pratt van mevrouw Coulsons afdeling toevallig bij de receptie was en haar wel te woord wilde staan, zei Maggie: 'Ja graag.'

Toen ze de stem van de verpleegster hoorde, zei ze: 'Ik wilde u even zeggen dat mevrouw Jackson zaterdag niet op bezoek kan komen bij mevrouw Coulson. Ze gaat namelijk trouwen.'

'O, wat leuk! Ik zal het aan mevrouw Coulson vertellen. Dat zal ze heel interessant vinden.'

'Wilt u haar eveneens, en heel voorzichtig alstublieft, vertellen dat ze grootmoeder is geworden? Haar schoondochter heeft vanmorgen een baby gekregen, een meisje.'

'Wat ontzettend leuk!' zei de stem aan de andere kant van de lijn. 'Ja, ik zal het haar vertellen. En zoals u zegt, ik zal het haar héél voorzichtig vertellen. Tot ziens.'

'Tot ziens.' Maggie stond even naar de hoorn van de telefoon te kijken. Deed die zuster sarcastisch toen ze haar woord 'voorzichtig' herhaalde? Nee, dat dacht ze niet, ze klonk heel vriendelijk.

Ze liep terug naar de keuken. Het was weer zo'n week waarin alles tegelijk leek te gebeuren. Het speet haar dat Flo en Harvey binnenkort het land zouden verlaten. Ze zou hun bezoekjes missen, ze brachten licht in het huis. Vreemde gedachte was dat, terwijl hij een zwarte man was. Ze wenste dat er iets zou gebeuren om licht in háár leven te brengen. En toch zou het heel gemakkelijk zijn om 's nachts die trap op te gaan. Maar was het aan de andere kant niet net zo gemakkelijk om hem 's nachts beneden te laten komen, naar haar kamer?

Ja, ze dacht van wel, en ze wist dat ze dit niet veel langer zou kunnen afwijzen. Maar het was alleen het feit dat ze in dit huis met elkaar naar bed wilden, dat het probleem vormde. Ze had geen idee waarom ze dit vond, want ze had Winifred Coulson nooit gemogen, al vanaf de eerste dag dat ze hier in huis was gekomen om Stephen te verzorgen. En ze kon oprecht zeggen dat er tijden waren geweest dat de vrouw des huizes zich had gedragen als een kreng. En hoe vaak had ze niet op haar tong moeten bijten om zich te bedwingen om die vrouw niet eens goed de waarheid te zeggen? Die omhooggevallen teef! Dus waarom deed ze zo moeilijk tegen Daniel? Was het haar geweten?

Ze had in de loop der jaren een beetje genoeg gekregen van dat woord. Dit was een rooms-katholiek huis – zij was de enige niet-katholieke bewoner – en het leek of de katholieken het alleenrecht bezaten op het hebben van een geweten. Maar ze wist dat haar geweten sterker leefde dan dat van de andere leden van dit huishouden. Maar aan de andere kant, nee. Daniel had veel last van zijn geweten, en met reden. Toch zou ze Daniel nooit iets kwalijk nemen. Ze had hem zo lang en zo hopeloos liefgehad, dat hun relatie haar nu van vreugde zou moeten vervullen, en toch was dit niet zo. Het was allemaal zo heimelijk, en ze kon de gedachte niet verdragen dat de anderen erachter zouden komen. Maar eens zou het uitkomen. Ja, eens moest het uitkomen...

Daniel zat op de rand van het bed van zijn zoon. Hij was in zijn ochtendjas, net als Stephen, die op het eenpersoonsbed een stripverhaal lag te lezen, waaruit hij af en toe opkeek om naar zijn vader of naar Don te glimlachen.

Daniel beantwoordde de glimlach en zei toen op gedempte toon: 'Het is verbazingwekkend zoals die jongen de afgelopen maanden is veranderd. Is dat jou ook opgevallen?'

'Ja. Hij schijnt een flinke ontwikkeling te hebben doorgemaakt.'

'Ach, het komt allemaal door zijn gevoelens voor jou en...' Hij voegde er niet aan toe: de bevrijding van je moeder. Want in zekere zin had Stephen die bevrijding net zo hard nodig gehad als Don... Hij bracht zijn gedachten op iets anders en zei: 'Je ziet er vandaag geweldig uit, weet je dat?'

'Ik voel me ook geweldig. Zal ik je eens wat zeggen? Ik heb zelfs heel diep kunnen inademen.' Hij demonstreerde dit glimlachend. Maar toen verdween de glimlach, en hij zei: 'Er zijn dagen dat ik wakker word en wens dat ik niet wakker was geworden, maar sinds ik gisteren over de baby heb gehoord, en dat alles goed is met Annette, en dan vandaag

176

het bericht dat ze rechtop zit en kwinkeleert als een vogeltje, zoals Joe zei, dat alles heeft echt een verbazingwekkend effect op me. Ik heb de hele dag haast geen pijn gehad. En ik heb pas één stel pillen gehad, en ik neem die niet…' Hij wees naar het nachtkastje waar twee witte pilletjes op een bord lagen, met ernaast een medicijnglas met bruine vloeistof erin, en hij zei: 'Als ik me blijf voelen zoals ik me nu voel, ga ik eindelijk weer eens normaal slapen, want dat spul maakt me 's ochtends zo suf als wat. Weet je pa, als het zo blijft gaan als vandaag, moet ik me afvragen of pijn te beheersen valt, want sinds ik het van Annette en de baby heb gehoord, voel ik me heel anders. Als de pijn weer terug zou komen, denk ik niet dat ik die pillen nog zou willen. Als ik het de ene dag kan, kan ik het ook de andere.'

'Nou, als ik jou was, zou ik die pillen toch maar nemen, jongen. Het punt is, dat naarmate je sterker wordt, je minder pijn hebt.'

Don keek zijn vader aan en herhaalde: 'Naarmate ik sterker word… we houden elkaar wel voor de gek, hè? Vandaag is gewoon een uitschieter; morgen is het weer net zo slecht met me, en dan zijn alle verheven gedachten over pijn die door wilskracht kan worden bedwongen, weer helemaal verdwenen.'

'Je moet zo niet praten; een wonder is altijd mogelijk.'

'Toe nou, pa!' Don maakte een ongeduldig gebaar met zijn schouders. 'Kom nou alsjeblieft niet met vrome praatjes aanzetten. Het enige wonder dat mij kan overkomen is dat ik lang genoeg blijf leven om mijn kind over het bed hier naar me toe te zien kruipen. Nee, maak jezelf nou niet overstuur, Joe en jij zijn de enigen bij wie ik openhartig kan zijn. Trouwens, waarom heb je hem in jouw plaats laten gaan? Ik dacht dat je het leuk zou vinden om bij de trouwerij van Flo te zijn.'

'Ach, ik weet het niet. Om een aantal redenen: ik wilde bij jou en bij mijn kleinkind zijn' – hij trok een scheef gezicht – 'en ik had geen zin in die reis, en ik wist dat zodra ik daar was, ik zou staan te trappelen om weer terug te gaan. Bovendien vindt Joe reizen leuk.'

'Het is niet zozeer wat Joe leuk vindt, als wel wat Joe voor anderen doet. We boffen geweldig met Joe. Dat weet jij ook.'

'Ja, dat weet ik.'

'En met iemand als Maggie.'

Daniel wist dat zijn zoon hem strak aankeek, en hij dacht: o nee! Toen zei Don: 'Ze is een goede vrouw, die Maggie. Ik begrijp niet waarom ze al die jaren is gebleven, pa. Jij?'

Hij voelde zich even wat uit het veld geslagen, en zei toen: 'Ach, ze had zelf geen gezin, ze beschouwt ons als haar gezin.' Hij keek zijn zoon weer aan. Maar toen draaide Don zijn hoofd langzaam weg en zei: 'Weet je wat ik ga doen? Ik ga mezelf in slaap lezen, net als die grote lummel daar.' Hij wees met zijn duim naar Stephen, en Stephen riep: 'Wil je een stripboek van me, Don?'

'Nee, ik hoef jouw stripverhalen niet. Kom eens van je luie kont en geef me het derde boek dat daar op het tafeltje ligt.'

'Deze met het blauwe omslag, Don?'

'Dat is 'm. Geef maar hier.'

Toen Stephen het boek op het bed had gelegd, boog Daniel zich naar voren om de titel te bekijken, en toen keek hij Don aan en zei: 'Socrates, van Plato? Dat is wel zware kost, hè? Waarom wil je dat lezen? Maar je zult er vast wel slaap van krijgen.'

'Je zou het eens moeten lezen, pa. Ik heb het in m'n laatste jaar op school gelezen. Ik begreep het toen niet helemaal, alleen maar dat er veel waarheid in school, maar nu begrijp ik het wel. Het is het verhaal van een man die op het punt staat dood te gaan.'

'O, God, jongen, néé!' Daniel sprong overeind, maar Dons hand hield hem tegen. 'Zo is het echt niet, het is niet treurig.'

'Nee? Maar waarom lees je nou zo'n soort boek?'

'Het stond tussen m'n boeken boven, en ik keek er wel vaker in, vanwege de kijk die die man op de menselijke natuur heeft. Maar ik heb Annette een tijdje geleden gevraagd het van boven te halen, omdat ik wist dat er meer voor me in stond. En daar was het: het gaat over hoe je waardig kunt sterven.'

'Godallemachtig, jongen!'

'Doe nou niet zo, pa. Heb je soms liever dat ik hier lig te kermen vanwege mijn naderende einde? Je moet dit boek echt eens lezen. Je kunt er veel van opsteken. En je zult op z'n minst inzien dat je niet bang hoeft te zijn voor je medemens. Ik ben altijd bang geweest voor anderen, weet je, al vanaf dat ik een klein kind was. Iedereen was altijd slimmer dan ik, beter dan ik, langer dan ik, breder dan ik... vooral Stephen. Ik hield van Stephen, maar af en toe haatte ik hem. Dit boek gaat over een man die lelijk is, die totaal niet opschept, maar toch bezat hij veel respect, zelfs bij zijn vijanden. Angst is niet de tegenpool van liefde of van beminnelijkheid of van respect; het is in werkelijkheid de afgunst op die eigenschappen. Toe pa, kijk me nou niet zo aan. Hoor eens, ik ben vanavond gelukkiger dan ik in lange tijd ben geweest, geloof me.'

Toen Daniel hem aankeek, dacht hij: ja, dat is waar. Vreemd, maar het is waar. Wat was zijn zoon toch veranderd, hij was nog zo jong, en hij praatte als een oude man. 'Ik ga nu even iets warms drinken,' zei hij. 'En jij, Stephen,' – hij keek naar de glimlachende gestalte op het andere bed – 'jij valt niet in slaap voordat ik terug ben. Is dat duidelijk?'

'Nee, ik zal niet in slaap vallen, pa. Ik val nooit in slaap als ik bij Don ben, hè Don?'

'Nee, jij valt nooit in slaap. Je bent een goede waakhond.'

'Zie je nou wel, pa, ik ben een goede waakhond. En denk je dat er morgenochtend nog genoeg sneeuw zal liggen om sneeuwballen te kunnen gooien, pa?'

'Ik betwijfel het, maar je kunt nooit weten, het is er koud genoeg voor. Als er iets is, weet je wat je moet doen: dan moet je bellen. Ik ga even naar de keuken...'

Hij had verwacht Maggie nog aan te treffen, maar ze bleek zich al te hebben teruggetrokken, want de keukentafel was gedekt voor de volgende morgen en het vuur was afgedekt. Hij pakte een geëmailleerde pan uit het rek en bleef er even naar staan kijken. Toen zette hij de pan op een tafeltje, ging door de verste deur en liep de korte gang in. Na eerst op Maggies zitkamer te hebben geklopt, duwde hij de deur zachtjes open.

Het was donker in de kamer, maar er scheen licht door een kier van de slaapkamerdeur.

'Maggie.' Hij hield de kruk van de deur vast terwijl hij die verder openduwde en zachtjes naar binnen stapte.

Ze zat rechtop in bed en fluisterde: 'Is er iets aan de hand? Heb je me nodig?'

Hij stond over haar heen gebogen en keek neer in haar gezicht. Hij zei: 'Ja, Maggie, ik heb je nodig. Laten we niet verder praten.'

Hij trok snel zijn ochtendjas en zijn pyjama uit, schoof het beddengoed opzij, ging naast haar liggen, en nam haar in zijn armen.

# 8

Het was nog geen tien minuten later toen een grote, in een witte jas gehulde gestalte uit de moestuin te voorschijn kwam en op de tast langs de lage muur van de binnenplaats schoof. De gestalte sloop langs de twee stallen die nu als garage voor gasten werden gebruikt, draaide zich toen om en stak de binnenplaats over, naar de deur van de voorraadruimte. De hand ging geroutineerd naar de lage dakgoot en schoof de sneeuw opzij tot de vingers in contact kwamen met een sleutel. De deur werd opengemaakt en voorzichtig naar binnen geduwd, en de gestalte ging op de tast verder.

Een paar rubberlaarzen die in de weg lagen, werden opzijgeschopt, en het ging weer verder. Bij de houtvoorraad stak de gestalte een hand uit naar de stapels rechts, en ging toen op het licht af dat onder een volgende deur door scheen. Hier bleef de witte figuur even staan luisteren, draaide zich toen snel om en tastte naar de houtstapel tot de hand een lang stuk hout vond en dit stevig vastgreep.

Met de andere hand werd de deur wijdopen gegooid, waarna de gestalte de kamer in sprong, om daar stokstijf te blijven staan.

Winifred Coulson overzag haar keuken. Die zag eruit zoals ze hem altijd had gezien, dag na dag, jaar na jaar. Alles keurig netjes, net zoals zij dat altijd had verlangd.

Ze liep snel naar de groene tochtdeur, deed die open en bleef toen, met haar rug ernaartoe, staan kijken naar het gedempte licht dat van de staande lamp aan het andere eind van de hal kwam.

Voor iemand die zo zwaar en dik was – want haar omvang was in de afgelopen maanden niets afgenomen – holde ze snel de trap op, langs de kamer die haar kamer was geweest, om voor de deur van de slaapkamer van haar man te blijven staan. Langzaam legde ze haar hand op de knop van de deur, smeet die met een ruk open en daverde de kamer binnen, om vervolgens tot stilstand te komen.

Het licht was aan, maar de kamer was leeg. Ze constateerde het feit dat zijn overhemd en broek op een stoel lagen, met zijn broek over de rugleuning, en op de vloer naast de stoel lagen zijn sokken. Ze deed een stap naar voren, alsof ze ze op wilde rapen, maar bedacht zich toen. Ze had nooit tegen rommel gekund, alles moest bij haar netjes zijn en recht liggen, zelfs zakdoeken moesten in rechte stapeltjes in de laden liggen. Ze stond nu met het stuk hout in beide handen, alsof ze het wilde wegen. Toen draaide ze zich met een ruk om en liep naar de overloop, in de richting van de trap. Maar voor ze die had bereikt, leek haar iets in te vallen, en ze holde snel terug en deed de deur van haar slaapkamer open. Haastig knipte ze het licht aan, met de gedachte hem misschien in haar bed aan te treffen, maar deze kamer was ook leeg, en netjes. Alles was precies zoals ze het had achtergelaten, behalve dat de staande spiegel weg was… Zij had die aan diggelen geslagen.

In de gang liep ze weer naar de trap. Maar in plaats van die af te hollen, sloop ze heel langzaam en zachtjes naar beneden, en toen ze de hal had bereikt, liep ze in de richting van de kamer van haar zoon.

Bij de deur bleef ze staan luisteren, maar toen ze geen geluid hoorde, ging haar hand naar de kruk en draaide die langzaam om, waarna ze de deur openduwde. Toen bleef ze echter opnieuw stokstijf staan.

Ze leek even uit het veld geslagen te zijn omdat ze niet met Daniel werd geconfronteerd, en ze stond met open mond te kijken, met in één hand het stuk hout op schouderhoogte en voor dit moment doof voor de stilte die van de twee bedden in de kamer kwam. Alleen voor dit moment slechts, want Don had zich op zijn ellebogen omhooggeduwd en riep met een stem die niet veel meer was dan gefluister: 'O, grote God!'

Maar de kreet die Stephen slaakte was wel luid. Hij was van het bed gesprongen en stond nu naast Don en riep: 'Ga weg, mam! Ga weg!'

Ze scheen hem niet te zien toen ze naar het bed liep, want haar ogen waren op haar zoon gericht. 'Waar is hij?' wilde ze weten.

Don hapte naar lucht en zei: 'Mam! Mam! Ga toch zitten.'

'Je vader, waar is hij?'

Don kon geen antwoord geven, want zijn adem stokte in zijn keel, en Stephen zei: 'P... pa is in... in de k... k... keuken.'

'Hij is helemaal niet in de keuken.'

Ze stond nog steeds haar zoon aan te staren, terwijl ze met het stuk hout zwaaide.

'Wel waar, mam. Echt waar. Ga weg. Ga weg. Laat Don met rust.'

Als een kind stak hij beide handen uit om haar weg te duwen, maar het volgende moment gilde hij het uit van de pijn, toen ze met het hout op zijn schouder sloeg. Ze had op zijn hoofd gemikt, en ze probeerde het nog eens, maar hij had zijn armen omhooggedaan. Als een wild beest viel ze hem woedend aan en sloeg hem met de zware stok. En toen hij op de grond viel, nog steeds met zijn armen over zijn hoofd, begon ze hem te schoppen, en hij hield op met gillen.

Ze keek nu naar Don, die achterover in de kussens lag, met zijn armen om zijn borst geslagen, alsof hij naar adem snakte. Zijn gezicht was vertrokken van pijn, en ze boog zich over hem heen, keek hem met doordringende ogen aan en zei, na iets wat een eeuwigheid leek: 'Je hebt nooit van mij gehouden, hè? Je hebt nooit van me gehouden.'

Hij probeerde iets uit te brengen, maar toen dat onmogelijk bleek, tastte hij naar de pillen op het nachtkastje aan de andere kant van het bed.

Bliksemsnel maaide ze met de balk in het rond en wierp het nachtkastje omver, waardoor de pillen en het medicijn bijna geruisloos op het vloerkleed vielen.

'Je bent stervende, hè? En je hebt pijn? Nou, dan kun jij nu eens voelen wat ik heb moeten ondergaan. Met alle pijn die jij míj hebt aangedaan! Ja!'

Ze deed alsof hij haar had tegengesproken. 'En je hebt een dochter, zeggen ze. Nou, dat is een hoerenkind. Weet je dat wel? Een hoerenkind. Ze is niet van jou, maar van de grote Joe. Ze is een hoerenkind.' Ze glimlachte een angstaanjagende glimlach toen ze zei: 'Je gaat dood, weet je, en je zult heel langzaam doodgaan, want er is niemand die jou vannacht te hulp kan komen. Dat gaat niet meer als ik met iedereen heb afgerekend. Jullie hebben me gehaat, jullie allemaal, jullie hebben er zelfs voor gezorgd dat het personeel me haatte. Die Maggie, die hier de baas speelt in míjn huis!'

Ze hief haar hoofd op alsof ze luisterde, toen zei ze: 'Die Maggie. Ja, die Maggie. John wilde me er niet naartoe brengen, hè? Hij zei dat hij het adres niet wist. Maar dat had hij haar toch zeker kunnen vragen?' Ze keek weer op haar zoon neer. Dons ogen waren dicht, zijn handen lagen slap aan weerszijden van zijn lichaam. Ze draaide zich bij het bed om, keek neer op de verwrongen gestalte van Stephen, en liep de kamer uit.

Toen ze in de hal kwam, rinkelde de telefoon. Alsof er de afgelopen maanden niets was gebeurd, nam ze de hoorn van de haak en zei kalm: 'Ja?'

Een stem aan de andere kant van de lijn zei: 'Kan ik met de heer Coulson spreken?'

'Die... die is op dit moment niet bereikbaar.'

'Het is erg belangrijk. Wilt u hem alstublieft aan de lijn halen, of anders iemand anders van de familie. Met wie spreek ik?'

Ze zweeg even voor ze antwoordde: 'Dit is de dienstbode.'

'Nou, probeert u iemand te vinden, en vertelt u dan dat mevrouw Coulson is weggelopen. We weten niet hoe. Ze is niet op het terrein, dus hij moet op zijn hoede zijn. Wilt u dat aan hem doorgeven?'

'Ja, ja, ik zal dat meteen aan hem doorgeven.'

Ze legde de hoorn weer neer en bleef even met haar hand op de telefoon staan. Ze grijnsde vals en zei: 'Ja, ik zal hem dat meteen gaan vertellen.'

Ze liep zachtjes de hal door en ging via de verbindingsdeur naar de keuken, waar ze voor Maggies kamer bleef staan. Heel voorzichtig draaide ze de kruk van de deur om. Er brandde geen licht in de kleine zitkamer, maar er kwam licht uit de slaapkamer, en ze hoorde ook gemompel van stemmen. Ze liep naar de gedeeltelijk openstaande deur waar ze, door de kier, haar man en haar huishoudster in bed kon zien liggen.

Ze was altijd lichtvoetig geweest, maar de sprong die ze vanuit de deuropening naar het bed maakte, had die van een panter op zijn prooi kunnen zijn.

Ze slaakten allebei een gil om deze vreselijke verschijning boven hen, maar het was voor Daniel te laat om nog te ontkomen aan de klap tegen de zijkant van zijn hoofd. In een poging om uit bed te komen, stak hij zijn handen in de richting van zijn vrouw uit, en ze liet de knuppel met volle kracht op zijn armen neerkomen, terwijl er allerlei obsceniteiten uit haar mond rolden. Maggie was aan de andere kant uit bed gesprongen en rende gillend naar de deur, om echter tot staan te worden gebracht door een klap op haar nek, die alle kreten smoorde en haar op de vloer deed neerzijgen.

Winifred Coulson richtte zich nu weer op haar belangrijkste doelwit en stortte zich op Daniel, die wankelend uit bed was gekomen, zijn naakte lichaam voorovergebogen, met een arm voor zijn bebloede gezicht, terwijl de andere slap langs zijn zij hing.

Toen ze hem te lijf ging, haalde hij zijn hand van zijn gezicht en sloeg die om haar hals. Maar toen ze haar knieën en haar voeten gebruikte, zakte hij naast het bed in elkaar. En nu ging ze hem met de bebloede knuppel te lijf tot hij stil bleef liggen. Hijgend bukte ze zich over hem heen en draaide hem op zijn rug, en haar lippen krulden verachtelijk bij de aanblik van zijn naaktheid. Ze tilde het stuk hout weer op en wilde dit op zijn onderlijf neer laten komen, toen ze een verre stem hoorde roepen: 'Pa! Pa!'

Ze keek verwilderd om zich heen, alsof ze een vluchtroute zocht. Het volgende ogenblik holde ze door Maggies zitkamer, trok de deur achter zich dicht alsof ze wilde verbergen wat ze had gedaan, en haastte zich door de keuken naar buiten, via de weg die ze was gekomen.

Stephen lag half over de onderste treden van de trap. Hij riep niet meer 'Pa! Pa!' maar gilde: 'Peggie! Peggie!' Daarna ging hij over op: 'Maggie!' Zijn verwarde geest, die zich aan deze naam vastklampte, leek hem aan te sporen om zich van de trap overeind te hijsen en zigzaggend naar de keukendeur te wankelen. Toen hij daar was, leunde hij tegen de tafel terwijl de tranen over zijn gezicht stroomden, en hij riep weer: 'Maggie! Maggie!'

Hij wilde op een stoel gaan zitten, maar bedacht zich opeens. Waar was zijn vader? Dat zou Maggie vast wel weten.

Hij liep de keuken uit, de donkere gang in. Maar er kwam een schemerig licht uit Maggies zitkamer.

'Maggie, waar is mijn vader? Maggie?'

Hij bleef bij de slaapkamerdeur staan en staarde naar de naakte, bloedende gestalte van zijn vader, en het ineengezakte lichaam van Maggie. Hij liep niet naar een van hen toe, maar aan zijn lippen ontsnapte een iel geluid, dat van een vermoeid, gekweld dier had kunnen zijn. En nu zette hij het op een lopen, naar de hal terug.

In zijn huidige gemoedstoestand concludeerde hij dat de trap naar de zolder opgaan, naar Peggies kamer, en haar dan wakker te moeten maken, want ze sliep heel diep, misschien te lang zou duren om iedereen nog te kunnen helpen. Er was telefoon, maar hij kende geen nummers, want hij had nooit geprobeerd iemand op te bellen, hoewel hij zich ergens in zijn achterhoofd een avonturenverhaal uit een jeugdblad herinnerde, waar de knappe jongens de dief hadden gegrepen omdat ze de telefoon hadden gebruikt en nummer negen hadden gedraaid.

Hij hield de hoorn in de hand. Hij drukte zijn bevende

vinger in de kiesschijf en draaide die naar de negen. Maar er gebeurde niets, niemand zei iets.

Het was negen, zei hij tegen zichzelf; of was het twee keer negen? Of drie keer? Hij stak zijn vinger opnieuw in de kiesschijf en draaide twee keer naar de negen. Nog steeds niets. Bijna kwaad draaide hij een derde keer. Er volgde een stilte, en toen zei een mannenstem: 'Ja, kan ik u helpen?'

Hij hield de hoorn bij zijn gezicht vandaan en riep: 'Kan er iemand komen? M'n moeder is hier geweest.'

De stem zei: 'Spreekt u alstublieft. Kan ik u helpen?'

Hij bracht de hoorn tot vlak voor zijn mond en gilde: 'Mam is hier geweest! Ze heeft ze allemaal vermoord!'

'Wat is uw adres?'

Hij dacht even na en zei toen: 'Wearcill House.'

De stem zei: 'Wearcill House? Waar is dat dan wel? Welke straat?'

'Fellburn.'

'Ja, maar welke straat?'

'O, vlak bij Telford Road.'

De stem zei: 'Wearcill House, Telford Road. Wees maar gerust, we komen er zo aan.'

Hij ging weer op de onderste tree van de trap zitten en staarde naar de voordeur. Hij wist dat hij de voordeur open hoorde te doen, zodat ze erin konden, maar dan zou zijn moeder misschien ook weer binnenkomen.

Het leek of hij daar lange tijd had gezeten, maar het duurde maar tien minuten voordat hij buiten een auto hoorde stoppen. Toch deed hij pas open toen er op de deur werd geklopt.

Er stonden twee politieagenten op de stoep, en toen ze binnenkwamen, deinsde hij achteruit. Ze keken naar zijn bebloede gezicht en handen. De langste politieman zei kalm: 'Ben jij de jongeman die heeft gebeld?'

Stephen zei niets, maar knikte wel.

'Nou, kun je ons vertellen wat er is gebeurd? Je zei dat je moeder er was.'

Stephen schudde zijn hoofd en zei: 'Ze is weg. Ze is weg.

Ze heeft me met het stuk hout op mijn hoofd geslagen.' Hij tastte naar zijn hoofd. 'Maar ze heeft Don en pa en Maggie vermoord.'

De politiemannen keken elkaar even aan; toen zei de ene: 'Laat eens zien.'

Stephen keek de ene kant uit, en toen de andere, alsof hij zich afvroeg wie er het hardste hulp nodig had, en toen zei hij: 'Ze hebben geen kleren aan.' De twee politiemannen keken elkaar opnieuw aan. Wie hadden ze hier voor zich? Een grote kerel die praatte als een kind?

De kleinere politieman zei nu: 'Kom, laat ons eens zien waar je vader is, jongen.' En Stephen gehoorzaamde hem beverig en ging hen voor.

Toen de twee mannen de kamer binnenkwamen, bleven ze net als Stephen voor hen, als aan de grond genageld staan, en een van hen mompelde: 'Godallemachtig! Hier is iemand goed bezig geweest.'

De kleinere politieman knielde naast Daniel neer, legde zijn hand op de met bloed besmeurde ribben, wachtte even en zei toen: 'Hij leeft nog. Hoe is het met haar?'

'Ik weet niet of er nog een pols is, maar als die er is, is hij heel zwak. Ga snel een ambulance bellen.'

Toen kwam hij weer overeind, en zei tegen Stephen: 'Is er nog iemand anders in huis?'

'Don. Ik heb geprobeerd hem te beschermen, maar ze sloeg me.'

'Waar is hij… die Don?'

'Aan de andere kant, in zijn kamer. Hij is ziek, hij kan niet lopen. Zijn benen doen het niet meer.'

'Hoe heet jij?'

'Stephen.'

'Stephen wat nog meer?'

'Stephen… Coulson.'

'Coulson.'

De politieman trok zijn wenkbrauwen op, alsof hem opeens iets inviel, en hij zei: 'O ja, ja, Coulson. Kom, laat me maar eens zien waar die jongeman is.'

Toen ze door de hal liepen, had de andere politieman de telefoon juist neergelegd, en hij zei: 'Is dit het huis van Coulson?' En zijn metgezel knikte en zei: 'Ja, dat heb ik me nu ook pas gerealiseerd.'

Toen ze Dons kamer bereikten, zei de ene: 'Allemachtig! Het ziet ernaar uit dat ze deze ook om zeep heeft geholpen!'

'Dit is haar zoon, degene die dat ongeluk had gehad, weet je nog? Op zijn trouwdag.'

'Ja.'

Ze draaiden zich om en keken Stephen aan. 'Is er nog iemand anders in huis?'

'Peggie. Maar die ligt te slapen.'

'Slaapt ze door dit alles heen? Laat eens zien waar ze is.'

Stephen moest de tweede trap op worden geholpen, en toen Peggie, die uit een diepe slaap wakker werd, de twee politiemannen zag staan, slaakte ze een ijselijke gil. Een van hen zei: 'Wees maar niet bang, juffrouw.'

'W... w... wat w... wilt u?'

'We willen graag dat u opstaat. Naar beneden komt, om te zien wat er is gebeurd in de tijd dat u lag te slapen.'

'Grote God!' Ze keek naar Stephen, met zijn bebloede uiterlijk, en ze riep: 'Wat heb je gedaan?'

'Het was mam. Het was mam. Ik heb het niet gedaan.'

'Stil maar, ouwe jongen, stil maar.' De agent klopte Stephen weer op de schouder.

Peggie keek de politieman aan en zei: 'Zij kan het niet hebben gedaan, ze... ze zit in een inrichting.'

'Het schijnt dat ze eruit is ontsnapt, juffrouw. Maar wilt u zich nu aankleden en beneden komen? Zet u zich wel schrap, want er zijn heel nare dingen te zien.'

'Grote God!'

Ze draaiden zich al om, toen de ene zei: 'Is er nog iemand anders met wie we contact kunnen opnemen?'

'Lily en Bill, in de poortwoning. Maar...' – ze schudde haar hoofd – 'die zitten in Newcastle. Ze zijn naar een revue, en het is vrijdagavond en dat is hun uitgaansavond. En John... Dixon, hij is tuinman en klusjesman, hij woont niet in huis.'

'Geen andere vriend van de familie?'

'Tja,' – ze knipperde even met haar ogen – 'meneer Joe is naar Londen, voor de trouwerij van mevrouw Jackson, en de jonge mevrouw Coulson, die heeft net een baby gehad, ze ligt in het ziekenhuis. Dat is alles.'

'Nou, trek in elk geval iets aan en kom naar beneden.'

Ze waren op weg naar de deur toen Stephen zich omdraaide en uitriep: 'Jij dacht dat ik het had gedaan, Peggie. Dat is helemaal niet aardig. Ik zal het aan Maggie vertellen.'

'Stil maar, jongen, stil maar.' Ze legden allebei een hand op zijn arm en liepen met hem de kamer uit.

Toen Peggie een paar minuten later Maggies kamer binnenstapte, slaakte ze een gil, sloeg een hand voor haar mond en deed haar ogen dicht; ze viel bijna flauw.

'Kom op.' De lange politieman liep met haar de kamer uit, zette haar op een keukenstoel en zei: 'Vertel me nu eens waar we contact kunnen opnemen met dat andere lid van de familie, degene die naar Londen is.'

Ze zat even naar lucht te happen voordat ze in staat was om te zeggen: 'Mevrouw Jackson... haar nummer staat in het telefoonboek. Hij zal bij haar zijn. Maar ze gaat morgen trouwen.'

'Tja, dus vrees ik dat ze één man tekort zal komen. Ze ging toch zeker niet met hém trouwen, neem ik aan?'

'O nee. Ze is zijn tante. Ze gaat met een zwarte man trouwen. Maar hij is wel heel aardig, hoor.'

Het eventuele commentaar dat de politieman hierop had willen geven, werd de pas afgesneden door zijn metgezel, die zei: 'Daar is de ambulance. Trouwens, wie is hun huisarts? Ik bedoel, die van de jongeman aan het eind van de gang. Wie is zijn dokter?'

'Dokter Peters.'

'Nou, wees dan zo goed hem even te bellen. Nee, bij nader inzien kun je het nummer beter aan mij geven. Laat ik hem maar bellen.'

De andere politieman zei: 'Ja, ik denk dat hij maar beter even kan komen om de schade op te nemen, voordat ze worden vervoerd.'

Toen dokter Peters de gewatteerde deken, die over Daniel was gelegd, terugsloeg, knarste hij even met zijn tanden voor hij de bebloede hand optilde en de pols voelde. Hij liep naar Maggie, die ook met een deken was toegedekt, en na haar de pols te hebben gevoeld keek hij de ambulancebroeders aan en zei: 'Breng hen vlug naar het ziekenhuis.'

'En hoe moet het met de jongeman, die invalide?'

'Dat kan ik pas zeggen als ik hem heb bekeken. Maar breng deze twee eerst weg.'

'En die jongen?'

'O, Stephen? Ik zal hem even bekijken en ik zal bellen als jullie weer nodig zijn.'

Toen de dokter op Don neerkeek, dacht hij, net als de politieman, even dat hij al dood was. Maar toen de bleke oogleden trilden, boog hij zich naar het gezicht en zei: 'Don. Kom op. Toe. Alles is goed.'

Toen hij zich oprichtte en over het bed heen keek, zag hij de pillen op de vloer liggen, en daarom zei hij tegen de agent: 'Wilt u alstublieft de pillen even oprapen, en help me daarna om hem een eindje omhoog te hijsen. Kom Don. Drink dit even op.'

De oogleden trilden, gingen toen open, en het hoofd bewoog even. Hij keek eerst naar de politieagenten en toen bleven zijn ogen op de dokter rusten. Zijn lippen bewogen even voor hij zei: 'Moeder. Moeder…'

'Ja, dat weten we. Maak je maar geen zorgen.'

'Stephen?'

'Met Stephen is alles goed. Kom, drink wat water en slik deze pillen.'

Don nam een teugje water en slikte toen moeizaam de pillen door. Toen hij weer was gaan liggen, zei hij: 'Moeder.' En vervolgens: 'Krankzinnig.'

'Ja, Don. Ja, dat weten we. Ga nu maar rusten. Ga maar slapen. Dan voel je je morgenochtend veel beter.'

Don keek de dokter even aan, zuchtte, en sloot zijn ogen.

Eenmaal terug in de hal, zei de dokter tegen de politieman: 'Ze heeft haar werk grondig gedaan. Maar ze moet snel worden gevonden, voordat ze nog meer kwaad kan aanrichten, hoewel ik niet denk dat ze hier nog terug zal komen. Aan de andere kant zijn er nog twee gezinsleden…'

'We hebben contact opgenomen met de zoon in Londen. Hij komt met de nachttrein terug. Hij was natuurlijk danig geschrokken. Maar hij is er in elk geval ongedeerd vanaf gekomen.'

'Grote God!' De dokter sloeg een hand tegen zijn hoofd. 'Als ze het van het kind weet, zal ze naar het ziekenhuis gaan, en ze is gek genoeg om normaal te doen als ze iets wil bereiken.'

Hij greep de telefoon om het ziekenhuis te bellen, en binnen een minuut kon hij de dienstdoende arts vertellen wat er aan de hand was. Die verzekerde hem dat ze goed uit zouden kijken en een zuster de wacht zouden laten houden bij mevrouw Coulson en de baby.

Daarna belde hij het hoofd van de inrichting en vertelde hem op onverbloemde wijze dat hij zijn mensen er onmiddellijk op uit moest sturen om haar te gaan zoeken, omdat ze in het huis iedereen te lijf was gegaan en dat hij niet wist of twee slachtoffers de nacht zouden overleven. Hij kreeg echter te horen dat er al werd gezocht.

Hierna richtte hij zich op Stephen, die al die tijd op de achtergrond was gebleven, en hij zei: 'Ga jij naar boven, Stephen, dan zal Peggie een bad voor je laten vollopen. Stap er maar gauw in, dan kom ik je daarna bekijken, want op dit moment kan ik niet zien waar de schade werkelijk is aangericht. Ga nu maar gauw.'

Peggie had hem al bij de arm toen hij zich omdraaide, de dokter en de agent aankeek en vroeg: 'Zal ze nog een keer terugkomen?'

'Nee hoor, ze komt echt niet meer terug. Nooit meer.'

'Meent u dat, dokter?'

'Ja, dat meen ik.'

Maar zelfs terwijl hij dit zei, was dokter Peters er nog niet zo zeker van. Het telefoontje van vanavond had hem totaal niet verbaasd. Hij wist alleen zeker dat zolang ze niet achter slot en grendel zat, het niet viel te zeggen of de gebeurtenissen van deze avond hiermee waren geëindigd...

Zijn onderzoek van Stephen onthulde dat het meeste bloed afkomstig was van een snee van acht centimeter achter zijn oor. Gelukkig was het maar een oppervlakkige wond, omdat de dikke bos haar de klap had opgevangen. Maar zijn armen, rug en benen waren overdekt met blauwe plekken, die hem morgen meer pijn zouden bezorgen dan nu.

Toen de dokter naar de deur liep, zei Stephen: 'Ik vind haar niet aardig. Niemand vindt haar aardig.'

De dokter zweeg, keek even omlaag, en dacht: dat is het probleem, niemand vindt haar aardig. Niemand heeft haar ooit aardig gevonden. En dat wist ze.

Joe arriveerde de volgende morgen om halfacht, en hij was verbijsterd over de loop die de gebeurtenissen tijdens zijn korte afwezigheid hadden genomen, en zoals hem die op verwarde wijze door Stephen en Peggie werd verteld.

Peggie en Lily hadden nu de leiding over het huishouden. Er was een nieuwe dagzuster gekomen, en de dokter zou contact opnemen met zuster Pringle, of zij de leiding over de ziekenkamer weer op zich wilde nemen...

Het had die nacht zwaar gesneeuwd, er lag zo'n kleine tien centimeter. Iedereen zei dat dit te verwachten was geweest, het was er koud genoeg voor. Maar dat aan het eind van maart!

Bill White kwam naar het huis en begon zich bij Joe te verontschuldigen, zeggend dat dit vast niet was gebeurd als hij thuis was geweest. Maar Joe verzekerde hem dat hem niets kon worden verweten, want dat, afgezien van het feit dat het zijn vrije avond was, zij niet via de oprijlaan was gekomen maar door de houtschuur naar binnen was gegaan. Ze had natuurlijk geweten waar de sleutel werd bewaard.

Er waren al mannen van de inrichting geweest om naar de exacte details van de gebeurtenissen te vragen. Maar Peggie wist niets, en Stephen kon hun niet vertellen hoe lang hij op de grond had gelegen voor hij weer was bijgekomen.

De politie hield nu de wacht bij het hek, maar dat had twee journalisten er niet van weerhouden om om halfzeven in de morgen tot het huis door te dringen. Bill White had echter korte metten met hen gemaakt.

Iedereen was blij dat Joe weer terug was, want nu was er iemand die de verantwoording op zich kon nemen.

En dat zei Bill White tegen John Dixon, toen ze in de warme plantenkas de gebeurtenissen van de afgelopen nacht stonden te bespreken. 'Joe zal alles wel regelen. Dat heeft hij in wezen altijd gedaan.'

'Ze zal nu echt levenslang worden opgesloten,' zei John.

'Nou, als je 't mij vraagt, was dat hoog tijd. Want als ik de verhalen van Lily zo hoor, was het een vals kreng voor hem. Ze is al in geen jaren meer een echte vrouw voor hem geweest. En weet je, Lily had gelijk op meer dan één punt. Ze beweerde al enige tijd dat er iets gaande was tussen Maggie en de baas. En nou hebben ze hen zomaar gevonden, allebei poedelnaakt. Verbaast je dat?'

'Nee, helemaal niet.' John Dixon schudde zijn hoofd. 'Ik wist allang uit welke hoek de wind daar waaide. Ze liet hem volgen, weet je, als hij naar Bowick Road ging. Ik heb hem een paar keer een hint gegeven.'

'Echt? Je hebt me nooit iets verteld.'

'Ach, weet je, jij hebt een vrouw en zo…' Hij grijnsde even. 'En je had het dan waarschijnlijk aan haar verteld, en dan was Peggie het ook te weten gekomen, want zij is je oomzeggertje, en je weet dat Peggie zo lek is als een mandje. Dus dacht ik: de baas heeft al genoeg te verduren, laat ik m'n mond maar houden. Ik vraag me trouwens nog steeds af waar ze naartoe is gegaan nadat ze hier met een moker-hamer tekeer is gegaan.' Hij zweeg even. 'Wat mankeert Larry toch?' Hij wees door de glazen deur naar een Schotse terrier die woest stond te blaffen.

'Heeft zeker een rat geroken of zo. Zo doet-ie altijd als hij iets op het spoor is.' Bill White deed de deur open en d hond rende naar hem toe, sprong tegen hem op, schoot toen weer terug, draaide zich om en wachtte, en Bill zei: 'Goed, goed. Ik kom al. Laat maar zien wat je hebt.'

'Ik heb in geen weken een rat gezien,' zei John Dixon. 'Het zullen wel konijnen zijn, die van het land hierheen komen.'

Ze liepen beiden naar buiten en sloegen de kraag van hun duffelse jas hoog op. Toen ze krakend over de sneeuw achter de hond aan liepen, zei Bill: 'Wie had dat gedacht, sneeuw om deze tijd van het jaar. Het zal wel weer door die atoombommen komen. Die gooien alle seizoenen in de war.'

'Waar gaat-ie nou naartoe?' vroeg John Dixon.

'Zo te zien naar de kippenhokken. D'r zal wel een vos in de buurt zijn.'

Ze stapten door een opening in een lage haag en kwamen toen op een kleine akker, waar aan het eind de kippenhokken waren, maar er waren maar twee kippen door het luik de ren in gekomen.

'Ze houden niet van sneeuw, maar ik wed dat als we het voer buiten strooien, ze snel genoeg te voorschijn zullen komen. Wat hééft-ie daar toch?'

Ze liepen achter de hond aan langs de kippenren naar een open schuurtje dat werd gebruikt om dozen en kisten op te slaan. De voorste kisten waren gedeeltelijk bedekt met sneeuw die die nacht was gevallen. Op enkele meters afstand bleven ze pardoes staan toen ze twee voeten tussen de omgevallen dozen uit zagen steken.

'Néé!'

'Grote God!'

Ze holden naar het schuurtje en trokken de dozen opzij, om het verstijfde lichaam van hun mevrouw te onthullen.

'Is ze dood?' Bill White boog zich over John Dixon toen die aarzelend een hand in de verfomfaaide jas stopte. Na een tijdje zei hij: 'Ik kan niets voelen. Hoor eens, hol jij naar het huis terug en zeg tegen Joe dat hij een ambulance moet bellen. En breng dan een deur of zoiets mee. We kunnen haar nooit zo optillen.'

Bill rende de tuin door, dwars over de bevroren bloemperken, en snelde naar de voordeur. Hij belde niet aan maar bonsde op de deur, en toen Peggie opendeed, hijgde hij: 'Joe… waar is meneer Joe?'

'Die is bij meneer Don. Wat is er nu weer gebeurd?'

'Mevrouw. Ze is in de tuin.'

'Grote God!' Ze sloeg een hand voor haar mond. 'Doe de deur dicht!'

'Houd op!' Hij duwde haar opzij. 'Voorzover ik het kan bekijken is ze dood. Haal meneer Joe. Snel!'

Binnen enkele seconden stond Joe voor hem en zei: 'Wat? In de tuin? Waar?'

'In het kistenschuurtje. We moeten een deur zien te vinden of zo. We kunnen haar niet dragen, ze is veel te zwaar. En… en u kunt ook maar beter de dokter bellen.'

Joe bleef even als verdwaasd staan. Toen keek hij Peggie aan en zei kalm: 'Bel de dokter. Zeg hem dat het dringend is.'

Peggie holde naar de telefoon en riep: 'Als het iets met dit huis te maken heeft, weet hij dat het altijd dringend is.'

Maar Joe liep al op een holletje achter Bill aan naar de bijgebouwen, en daar zei hij: 'Er staan hier geen deuren, behalve die grote van glas, daar, en die is veel te zwaar.'

'Ja, u hebt gelijk, meneer Joe. Maar we hebben nog een hangmat. Die ligt op zolder.'

Het was zo'n twintig minuten later toen ze Winifred in een hangmat naar haar huis terug hadden gedragen en haar in de hal op de vloer hadden gelegd. De dokter stond al te wachten. Maar toen hij naast haar neerknielde, schudde hij langzaam zijn hoofd. Na enige tijd echter keek hij naar Joe op en zei: 'Ze leeft nog. Bel een ambulance.'

Toen Joe naast haar in de ambulance zat, moest hij nadenken over de gebeurtenissen van de afgelopen dagen. In de ene vleugel van het ziekenhuis lagen Annette en de baby, en zijn vader en Maggie zouden in de andere liggen. Hij wist nog steeds niet of ze levend of dood waren. En nu werd zijn pleegmoeder naar hetzelfde ziekenhuis gebracht. Als Don en Stephen er nu ook nog naartoe gingen, lagen ze er allemaal; en als je Don zo zag, kon dit niet lang meer duren. Arme Stephen, hij zat van top tot teen onder de blauwe plekken, maar hij bleef op de been. Hij had een afschuwelijke ervaring gehad, en zoals dokter Peters had gezegd: als hij er niet was geweest, waren ze allemaal zwaargewond blijven liggen en hadden ze de nacht waarschijnlijk niet overleefd.

Wat overkwam hen toch? Het leek wel of ze vervloekt waren. Maar het was geen vloek, het was heel gewoon moederliefde, verwrongen moederliefde. Toen hij neerkeek op het lijkbleke gezicht, zei de ambulancebroeder die naast hem zat: 'Ze is er slecht aan toe. Zoals ze daar de hele nacht heeft gelegen, dat overleeft nog geen paard. Het is verbazingwekkend dat ze nog ademt.'

Ja, het was inderdaad verbazingwekkend dat ze nog ademde, en een deel van hem wenste vurig dat ze niet meer ademde, want wat zou haar leven hierna zijn? Ze zouden haar ongetwijfeld niet meer naar het Psychiatrische Streekziekenhuis terugsturen, maar naar de een of andere zwaarbewaakte instelling, vooral als zijn vader of Maggie zou sterven. En dan was Annette er nog. Hoe moest hij het haar vertellen, want ze was nog heel zwak. Deze bevalling had veel van haar gevergd. Zijn gepraat over hoe ze opgewekt in bed zat te praten, was alleen maar diplomatieke bluf geweest.

In het ziekenhuis ging alles snel in zijn werk, en toen zijn moeder werd weggereden, zag hij tot zijn verbazing in de hal een verpleegster die hij van de inrichting herkende; ze was in het gezelschap van een man. Toen ze hem zag, kwam ze onmiddellijk naar hem toe en zei: 'Tragisch, van meneer Coulson, hè?'

Hij knikte. 'Ja, zuster, heel tragisch,' zei hij.

En alsof hij zich wilde verontschuldigen, zei de man: 'We hebben de tuin gisteravond doorzocht. Hoewel het donker was, hebben we alles grondig doorzocht, toen we hoorden dat ze naar het huis was geweest.'

'O, maar u had er vast niet aan gedacht om tussen die kisten en dozen te kijken,' zei Joe vergoelijkend. 'Maar hoe heeft ze eigenlijk kunnen ontsnappen?'

Hij keek de verpleegster aan, en zij antwoordde: 'Naar het schijnt met de hulp van twee kamergenoten. Ze zijn heel listig... ze zijn allemaal heel listig. Ze hadden de oude truc gebruikt met kussens in haar bed, en ze deden dit grondig, want zoals u weet heeft ze een grote omvang.'

'Maar ze moest toch zeker door de poort?'

'O, zo is ze niet gegaan. Ze moet dit al enige tijd in gedachten hebben gehad en ze had in de tuin en in het park gezocht. Ze is over de muur geklommen. Er staat een boom vlak bij de muur, en een van de lage takken komt net tot de bovenkant van die muur. Ik weet niet hoe zij met haar gewicht naar boven heeft kunnen komen, maar ze denken dat dat de enige manier is waarop ze kan zijn ontsnapt. Ze was te voet heel behendig, weet u, heel snel. Maar om in die boom te kunnen klimmen! Aan de andere kant zijn ze in die toestand tot alles in staat, en kunnen ze alles, als ze zich eenmaal iets in hun hoofd hebben gehaald. Denkt u dat ze het zal overleven?'

Het lag op het puntje van zijn tong om te zeggen: 'Ik hoop van niet.' Maar hij antwoordde: 'Ik weet het niet.' Toen zei hij: 'Neem me niet kwalijk.' Hij draaide zich om, liep naar de balie en zei: 'Kan ik even bij meneer Coulson en juffrouw Doherty kijken?'

'Als u even gaat zitten, dan zal ik voor u informeren,' zei de receptioniste en ze pakte de telefoon. Daarna wenkte ze hem en zei: 'Als u naar afdeling vier gaat, dan zal zuster Bell u opwachten.'

'Dank u.'

Zuster Bell nam hem mee naar haar kantoortje, en na hem een stoel te hebben aangeboden, zei ze: 'Wat een tragedie. Ik heb zojuist gehoord dat uw moeder ook is binnengebracht.'

Hij gaf hierop geen antwoord, maar zei: 'Hoe gaat het met mijn vader en met juffrouw Doherty?'

'Tja,' zuchtte ze, 'er is nog weinig verandering sinds vannacht. Maar ze leven in elk geval nog, en we kunnen alleen maar het beste hopen. Ik moet er wel aan toevoegen dat uw vader er veel slechter aan toe is dan juffrouw Doherty.'

'Kan ik even bij hen kijken?'

'Ja, als u maar heel kort blijft en geen gesprek begint.' Ze haalde haar schouders op en voegde eraan toe: 'Niet dat dat veel zin zou hebben.'

Toen hij naast het bed van zijn vader stond, keek hij neer op een gezicht dat zo gezwollen en bont en blauw was, dat het onherkenbaar was. Er zat een slangetje in zijn neus, en in zijn arm, en er waren ook draden aan zijn armen verbonden. Hij zag er bijna net zo uit als Don er na zijn ongeluk uit had gezien. Hij had het liefst zijn hand naar hem uitgestoken en gezegd: 'O, pa. Arme pa.' Stephen had gezegd dat ze een stuk hout bij zich had gehad. Nou, dat moest een flinke paal zijn geweest, maar ze was nu eenmaal een forse vrouw, en in haar waanzin had ze zelfs met een haarborstel de boel kort en klein kunnen slaan.

Toen hij daarna bij Maggies bed stond, waren haar ogen open en tuurden tussen alle verband om haar hoofd en gezicht naar hem. Hij zei hardop: 'O, Maggie!' Ze hief haar hand een eindje van de beddensprei op, maar zelfs deze inspanning scheen haar al te veel te zijn.

Toen hij op haar neerkeek, voelde hij een prop in zijn keel: waarom moest juist Maggie zoiets akeligs overkomen? Maar waarom niet? Ze had tenslotte in zekere zin zijn moeder laten lijden, want die moest zich toch bewust zijn geweest van de gevoelens van haar kokkin voor haar man. Maar aan de andere kant was dit misschien toch niet het geval geweest, anders had ze haar al jaren geleden de laan uitgestuurd. Als ze al niet gek was geweest vanaf het eerste begin, dan had die scène in de slaapkamer toch wel de doorslag gegeven.

Hij dacht weer terug aan de aanblik van Stephen, zoals hij die morgen daar in de gang had gestaan, bijna voordat hij een voet over de drempel had gezet, en hij had de revers van zijn jas beetgegrepen en gestameld: 'Pa lag op de grond, Joe, zonder kleren aan. En Maggie ook, zonder kleren aan. Dat was slecht, hè? Maggie had daar niet horen te zijn, zonder kleren aan. Ik heb het niet aan Don verteld, want hij slaapt nog. Bovendien wilde die nieuwe dagzuster me niet binnenlaten.'

Joe had hem even goedmoedig door elkaar geschud, en hij had gezegd: 'Wees nu maar stil, Stephen. Uit wat Peggie me heeft verteld heb ik begrepen dat jij heel flink bent geweest door de dokter en de ziekenauto te bellen.' Hij noemde de politie niet.

'Mijn hoofd doet aan alle kanten pijn, Joe. Ik heb overal pijn.'

'Nou, ga dan naar boven en ga in bad, dan kom ik zo bij je.'

'Maar ik ben al in bad geweest, Joe.'

'Nou, ga dan nog maar een keer.' Hij had zich nog net kunnen inhouden om niet te gillen; hij hield zijn stem vlak en zei: 'Ga een poosje in bad liggen, dat zal de pijn minder maken. Daarna kom ik gauw boven. Ga nou maar.'

'Je gaat toch niet weg, hè Joe?'

'Weggaan? Waar heb je 't over? Doe niet zo raar. Ga nu maar…'

Hij moest het ziekenhuisterrein oversteken om bij de kraamafdeling te komen. Op een gegeven moment bleef hij op het bevroren gras van de berm staan om na te denken over wat hij tegen Annette moest zeggen. Het was niet waarschijnlijk dat ze het nieuws al had gehoord, dus besloot hij dat hij niets zou zeggen tot later op de dag, en zelfs dan niet, tenzij een van beiden was gestorven. Hierbij dacht hij niet aan Maggie, zelfs niet aan Don. Hij bleef staan terwijl hij verder nadacht. Uit het huis lagen vier mensen in dit ziekenhuis, vijf als je de baby meerekende. En thuis lag Don die ook op sterven na dood was. Alleen Stephen en hij waren nog heel. Wat was er toch met deze familie gebeurd?

Hij liep snel verder, en terwijl hij zich naar de kraamafdeling haastte, schoten hem vreemd genoeg de woorden van Stephen weer te binnen: 'Jij gaat toch niet weg, hè Joe?'

Annette zat rechtop in bed. Ze gaf onmiddellijk uiting aan haar verbazing door te zeggen: 'Ik dacht dat jij naar de bruiloft was.'

'O, pa was van gedachten veranderd en vond dat hij er toch zelf naartoe moest. Dus hebben we weer geruild.'

'Maar jij had graag willen gaan, Joe.'

'Helemaal niet zo graag. Bovendien komen ze deze week nog hierheen. Hoe voel je je?'

Hij schoof een stoel naast haar bed en pakte haar hand, en na een korte aarzeling antwoordde ze: 'Wisselend. Ze zeiden dat ik een onrustige nacht had gehad. Rond middernacht steeg mijn temperatuur geweldig. Ik voelde me vreselijk. Ik wist niet waardoor, dus hebben ze me een slaappil gegeven. Je weet wat voor hekel ik aan slaappillen heb. En toen had ik allerlei nachtmerries. Ik ben heel blij je te zien, Joe.'

Hij ging hier niet verder op in, maar vroeg: 'Hoe is het met de jongedame?'

'Nou, ik heb haar een halfuur geleden nog gezien, en ze zei dat ze graag bij me wilde blijven, maar dat mocht niet. En ik heb tegen haar gezegd dat ze een beetje moest aankomen en dat ze zich dan van niemand meer iets hoefde aan te trekken, want dat ze dan op eigen houtje naar binnen kon wandelen.' Ze glimlachte flauw, en hij zei: 'Je zult verbaasd zijn hoe snel het zover is.'

Ze keek hem nu strak aan, met een ernstig gezicht, en vroeg: 'Hoe is het met Don?'

Hij zweeg even voor hij antwoordde: 'Nou, hij sliep nog toen ik wegging.'

'Is het slechter met hem? Vertel me alsjeblieft de waarheid, Joe. Is het slechter met hem?'

'Doe nou niet zo raar, hij is niet slechter.'

'Zal ik je eens wat zeggen, Joe? Met dat vreemde gevoel dat ik vannacht had, was ik ervan overtuigd dat hij was gestorven. Ik moet zo gauw mogelijk naar huis. Ze zeiden dat het misschien tien dagen of twee weken zou duren, maar ik kan echt niet zo lang blijven. En… en hij moet het kind zien. Joe, begrijp je dat?'

'Ja, lieverd,' – hij streelde haar hand – 'ik begrijp hoe je je voelt, en ik zal eens met de dokter praten om te vragen hoe snel ze je willen laten gaan. Maar je moet wel bedenken dat dit geen normale bevalling is geweest.' Hij glimlachte naar haar, maar haar gezicht stond ernstig toen ze antwoordde: 'Niets wat ik doe schijnt ooit normaal te gaan, al was het maar de manier waarop ik zwanger werd.' Ze wendde haar blik van hem af en keek naar het voeteneind van het bed. 'De manier waarop we trouwden, en dan zo'n trouwdag. En ik geef mezelf er nog steeds de schuld van, want als ik niet zwanger was geweest, hadden we niet zo'n haast hoeven hebben. En wat heeft dit voor Don betekend? Het heeft hem langzaam gedood.'

'Stil nou maar. Je moet niet zo praten. Wat jij hebt gedaan, wat jullie allebei hebben gedaan, was uit liefde voor elkaar.' Opnieuw dat woord. Dat had wat op zijn geweten. Hij ging verder: 'Stephen groet je hartelijk. Ik zal hem binnenkort een keer meebrengen. Ik heb de grootste moeite om me hem van het lijf te houden als ik thuiskom, en hij mekkert voortdurend over de baby.' Wat was het toch gemakkelijk om een verhaal te bedenken. En toen hij eenmaal op dreef was, ging het vanzelf. 'De meisjes doen je de hartelijke groeten, en… en Maggie ook. Ze vragen steeds maar wanneer zij eens op bezoek mogen komen. Ze zitten allemaal als gekken te breien.' Dat was waar; hij had ze bezig gezien in de keuken.

De zuster kwam met een dienblad de kamer binnen, ze keek hem aan en zei kortaf en met een overdreven noordelijk accent: 'Het is tijd om u eruit te gooien. Gaat u vreedzaam, of moet ik geweld gebruiken?'

Hij glimlachte en zei: 'Nou, ik weet het niet, misschien bied ik wel tegenstand.' Toen bukte hij zich over Annette heen, kuste haar op de wang en zei: 'Ik kom vanmiddag weer.'

Toen hij een paar stappen bij het bed vandaan was, zei ze: 'Wanneer komt pa terug? Ik wil alles over de trouwerij horen.'

'O, eh…' Hij krabde zich over zijn voorhoofd en zei: 'Nou, ik geloof dat hij misschien wil blijven tot zij hierheen komen. Ik weet het echt niet. Maar je zult het nog een paar dagen met mij moeten doen.'

'Wil je Don de hartelijke groeten doen?' Haar stem klonk heel kleintjes, en hij zei: 'Ja, dat zal ik doen, lieverd.'

Eenmaal buiten, op het terrein, stond hij de ijzige lucht even diep in te ademen. Hij wist dat hij nu terug moest gaan naar het ziekenhuis, om te weten te komen hoe het met zijn moeder was, terwijl hij het liefst in de auto was gestapt om weg te rijden, ver weg van alles… en iedereen. Ja, zelfs van Annette, want elke keer dat hij naar haar keek, werd hij verscheurd tussen liefde voor Don en begeerte naar haar.

Terug bij de receptie van het ziekenhuis was hij op weg naar de balie, toen een zuster hem riep. Ze bleef voor hem staan, keek hem aan en zei zacht: 'Meneer Coulson, ik moet u helaas mededelen dat we uw moeder niet hebben kunnen redden. Ze is niet meer bij bewustzijn gekomen. Ze is gestorven aan de gevolgen van onderkoeling.'

Vond hij dit verdrietig? Was hij blij? Hij wist het niet. Maar na een korte aarzeling vroeg hij: 'Wat is nu de procedure?' En ze antwoordde: 'Ze gaat nu naar het mortuarium, en verder zult u zelf uw regelingen moeten treffen. Meestal worden ze in de rouwkamer van de begrafenisondernemer opgebaard, weet u.'

'Ja, ja. Dus ik hoef op dit moment verder niets te doen?'

'Nee, tenzij u haar zou willen zien.'

'Nee!' Het woord kwam heel nadrukkelijk. Toen ging hij verder: 'Dank u wel. Ik kom nog terug.' En daarop draaide hij zich abrupt om.

De zuster wilde hem tegenhouden met een beweging van haar hand, alsof ze nog iets wilde zeggen. Toen liep ze naar de balie en leunde er even op terwijl ze tegen de receptioniste zei: 'Hij is natuurlijk verdrietig, maar als je het mij vraagt, is het maar goed dat ze is gestorven. Ze was anders geheid krankzinnig verklaard en levenslang in een gesloten inrichting geplaatst. En als ze dat niet is… nou, als ik goed heb begrepen wat ze die andere twee vannacht heeft aangedaan, was ze geheid de bak ingedraaid. Maar ja, zo is het leven hier nu eenmaal.' Ze lachte even. 'Eens ga ik een boek schrijven en ik noem het: "Zij Stierf Op Haar Post", want ik weet niet hoe ik deze dienst weer door moet komen. Mijn hoofd tolt.'

# 9

Het was zondagavond. Flo en Harvey waren eerder die dag gearriveerd, en Flo stond nu in de hal met pastoor Ramshaw te praten.

Terwijl ze hem uit zijn jas hielp, zei ze: 'Het spijt me dat ik u om deze tijd van de avond nog heb gevraagd te komen, en dan nog wel op zo'n avond, maar ik geloof niet dat dit een geval voor de dokter is. Zoals ik u al over de telefoon heb gezegd, zweert hij dat zij bij hem in de kamer is.'

'Nou, misschien is ze dat ook wel, Flo, want ze was een heel sterke vrouw. Dat heeft ze op meerdere manieren getoond. Lieve God, reken maar! Maar wie had ooit kunnen denken dat ze zover zou gaan. Aan de andere  kant is de menselijke natuur nu eenmaal net zo onberekenbaar als het weer, want wie had gedacht dat we zo laat in het jaar nog sneeuw zouden krijgen?'

'Hebt u zin om even mee te gaan naar de eetkamer, om daar eerst wat te drinken?'

'Nee, dank je, later misschien. Hoe is het op het ogenblik in het ziekenhuis?'

'Daniel is weer bij bewustzijn. Ze denken dat hij het wel redt.'

'Goddank. En Stephen?'

'Die slaapt. Ik heb hem een slaappil gegeven. Hij heeft het allemaal meegemaakt, de arme jongen.'

'Hij heeft zich volgens de berichten heel verstandig gedragen.'

'Ja, zegt u dat wel. Weet u, eerwaarde, ik moet u bekennen dat als ik met iemand op deze wereld te doen heb, het wel met Stephen is. Hij mist maar een klein beetje… gewoon een heel klein beetje hier…' – ze tikte op haar voorhoofd – 'en anders was hij een geweldige kerel geweest.'

'God kiest zelf Zijn kinderen, Flo, en Hij kiest ze in alle soorten. Trouwens, ik vergeet helemaal dat jullie gisteren zijn getrouwd.'

'Ja, dat is tot mijn vreugde gebeurd.'

'Bij de burgerlijke stand?'

Ze waren samen in de richting van de gang gelopen, en Flo bleef staan en zei: 'Nee, niet bij de burgerlijke stand; we zijn in een kerk getrouwd, met een speciale vergunning.'

'O, op die manier. Dat is dus' – hij bracht zijn hoofd dichter naar haar toe – 'de andere kant?'

'Ja, eerwaarde, de andere kant.'

'Nou, ik heb me laten vertellen dat Hij daar af en toe ook even langsgaat, als Hij tijd heeft.'

'O, eerwaarde.' Ze gaf hem een duw tegen zijn schouder, en hij grijnsde haar toe en zei: 'Ik ben in elk geval blij voor jullie. En hij is een prima man, wat ik zo van hem heb gezien. Maar je weet… nou ja, ik denk dat je weet dat het leven niet gemakkelijk voor jullie zal zijn.'

'Daar ben ik me terdege van bewust, en hij nog meer; maar we zullen ons er wel doorheen slaan.'

'Zo denk ik er ook over.'

Toen ze de ziekenkamer binnenkwamen, leek de zuster opgelucht te zijn hen te zien, en ze zei onmiddellijk tegen Flo: 'Hij wil zijn pillen niet innemen.'

'Ga maar even wat eten.'

'Ik heb al gegeten.'

'Nou, ga dan nog maar wat eten.' De priester duwde haar zachtjes naar Flo toe, liep toen naar het bed, schoof een stoel bij en ging zitten.

Don zat rechtop in de kussens, hoewel zijn ogen dicht waren, en hij hield ze gesloten terwijl hij zei: 'Hallo, meneer pastoor.'

'Hallo, jongen. Misdraag jij je weer eens?'

'Dat zeggen ze.'

Pas toen de deur achter de anderen dicht was, deed Don

zijn ogen open, keek de priester aan en zei: 'Ze is hier, eerwaarde.'

'Nou ja, zeg!'

'Nee, echt. Mijn lichaam is een puinhoop, daar ben ik me
maar al te goed van bewust, maar mijn verstand werkt nog
goed. Ze is hier. Ik zei dat m'n verstand 't nog deed, maar ik
weet niet hoe lang dat nog zo zal zijn.'

'Hoe kom je er zo bij dat ze hier zou zijn?'

'Ik heb haar gezien. Ze stond hier aan het voeteneind van
het bed.'

'Wanneer was dat?'

'Vannacht. Nee, nee, gisteren, ergens. Ik weet niet meer
precies hoe laat. Ik dacht eerst dat ik het me verbeeldde,
want ik zag alleen haar contouren. Maar in de loop van de
avond werden die sterker. Ze stond me daar maar aan te kijken, zonder een glimlach op haar gezicht, ze staarde alleen
maar. En ik was blij dat ik die slaappillen kon nemen. Maar
toen, in mijn dromen, werd ze levensecht. Ja.' Hij verschoof
zijn hoofd op het kussen. 'Ze ging op de rand van het bed
zitten, waar u nu zit, en toen praatte ze tegen me, hetzelfde
soort praatjes dat ik jarenlang heb moeten aanhoren, over
hoeveel ze van me hield...'

'Nou, ze hield ook veel van je, dat zul je je ongetwijfeld
herinneren.'

'Je hebt liefde en liefde, eerwaarde. Ze moet de helft van
de tijd krankzinnig zijn geweest.'

'Nee, dat denk ik niet.'

'U hebt niet met haar moeten leven.'

'Nee, dat is waar. Maar ze is nu heengegaan, en alleen
God weet waarheen, ze is hier niet meer.'

'Ze is hier wél.'

'Goed, goed, wind je niet op. Goed. Voor jou is ze hier
nog. Maar ik kan je één ding wel beloven: ze zal weggaan.'

'Wanneer? Vertelt u me dat eens, wanneer?'

De priester aarzelde even, en zei toen rustig: 'Morgenochtend zal ik je de Heilige Communie geven. Maar mocht
ze in die tussentijd terugkomen, praat dan tegen haar. Zeg

dat je begrijpt hoe zij zich moet hebben gevoeld. Ja, doe dat. Wend je hoofd niet zo af, jongen.'

'U begrijpt het niet. Ze zit gewoon te wachten tot ik doodga, en dan zal ze me weer hebben, waar ik ook naartoe ga.'

'Dat zal ze niet. Dat beloof ik je. Luister goed.' Hij greep Dons beide handen en schudde die heen en weer terwijl hij zei: 'Na morgenochtend zal ze weg zijn. Dan zul je haar nooit meer zien. Maar je belangrijkste taak is nu haar vrede te geven. Laat haar in vrede gaan. Zeg haar dat je haar vergeeft.'

'Haar vergeven! Ze vindt zelf echt niet dat ze me iets heeft aangedaan wat ik haar moet vergeven.'

'Je weet er niets van, Don. Alleen zij weet wat ze voor jou heeft gevoeld, en waarschijnlijk is de belangrijkste reden waarom ze terugkomt, dat ze jou om vergeving wil vragen. Geef haar die.'

Het duurde even eer Don antwoordde; toen mompelde hij, met zijn kin op de borst: 'Ik ben bang.'

'Voor haar? Is dat alles?'

'Nee, nee. Voor alles. Wanneer ik binnenkort ga... Alles. Ik dacht dat ik niet bang was, maar ik ben het wel.'

'Nou, je hoeft je over dat laatste echt geen zorgen te maken, God heeft dat in Zijn hand.'

'En dan is er nog iets.'

'Ja?'

'Ik heb het al met Joe besproken. Ik... ik wil dat hij met Annette trouwt. Ik wil dat hij voor haar zorgt. Dat zou u voor mij tot stand kunnen brengen.'

'Ik ga niets tot stand brengen. Absoluut niet. Als het is voorbestemd dat zij bij elkaar horen, dan zullen ze bij elkaar komen zonder dat anderen in dit huis zich ermee bemoeien.' Hij ging staan. 'Ik neem aan dat je zelf weet wat de gevolgen zijn van mensen die proberen iets tot stand te brengen. Je weet hoe je vader jou Annettes kant uit heeft geduwd. Ach, vergeef me, alsjeblieft.' Hij sloeg een hand tegen zijn voorhoofd. 'Ik moet in dit stadium mijn zelfbeheersing niet verliezen. Ik ben te oud om me nog over menselijke zwakheden op te winden.' Hij zweeg even toen hij tot zijn verbazing zag dat Don werkelijk glimlachte, en daarom zei hij op opzettelijk ruwe toon: 'En waar zit jij nou wel zo om te grijnzen? Ik heb het zwaar te verduren. Jij bent niet de enige, weet je.'

'U doet me altijd goed, eerwaarde. Weet u, ik heb het altijd jammer gevonden dat u priester bent geworden, u had op het toneel veel meer kunnen bereiken.'

'Te jouwer informatie, jongen, ik stá op het toneel. Wat denk je dat het priesterschap anders is dan een toneel waarop wij allen een spel opvoeren...?'

Het laatste woord stierf weg en hij boog zijn hoofd en zei zacht: 'Dat meende ik niet.' Toen stak hij zijn kin met een ruk omhoog en zei: 'Ja, toch wel. God laat Zich niet voor de gek houden. Hij kijkt voortdurend op dit toneel neer en slaat Zijn hoofdrolspelers gade. Als een goede regisseur heeft Hij ons uitgekozen. Maar Hij neemt de regie niet op zich, Hij laat dat aan ieder individu over, en sommigen vinden het stuk moeilijker te spelen dan anderen. Ik zal je eens wat zeggen...' Hij leunde met beide handen op het bed en bracht zijn gezicht tot vlak bij dat van Don, en hij herhaalde bijna fluisterend: 'Ik zal je eens wat zeggen. Weet je wat ik had willen worden als ik geen priester was geweest?'

'Psychiater?'

'Psychiater? Nee! Ik had clown willen worden, een heel gewone clown. Geen goochelaar of zo, niet een van die slimmeriken; gewoon een simpele clown. En ik had graag uitsluitend voor kinderen onder de zeven willen optreden, want daarna gaan ze hun verstand gebruiken, en het verstand sluit de verbazing uit. Heb jij ooit over verbazing, verwondering, nagedacht? Het is een eigenschap die slechts de kinderen gegeven is, maar ze verliezen die snel, heel snel.' Hij zuchtte, richtte zich op, en zei op andere toon: 'Zal ik je nog eens wat zeggen? Jij hebt een slechte invloed op me. Je bent net als Joe. Hij is het soort kerel dat maakt dat je iedere keer moet gaan biechten wanneer je met hem hebt gesproken.' Hij grinnikte even en zei toen met lage maar zachte stem: 'Welterusten, mijn zoon, en God zij met je, iedere minuut van de nacht.' Hierop liep hij de kamer uit, en Don legde zijn hoofd achterover in de kussens en zei: 'Ja, God zij met me, iedere minuut van de nacht.'

Joe wachtte de priester in de hal op en zei: 'Komt u nog even binnen, ik heb iets warms voor u te drinken.'

'Je zult misschien verbaasd opkijken, Joe, maar ik moet dit afslaan. Ik moet nog twee bezoeken afleggen en het loopt tegen bedtijd. Zorg ervoor dat hij zijn pillen vroeg slikt, wil je? Weet je, hij denkt dat ze is teruggekomen en op hem wacht.'

'Ja. Ik kreeg er zo'n vermoeden van, en ik denk dat hij gelijk heeft.'

'O, begin jij nou niet ook nog eens, Joe. Jij met je nuchtere verstand.'

'Wilt u daarmee zeggen dat iemand met een nuchter verstand een bord voor zijn kop heeft?'

'Nee, helemaal niet. Je weet best wat ik bedoel.'

'Harvey heeft ook iets gemerkt. Hij wist niet wat. Maar hij was nog maar net in het huis of hij zei: "Ik kan gewoon niet geloven dat ze weg is. Ik heb het gevoel dat ze nog steeds boven is, en niet op de gewone manier. Ik weet het niet."'

'Ach, in de cultuur waar hij uit stamt, leven ze nou eenmaal dichter bij de aarde dan wij.'

'Of dichter bij de goden.'

'Toe, Joe, probeer me op deze tijd van de avond, in deze toestand van mij, geen vliegen af te vangen op theologisch gebied. Toch begrijp ik wat je bedoelt, en hoewel ik twijfel aan de mening van iedereen, kan ik je zeggen dat ik ook weet dat ze hier is. Er zijn meer dingen tussen hemel en aarde dan wij kunnen bevatten. Nog één ding, en dan moet ik echt gaan. Hoe snel kan Annette weer thuiskomen? Want hij wil dat kind zien, en het is niet meer dan redelijk dat hij het te zien krijgt.'

'Ik vrees dat het nog wel een paar dagen zal duren.'

'O, nou ja, hij zal ongetwijfeld zijn uiterste best doen om het vol te houden. Ik kom morgenochtend om acht uur met de Heilige Communie. En het zou geen kwaad kunnen als jij die ook nam. Twee vliegen in één klap.'

'Ik zal het doen, meneer pastoor. Goedenavond.'

'Goeienavond, Joe.'

# 10

Don kreeg de volgende morgen de communie, maar zijn moeder bleef bij hem.

Ze begroeven haar op woensdag, en het was opvallend hoe weinig vrienden en vriendinnen van haar de begrafenis bijwoonden, want was ze niet krankzinnig geweest, en had ze niet geprobeerd haar man en andere gezinsleden te vermoorden? Naast Joe, Flo en Harvey werden er maar twintig andere mensen geteld, van wie tien arbeiders van Daniel waren. En buiten Joe, Flo en Harvey ging er niemand mee terug naar het huis.

Uit het gepraat om hem heen had Stephen begrepen dat zijn moeder vandaag zou worden begraven, maar hij had niet de wens te kennen gegeven de begrafenis bij te wonen; hij was zelfs op zijn kamer gebleven tot Joe naar hem toe was gegaan. 'Het geeft niet,' had Joe tegen hem gezegd, 'want ik wil graag dat jij hier blijft om op Don te passen, tot wij terug zijn.' Stephen had opgelucht gerateld: 'Ja, ja, Joe, dat zal ik doen. Ik zal op Don passen. Don vindt het leuk als ik kom. Ja, dat zal ik doen.'

Toen Joe thuiskwam, ging hij onmiddellijk naar Dons kamer. Daar liep hij echter niet regelrecht naar het bed, maar keek de zuster aan en zei: 'Mevrouw en meneer Rochester zitten even iets te eten; hebt u zin om hen gezelschap te houden?'

De zuster vatte de overduidelijke hint, glimlachte, en verliet de kamer. En Joe, die nu dicht bij het bed stond, keek op Don neer maar vond het moeilijk om iets uit te brengen. Don was degene die het meest beheerst leek, en hij zei rustig: 'En, is het achter de rug?'

'Ja, ja, het is achter de rug.'

'Dus nu zullen we zien. Maar… maar het doet er verder niet meer toe, ik ben niet bang meer voor haar. Dat ben ik de laatste dagen al niet meer geweest. Ik denk dat sinds ik de communie heb gekregen, alles vanbinnen rustig is geworden. Het leek wel het Heilig Oliesel. Alleen heeft hij dat nog niet ter sprake gebracht.' Hij glimlachte flauw. 'Pastoor Ramshaw, bedoel ik. Hij probeert het min of meer tot het laatste moment uit te stellen. Ik heb het Heilig Oliesel altijd net zoiets gevonden als het zetten van je handtekening onder een doodvonnis. Ach, Joe.' Hij stak langzaam zijn hand uit en greep Joe bij de pols. 'Kijk me nou toch niet zo aan, man. Vind je 't niet beter dat ik in staat ben erover te praten? Weet je, het is net als met mensen die bang zijn de naam te noemen van iemand die net is overleden. Ik heb dat altijd dwaas gevonden; het is net alsof je zo iemand buitensluit. Ik wil niet buiten worden gesloten, Joe. Ik wil niet dat jullie achter mijn rug om over me praten, als ik er niet meer ben.' Hij lachte kort.

'O, Don, in godsnaam!' Joe trok zijn hand weg. 'Zal ik jou eens wat zeggen? Jij breekt af en toe mijn hart.'

'Joe, het spijt me. Kijk me aan. Toe nou. Ik zal je iets vertellen. Weet je wat de dokter vanmorgen tegen me zei? Hij zei dat mijn hart regelmatiger is dan het in weken is geweest. Waarom zou dat nou zijn? En ik zei tegen hem: "Ik ga beter worden, ik krijg er genoeg van uw rekeningen te betalen." Toe nou, Joe, alsjeblieft.'

Joe draaide zich niet om, maar stamelde: 'Ik… ik ben zo weer terug.' En daarop liep hij de zitkamer in, en hij wilde juist op de bel drukken, die in de eetkamer en de keuken kon worden gehoord, om iemand voor Don te roepen, toen hij de deur van Dons kamer open hoorde gaan en Stephen hoorde zeggen: 'O, ik dacht dat Joe hier was. Hij had gezegd dat we zouden gaan biljarten.'

'Kom eens even bij me zitten.' Dons stem kwam als van ver weg. 'Joe komt zo weer terug. Hij is even een boodschap voor me gaan doen.'

Joe glipte naar buiten via de serre, de gang door, en vandaar naar zijn eigen kamers. Daar ging hij zitten en liet zijn hoofd in zijn handen zakken. Hij kon dit niet langer verdragen. Het tumult in zijn binnenste verscheurde hem. Hij wenste opnieuw dat hij mijlenver weg was. Er was een tijd dat hij dit huis had liefgehad, maar nu haatte hij het. Hij was er eveneens van overtuigd dat hoewel haar lichaam in het graf lag, haar geest hier nog steeds rondwaarde.

Na een tijdje kwam hij overeind en stond door het raam naar de tuin te kijken. De zon scheen fel. De weekend-winter was verdwenen, het was zelfs warm. De eerste boodschappers van het voorjaar, het perk met krokussen vlak onder het raam, begonnen uit te komen, en de narcissen stonden aan de andere kant van het pad al in knop. De tuin begon te glimlachen. Hij haalde diep adem.

Maar nu moest hij zich weer op het heden richten. Over een uur moest hij in het ziekenhuis van de een naar de ander gaan. Aan de andere kant echter, waarom eigenlijk? Ze wisten allemaal dat ze vandaag was begraven.

Hij had Annette moeten vertellen over het verblijf van haar schoonvader en Maggie, zo dichtbij. Toen hij haar had verteld wat hun was overkomen, was ze heel bang geworden en had gezegd: 'Dan komt ze ook hierheen, en ze zal proberen de baby te grijpen.' Daarom had hij, om haar te kalmeren, moeten vertellen dat haar schoonmoeder al dood was.

Op hem had ook de taak gerust dit nieuws aan Daniel te vertellen, en dat was pas gisteren gebeurd. De dokter had het afgeraden, en hij had willen antwoorden: 'Hij zal niet geschokt zijn. Hij zal alleen maar blij zijn het te horen.'

Zijn vader had twee dagen geleden voor het eerst tegen hem gesproken. 'Ze heeft het dan toch gedaan, Joe,' had hij gezegd.

Maar Maggie had gereageerd met: 'Ik denk dat ik in haar plaats hetzelfde had gedaan.'

Ach, zei Joe bij zichzelf, terwijl hij op de voorjaarsbloemen neerkeek, het zal over zijn als Don is overleden.

Maar wat dan?

Nou, hij moest gewoon afwachten wat er dan gebeurde. Maar wílde hij wel afwachten? In zijn binnenste begon iets te veranderen. Het leek wel of hij ook door elkaar was gerammeld, waardoor hij heel hardvochtig was geworden, want hij besefte dat als Don eenmaal stierf, hij vrij zou zijn, en als hij eenmaal vrij was, wist hij wel wat hij zou doen.

# 11

In het ziekenhuis gingen ze verschillende kanten op, waarbij Flo en Harvey Annette bezochten en Joe rechtstreeks naar Daniels kamer liep.

Daniel zat rechtop in bed. Het was alsof hij hem opwachtte.

'En, Joe?' zei hij.

'Hoe voel je je?'

'In zekere zin opgelucht. Volgens de röntgenfoto is vanbinnen alles oké. En ze hebben me hier en daar gehecht... Ze is altijd heel systematisch geweest. Wat is er vanmorgen gebeurd?'

'Wat kón er gebeuren, pa? We hebben haar begraven.'

'Nou, kijk me nou maar niet zo aan, alsof je verwacht dat ik zeg dat het me verdriet doet, of dat ik me schuldig voel, of wat dan ook. Wat ik de afgelopen dagen heb gevoeld, is intense bitterheid en spijt over alle verloren jaren waarin ik het met haar heb moeten stellen. Vergeven en vergeten, zeggen ze. Laat ze dat maar eens proberen na een half leven met iemand als zij te hebben doorgebracht.'

'Ze is dood, pa. En samen met haar is het verleden ook dood. Je zult het op die manier moeten bekijken.'

Daniel gaf hier geen antwoord op, hij wierp alleen een zijdelingse blik op Joe voordat hij zei: 'Hoe is het met Don?'

'Ongeveer hetzelfde. Maar ik denk dat Annette moet proberen zo snel mogelijk thuis te komen. Ik zal er met de dokter over praten voor ik wegga.'

'Maggie mag morgen naar huis. Ze is net een poosje bij me geweest. Ik ga met haar trouwen, Joe.'

'Ja, ja. Natuurlijk begrijp ik dat je met haar gaat trouwen.'

'Maar we blijven daar niet wonen. Dat is een ding dat ze-ker is. Zij wil het niet, en ik wil het zeker niet.'

'Dat kan ik ook begrijpen. Hoe zit het met Stephen? Waar gaat hij naartoe?'

'Hij gaat met ons mee. Hij is tenslotte mijn verantwoor-delijkheid.'

Joe had bijna zijn hart gelucht door te zeggen: 'Ik ben blij dat je het zo ziet, want je hebt hem jarenlang nagenoeg tot de mijne gemaakt.'

Wat mankeerde hem toch? Hij was moe. Hij moest voor-zichtig zijn met wat hij zei. Maar het volgende moment flap-te hij eruit: 'Heb je ook al bedacht wat er met Annette en de baby gaat gebeuren?'

'Waarom sla je die toon tegen me aan, Joe? Daar hoeft niet over te worden nagedacht. Als ze... als ze eenmaal al-leen is achtergebleven' – hij zweeg – 'zal ze naar het huis gaan dat voor hen was bedoeld. Dat laat alleen jou over. Wat ben jij van plan te gaan doen? Zou je in het huis willen blijven? Ik bedoel, ik kan het huis aan jou nalaten.'

'Nee, dank je wel! In dat huis blijven? Ik? In m'n eentje?'

'Nou, je hebt altijd gezegd dat je het een leuk huis vond, dat je er zelfs van hield. Afgezien van dat zíj het wilde, vond jij het het beste huis in de wijde omgeving, niet alleen vanuit architectonisch oogpunt, maar ook om het huis zelf.'

'De dingen veranderen. Mensen veranderen. Ik wil het huis niet. Zodra jij weer op de been bent, ga ik weg.'

'Weg? Waarheen?'

'Het maakt niet veel uit waarheen.' Hij deed een stap bij het bed vandaan, draaide zich toen om en zei: 'Misschien ga ik proberen mijn eigen familie te vinden... me eige lui, weet je wel.'

Hij liep de deur al uit toen Daniel hem riep: 'Joe! Joe!' Maar hij reageerde niet. Hij merkte dat hij transpireerde. Hij pakte een zakdoek en veegde zijn gezicht af terwijl hij zichzelf berispte, want Daniel was er nog slecht aan toe, en daarom had hij niet zo tekeer mogen gaan. Nou, Daniels li-chaam was dan misschien zwaar gehavend, maar met zijn verstandelijke vermogens en zijn geestelijke instelling was niets mis. En op dit moment zag hij hem als een man die zijn hele leven had gedaan wat hij wilde. Misschien was hij één of twee keer uit plichtsbesef gezwicht door bij zijn vrouw te blijven, maar voor de rest had hij er stiekem een ander leven op na gehouden, terwijl híj nooit dat soort leven had geproefd. Er was één meisje, een vrouw, die hij had begeerd, al vanaf dat hij voor het eerst haar hand had vastgehouden om haar de straat te helpen oversteken. En hij zou haar hebben gehad, daar was hij van overtuigd, als de man achter die deur, die als een vader voor hem was geweest, niet de behoefte had gevoeld zijn vrouw iets betaald te zetten. En dus had hij plannen gesmeed. En zijn zoon had ze nietsvermoedend uitgevoerd.

Nou, hij was nu zesentwintig jaar oud, en hij had de maagd kunnen zijn die zijn pleegmoeder in haar eigen zoon had verlangd, want hij was tot nu toe niet met een vrouw naar bed geweest. Niet dat hij het niet had gewild. Allemachtig! Ja, hij had het gewild. Waarom had hij het dan niet gedaan? Had hij niet tegen zichzelf gezegd dat als Don en Annette eenmaal waren getrouwd, dat dat einde verhaal was? En hij had ook gezegd dat als hij nooit zou trouwen, hij er toch wel de vruchten van wilde plukken. Maar wat was er gebeurd? Nou, het resultaat van wat er was gebeurd, was overal om hem heen te zien. En nu wachtte hij tot zijn broer was gestorven.

Néé, dat was niet waar!

Zijn gedachten dreven hem opnieuw voorwaarts, de gang door, naar de nieuwe afdeling waar Maggie naartoe was gebracht.

Ze zat in een stoel bij het raam, en ze keek blij op toen hij binnenkwam. 'O, hallo Joe. Ik ben blij je te zien. Ik mag morgen naar huis.'

'Dat heb ik gehoord.'

Hij ging tegenover haar zitten, en na een poosje keek ze hem aan en zei: 'Ik noemde het naar huis, maar ik moet je bekennen dat ik ertegenop zie om die deur binnen te gaan.

Ik wil er zo gauw mogelijk weg. Kun je dat begrijpen, Joe?'

'Ja, Maggie, dat kan ik heel goed begrijpen.'

Ze leunde haar hoofd achterover en keek hem even onderzoekend aan. 'Jij begrijpt de meeste dingen, Joe. Op de een of andere manier heb je dingen wel móéten begrijpen. Ik heb wel eens gedacht dat het voor de familie een goede zaak was dat jij erin bent gekomen, maar dat het slecht was voor jezelf.'

'Zo is het leven nu eenmaal, Maggie. Is dat trouwens geen vreselijk afgezaagde uitdrukking? Maar het is wel waar. Ik heb er zelf niets in te zeggen gehad, welke macht mijn leven dan ook mag hebben bepaald, en ik heb wel eens het idee dat er daarboven meer dan één de dienst uitmaken, en dat sommigen van hen blind en anderen cynisch zijn.'

'Doe niet zo verbitterd, Joe. Zo ben je helemaal niet. Wat is er toch aan de hand?'

'Ach, Maggie.' Hij gebaarde met zijn hand naar haar, en lachte toen. 'Dat moet jij nodig zeggen: wat is er aan de hand?'

'Nou ja, ik bedoel,' – ze werd een beetje kribbig – 'ik weet maar al te goed wat er is gebeurd. Dat hoef je mij niet te vragen. Maar zolang ik jou ken, heb je niet zo zuur gedaan.'

'Dat komt omdat ik mijn gedachten altijd inslikte voordat ze uit mijn mond glipten.'

Ze schudde treurig haar hoofd, en vroeg toen: 'Is… is er iets gebeurd wat ik nog niet weet?'

'Nee, Maggie, ik denk dat je van alles op de hoogte bent, behalve misschien dat pa heeft voorgesteld dat ik het huis overneem als hij weggaat. Ik denk dat ik daarom mijn gedachten niet langer kon inslikken.'

'Nee, zeg.' Ze knikte even. 'Dat was heel dwaas.'

'Ach, hij zei dat ik altijd van het huis leek te houden, terwijl ieder ander probeerde er weg te komen. Maar om daar nou in mijn eentje te gaan zitten, met… ja, met wie nog meer? O, het spijt me.' Hij pakte haar hand. 'Kijk nou maar niet zo zorgelijk.'

'Heb je ruzie met hem gehad?'

'Nee hoor, geen ruzie. Niet echt. Ik ben in elk geval blij dat je morgen thuiskomt, voor hoe kort of hoe lang dat ook mag zijn.'

'Ik zal moeten blijven tot Don…'

'Ja.' Hij ging staan en zuchtte. 'We zullen allemaal moeten blijven, zolang Don er nog is. Arme Don. We zitten allemaal te bidden dat hij niet doodgaat, en aan de andere kant zitten we er allemaal op te wachten.'

'Je bent écht van slag, hè, Joe?'

'Misschien. Hoe dan ook, ik zie je morgen, Maggie. Tot ziens.'

'Tot ziens, Joe. En Joe…' Hij draaide zich om terwijl hij de deur opendeed, want ze zei: 'Als ik niet verliefd was geweest op je vader, was ik beslist verkikkerd geraakt op jou, en dat had ik dan gezegd ook, hoe groot het leeftijdsverschil ook mag zijn.'

Hij stak zijn kin in de lucht en zei lachend: 'Dank je, Maggie. Dat is aardig om te weten. En ik zou me zeer vereerd hebben gevoeld.'

Toen hij de kraamafdeling bereikte en naar Annettes kamer ging, begroette Flo hem met: 'Het wordt tijd dat jij eens verstandig met haar praat; ze wil per se naar huis, en de dokter vindt dat niet goed.'

'O nee?' Hij ging naast Harvey staan, keek Annette aan en zei: 'Nou, als ik haar zo zie, lijkt ze me fit genoeg. Voelt u zich fit, mevrouw Coulson?'

'Ja, meneer Coulson, ik voel me zo fit als wat. En de baby doet 't ook prima. We willen naar huis.'

'Tja, zullen we dan maar even met de dokter praten, en de beslissing aan hem overlaten?'

'Mag een man van de wet ook iets zeggen?' Ze keken naar Harvey, die breed glimlachte, en Flo antwoordde: 'Het zou geen zin hebben te proberen u het zwijgen op te leggen, nietwaar, meneer?'

'Nou, zoals ik het zie, denk ik dat de persoon in kwestie als haar eigen dokter moet worden beschouwd. Zet voornoemde persoon in een rolstoel, breng haar over naar een automobiel, breng haar en voornoemd kind naar het huis en stop hen regelrecht in bed. Zou dat niet het eenvoudigst zijn?'

Annette glimlachte naar Harvey en zei: 'Dat klinkt verstandig. Wat vind jij ervan, Joe?'

'Ik vind nog steeds dat we de mening van de dokter moeten vragen. Maar ik zal eens even een praatje gaan maken met de hoofdzuster, dan kom ik zo weer terug.'

Toen hij de kamer uit was, wisselden Harvey en Flo een veelbetekenende blik en keken naar Annette, die zei: 'Ik heb nog nooit meegemaakt dat Joe zo korzelig doet. Maar... maar wat vinden jullie?'

'Hij doet een beetje kortaf.' Flo tuitte haar lippen en keek Harvey aan. 'Vind jij dat ook niet?'

'Nou, als jullie willen weten wat ik vind, dames, dan vind ik dat iedereen, en dan bedoel ik ook íédereen, Joe te veel op de schouders legt. Voorzover ik heb begrepen is hij altijd de voetveeg van iedereen geweest, heeft hij altijd alle problemen moeten oplossen. O, Joe doet dit wel, en Joe doet dat wel. En er moet iets zijn gebeurd waardoor Joe er genoeg van heeft gekregen. Misschien heb ik het mis, misschien is het iets anders. Ik weet het niet. Maar in de korte tijd dat ik hem ken, is de Joe van nu niet dezelfde als die ik heb leren kennen.'

Flo stond op van naast het bed en zei: 'Ik wou dat ik niet wegging, dat wij niet weggingen.' Ze keek haar man aan, en hij zei: 'Tja, we hebben nu eenmaal een besluit genomen.'

'Ja... ja, dat weet ik, en ik verheug me erop, en ik zei dat ook alleen maar omdat ik Annette veilig en wel thuis wil zien.' Ze veegde Annettes haar van haar voorhoofd naar achteren en voegde eraan toe: 'Maar als je eenmaal in je nieuwe huis zit, kun je een nieuw leven beginnen.' Haar stem stierf weg. Toen rukte ze zich los van het bed en zei: 'Grote God, wat zeg ik toch een stomme dingen!'

'Flo, ik ben echt niet boos of geschokt. Dat soort dingen maakt me echt niet van streek. Ik heb het al zo'n lange tijd geleden onder ogen moeten zien. Don zal binnenkort overlijden. Daarom wil ik naar huis. En jullie moeten naar Canada gaan en jullie nieuwe leven beginnen. Je zult vast heel gelukkig worden, met die grote, knappe kerel van je.' Ze stak haar hand uit, en Harvey greep die. 'Jullie schrijven me elke week, hè? En over een poosje kom ik... kom ik misschien met de kleine Flo voor een vakantie naar jullie toe.'

Ze bleven even zwijgend bij haar staan, totdat haar armen omhooggingen en om hun hals werden geslagen, en Flo's tranen zich met de hare vermengden toen ze hartverscheurend afscheid namen. En voor ze wegginng, zei Harvey tegen haar: 'Ik zal jullie altijd dankbaar zijn, Annette, dat jullie je zoon – als het een zoon was geweest – naar mij hadden willen vernoemen. Je hebt geen idee hoeveel dat voor mij betekent.'

Eenmaal alleen moest Annette een prop in haar keel wegslikken terwijl ze tegen zichzelf zei dat ze hier niet aan mocht toegeven, want als ze overstuur raakte, mocht ze niet naar huis. Toch zag ze er aan de andere kant tegenop om naar dat huis terug te gaan, ook al was Don daar nog steeds. Maar ze zou niet in staat zijn weg te gaan voordat hij het ook had verlaten. En Joe. Wat was er met Joe aan de hand? Ze had hem nooit eerder zo meegemaakt, zo afstandelijk. Hij was niet de Joe op wie ze kon bouwen, de Joe die er altijd was. Stel dat hij ook weg wilde? Alles veranderde. Dat was niet meer dan natuurlijk, maar ze had gedacht dat Joe zo iemand was die nooit zou veranderen. Hij was altijd heel stabiel, heel rustig, hij was iemand van wie je op aan kon. Maar hij moest zijn eigen leven leiden. Ze herinnerde zich dat ze hem een paar weken geleden in de stad met Mary Carter had zien praten. Ze was een heel knap meisje, van ongeveer zijn leeftijd. Ze was natuurlijk wel protestants. Maar ze dacht niet dat godsdienst voor Joe een probleem was, als hij haar echt wilde. Dan had je Irene Shilton nog. Zij had jarenlang achter hem aan gelopen, en ze was rooms-katholiek. Ze was heel knap, en jonger dan hij. Vreemd genoeg had ze haar nooit gemogen.

De deur ging open en de zuster kwam met de baby binnen. Toen het kind in haar armen werd gelegd, zei de zuster: 'Ze komt elke dag aan. Is ze niet schattig?' Maar Annette keek op en zei: 'Kan ik alstublieft zo gauw mogelijk met de hoofdzuster praten? Ik...'

'Is er iets aan de hand?'

'Nee, zuster, echt niet. U bent heel vriendelijk voor me geweest, maar ik wil naar huis. Mijn man is heel erg ziek, weet u. Ik wil dat hij de baby ziet.'

'Ja, ja natuurlijk. Ik zal het tegen de zuster zeggen.'

# 12

Het was acht uur de volgende morgen. Flo en Harvey stonden klaar om weg te gaan. Ze hadden afscheid genomen van Don en van het personeel, en nu stonden ze bij de auto waar Joe en Harvey elkaar de hand drukten.

'Je komt ons echt opzoeken, hè Joe? Je hebt het beloofd. Zul je het ook doen?'

'Dat zal ik zeker doen. Maak je daar maar geen zorgen over.' Toen voegde hij er lachend aan toe: 'Ik ben in staat om nu meteen mijn koffers te pakken en met jullie mee te gaan, maar ik weet dat jullie op dit moment geen behoefte hebben aan gezelschap.'

Flo lachte niet. Ze sloeg haar armen om Joes hals, kuste hem, en keek hem strak aan terwijl ze zei: 'Alles komt voor hem die wacht, Joe.' Ze gebaarde met haar hoofd naar waar Harvey stond te wachten, met het autoportier in de hand. 'Kijk maar naar wat er met mij is gebeurd.' Ze kuste hem opnieuw, en hij beantwoordde de kus.

Hij keek de auto na toen deze de oprijlaan afreed, met Flo's arm zwaaiend uit het raam, en Harveys hand even uit het andere. Maar toen ze weg waren, betwijfelde hij het of hij hen ooit weer zou zien.

Langzaam liep hij terug naar het huis. Alles komt voor hem die wacht.

Wacht waarop?

Toen hij Dons kamer binnenkwam, was de zuster juist klaar met het wassen van de patiënt, en ze borstelde een dikke pluk haar van zijn voorhoofd naar achteren terwijl ze kwetterde: 'Wat zijn we vandaag weer een knappe jongen.'

Het geluid deed pijn aan Joes oren. Welk effect het op

Don had, viel niet te zeggen. Hij keek naar Joe op en vroeg: 'Dus ze zijn weg?'

'Ja, ze zijn weg.'

'Zij weet 't niet,' – hij hapte moeizaam naar lucht – 'maar de dingen zullen daar niet gemakkelijk voor hen zijn.' Weer een hap lucht. 'Het zou me niet verbazen als ze… binnen de kortste keren… weer terugkomen.'

'Ach, ik denk dat ze heel goed beseffen wat hun te wachten staat. Ze hebben het hier doorstaan, dus dan kunnen ze het daar ook wel.'

'Je… je bent gekleed om uit te gaan.'

'Ja, ik moet af en toe ook eens naar m'n werk, weet je,' – Joe glimlachte – 'al was het maar om m'n neus weer eens te laten zien.'

'De zuster zei dat je licht… je licht om… halfdrie vannacht… nog aan was.'

'Wat een bemoeial, net als alle zusters.' Hij keek steels naar zuster Porter, die glimlachte en zei: 'Ik zal haar vanavond vertellen wat u over haar hebt gezegd. Ze is goed van de tongriem gesneden, u zult van haar lik op stuk krijgen.'

'Dat zou leuk zijn.' Hij beantwoordde haar glimlach. Toen keek hij weer naar Don en zei: 'Ik moet nu echt gaan. Rond lunchtijd kom ik weer thuis. Gedraag je een beetje, hè? Hoor je me?'

'Joe.' Dons stem was nu een heel zacht gefluister. 'Wanneer… wanneer… komt ze? Ik bedoel…'

'Dat kan nu elk moment zijn. Ik ga vanmiddag; waarschijnlijk breng ik haar dan mee.'

'Doe dat. Doe dat alsjeblieft, Joe.'

'Ik zal het doen.' Hij klopte op de magere schouder. 'Maak je maar geen zorgen, houd je maar rustig.' Hierop draaide hij zich om en liep de kamer uit, de gang door, naar zijn eigen cottage.

Toen hij wat papieren in een aktetas had gedaan, bleef hij er even naar kijken en herhaalde grimmig: 'Alles komt voor hem die wacht.' Allemachtig! Flo dacht zeker dat hij daarom rond bleef hangen… maar was dat dan niet het geval?

Nee. Nee! Hij wilde niet dat dat van hem kon worden gezegd.

Hij kwam rond etenstijd de hal binnen, en zag Maggie langzaam de trap af komen. Ze bleef staan, en hij stond onder aan de trap naar haar omhoog te lachen terwijl hij zei: 'Dus het is je gelukt?'

'Ja, het is me gelukt. Maar ik had niet in de gaten hoeveel het van me vergde voor ik een stap buiten het ziekenhuis zette. Maar voor je daar naar binnen gaat' – ze wees naar de ziekenkamer – 'moet je weten dat er bezoek is.'

Hij keek even in de richting die ze had aangewezen, en zei toen: 'Wie bedoel je? Annette?'

'Ja, Annette.'

'Maar hoe?'

'O, heel gewoon. Ze heeft Lily gebeld. Lily heeft haar en mijn kleren met een taxi gebracht, en zo zijn we naar huis gegaan – net zo gemakkelijk als wat. Kijk me nou maar niet zo aan, alles is goed.'

'Is de baby er ook?'

'Ja, en ze doet 't prima. Ze is de afgelopen week bijna een pond aangekomen.'

Maggie liep de trap verder af, bleef voor hem staan en zei nu zacht: 'Je had zijn gezicht moeten zien toen hij de baby van haar aanpakte. Weet je, het is net of hij er nieuwe levenskracht door heeft gekregen. Het zou me niet verbazen als…' Maar ze schudde haar hoofd, alsof ze haar gedachten wilde ontkennen. 'Het heeft hem in elk geval veel goed gedaan, dat kan ik wel zeggen.'

Hij gaf hier geen commentaar op, maar draaide zich om en liep naar de kamer van Don. Zijn stap was niet gehaast maar ook niet langzaam, en hij zette zich al schrap voor het tafereel voordat hij de deur opendeed. En daar was het: vader, moeder en kind, dicht bij elkaar.

Annette was de eerste die iets zei. Ze ging staan en zei: 'Je moet niet boos op me zijn, Joe, maar ik hield het geen minuut langer uit in die kamer. En ik voel me prima. Het gaat met ons allebei prima. Kijk haar eens!' Ze wees naar de baby die in de holte van Dons arm lag, terwijl een vinger van zijn andere hand over haar plukjes haar streek. Don keek hem aan en zei: 'Dit is... de gelukkigste dag van mijn... mijn leven, Joe. Is ze... is ze niet beeldschoon?'

'Zeg dat wel. Ze is beeldschoon.' Hij boog zich over hen heen, en toen hij zijn hand uitstak naar het kleine handje dat door de lucht maaide, greep dit zijn duim beet, waardoor hij zo'n dikke prop in zijn keel voelde, dat zijn ademhaling even stokte.

De verpleegster verbrak de spanning door te zeggen: 'Dat doen echt niet alle baby's, hoor. Maar ik zie 't al, ze heeft u meteen opgeëist. Kijk dus maar uit! Als ze 's nachts huilt, weet u wat u te wachten staat.'

'Ze huilt 's nachts helemaal niet,' zei Annette. 'Ze hebben in het ziekenhuis gezegd dat ze braaf doorslaapt.'

'En dat gaat ze nu ook doen,' zei de zuster. 'Dus geef maar gauw hier. En u,' – ze knikte naar Annette – 'gaat nu iets eten en daarna blijft u de hele middag in bed. Doe nu maar gauw wat u wordt gezegd. Ik heb mijn opdrachten en die geef ik aan u door.'

Toen de zuster de baby uit Dons armen had aangepakt, boog Annette zich over hem heen en keek hem even aan voor ze hem kuste. Hij sloeg zijn armen om haar heen en drukte haar tegen zich aan. Toen ging hij met gesloten ogen achteroverliggen, terwijl de tranen langzaam onder zijn oogleden vandaan druppelden.

Joe pakte Annette bij de arm en trok haar bij het bed vandaan, de kamer uit. Ze zeiden niets voordat ze bij de eetkamer waren, waar Annette ging zitten. Ze keek hem aan en zei: 'Ben je boos op me?'

'Nee. Hoe kom je daar nou bij?'

'Omdat... omdat ik op eigen houtje naar huis ben gekomen en niet nog een dag of zo heb gewacht, zoals ik had beloofd. Maar ik voel me prima, en ik vond dat ik hier moest zijn. Begrijp je?'

'Natuurlijk begrijp ik het.' Hij ging naast haar zitten. 'Ik ging af op wat de dokter zei dat het beste voor je was. Maar als zich enige verandering in de toestand van Don had voorgedaan, weet je dat ik je onmiddellijk naar huis had gebracht.'

'Hij ziet er vreselijk uit, Joe.'

'Vind je? Ik dacht... nou ja, ik dacht dat hij er misschien iets beter uitzag?' jokte hij dapper.

'Nee, nee. En dat komt niet doordat ik hem al meer dan een week niet heb gezien. Maar nu de baby thuis is, zal hij misschien wat opknappen. Wat denk jij?'

'Dat denk ik ook. Hij zal vast wel wat opknappen, hij zal doorzetten.'

Ze schudde haar hoofd en wendde zich van hem af. 'Dat geloof je niet. Ik ook niet. Ik heb nog even bij schoonpapa gekeken... of Dan, zoals hij wil dat ik hem noem. Hij zegt dat hij ook naar huis komt, maar hij ziet er nog steeds vreselijk uit. Hij heeft me verteld dat hij het huis gaat verkopen. Hij heeft zijn secretaresse al opdracht gegeven het te koop te zetten. Daar ben ik blij om. Ik vind dit een vreselijk huis, ik wou dat ik Don en de baby regelrecht mee kon nemen naar de cottage. Nee, stil maar.' Ze deed haar ogen dicht en stak haar hand naar hem uit. 'Ik weet best dat dat niet kan, maar... maar ik vind dat pa best even had kunnen wachten tot... nou ja...' Ze schudde haar hoofd. Toen keek ze hem weer aan en zei: 'Wat ga jij doen?'

'Maak je over mij nou maar geen zorgen, ik heb mijn plannen al klaar.'

'Je gaat de stad toch zeker niet uit?' Er klonk iets van ongerustheid in haar stem, en hij antwoordde: 'Nee, nee, natuurlijk niet. Ik heb mijn werk nou eenmaal hier.'

'Jij zou je werk overal kunnen hebben. Newcastle bijvoorbeeld. Durham, of waar dan ook... of zelfs in Canada.'

Ze liet haar hoofd hangen en mompelde: 'Ik voel me daarbinnen zo verlaten, Joe. Ik dacht... ik dacht dat mijn moeder misschien wel een keertje zou komen. Van mijn vader wist ik zeker dat hij nooit zou bijdraaien, maar... maar op de een of andere manier... Maar ze is niet gekomen.

Toen de kranten er vorige week vol mee stonden, zei een van de zusters tegen me: "Het is maar goed dat uw ouders niet in hetzelfde huis waren, toen uw schoonmoeder zo tekeerging. Ik wed dat ze opgelucht waren dat u in die tijd hier was." En toen ik begon te huilen, klopte ze me op de schouder en zei: "Ze zullen vast zo wel komen. Maak je maar niet ongerust."'

Haar gezicht was drijfnat van de tranen en hij moest zich vermannen om haar niet naar zich toe te trekken, maar hij pakte alleen haar hand, klopte erop, en zei: 'Stil nou maar. Je moet niet zo huilen. Als hij ziet dat je van streek bent, maakt dat hem alleen maar slechter. En je hebt de baby om aan te denken.'

'Trouwens,' – ze droogde haar tranen – 'waar is Stephen eigenlijk? Ik heb hem nog niet gezien.'

'Hij heeft de laatste dagen in bed gelegen. Hij heeft weer wat ongelukjes gehad, weet je. Ik denk dat hij Lily en Peggie heeft horen praten over dat dit huis waarschijnlijk wordt verkocht, en toen is zijn oude angst over in een tehuis te worden geplaatst weer bij hem bovengekomen. Hij is daar in het verleden zo vaak mee bedreigd. Ik heb geprobeerd hem uit te leggen dat waar pa en Maggie gaan, hij met hen mee zal gaan. Je hebt inmiddels wel begrepen hoe het er met die twee voorstaat.'

'Ja, nu weet ik het wel, Joe, maar ik had het eerder niet in de gaten. Ik moet toegeven dat ik een beetje verbaasd was, maar ik kan het hem, of hun, niet kwalijk nemen. Echt niet, Joe.' Ze kneep stevig in zijn hand en zweeg even voor ze zei: 'Denk je dat Dons verstand ook aangetast begint te raken?'

'Zijn verstand? Hoe kom je daarbij?'

'Nou, weet je, toen ik de baby in zijn armen legde, toen hield hij het kind omhoog alsof hij het aan iemand wilde laten zien, en hij keek naar het voeteneind van het bed en zei: "En dit is nou het resultaat." Het was net alsof hij daar iemand zag staan. Je denkt toch niet…?'

Hij nam haar hand in zijn handen en zei zacht: 'Hij begint echt niet zijn verstand te verliezen, liefje, maar hij denkt gewoon dat zijn moeder is teruggekomen. En hij verbeeldt het zich niet zomaar, weet je, want af en toe heb ik ook het gevoel dat ze hier is. Toe, alsjeblieft… begin nu niet zo te beven. Je hoeft nergens bang voor te zijn. Ze is weg. Ze is dood. Maar je weet zelf wat voor gevoelens ze voor hem had, en zulke dingen gebeuren, of we het geloven of niet. Ik had het een paar maanden geleden ook niet geloofd. Ik zou er echt helemaal niets van hebben geloofd.' Zijn stem klonk scherp. 'Maar ik weet net zo goed als hij dat ze daar in die kamer is. En dat is ook het probleem met die arme Stephen. We hebben geprobeerd het toe te schrijven aan het feit dat hij niet weet wat er met hem gaat gebeuren, maar waar hij eerst niet uit Dons kamer weg te slaan was, is hij nu bang om er binnen te gaan. De laatste keer dat hij er was, heeft hij zelfs ter plekke in zijn broek geplast. Dat is nog nooit eerder gebeurd. Heb jij iets vreemds gevoeld toen je er binnenging?'

'Nee, helemaal niet. Maar ik ben misschien niet lang genoeg in de kamer geweest. Ik was veel te blij om hem te zien.'

'Nou, als hij er tegen jou over mocht beginnen, moet je niet laten merken dat je bang bent. Zeg hem alleen maar dat ze hem geen kwaad kan doen. En weet je, het klinkt misschien gek, maar ik weet zeker dat ze hem geen kwaad wil doen. Ze wil Don gewoon hebben. Dat is ook zoiets dat ik zeker weet, want als de dood hem komt halen, zal zij ook weg zijn, want het zit voornamelijk in zijn hoofd.'

'Maar als het voornamelijk in zijn hoofd zit, hoe kun jij dan ook voelen dat ze er is?'

'Omdat het ook in mijn hoofd zit, denk ik. Liefde en haat kunnen een soort etherisch lichaam vormen. Zo heb ik het tenminste tegenover mezelf verklaard. We zijn met zijn drieën, drie mannen. Dons liefde, of welk gevoel hij ook voor haar heeft gehad, veranderde in haat door haar abnormale obsessie voor hem. Wat mij betreft, haar houding jegens mij heeft in de loop der jaren afkeer teweeggebracht. En die grensde wellicht ook aan haat. Maar in Stephens geval is het angst. Zijn angst heeft haar voor hem opgeroepen. Tja,' – hij zuchtte – 'dat is de enige verklaring die ik ervoor kan geven. Maar wat wij drieën weten, is dat ze nog steeds in die kamer aanwezig is. De sterkste emotie is echter die tussen Don en haar, en daardoor kan hij haar bijna zien, of zíét hij haar werkelijk. Maar zoals ik al zei, als hij eenmaal is heengegaan – en hij zal in vrede heengaan – dan is zij hier weg. En ik denk dat ze hem evenmin in haar armen zal kunnen nemen, want zij zullen niet bij elkaar komen.'

'Dat is iets heel vreemds om te zeggen, Joe.' Haar stem was rustig. 'Het is tegen alle principes van ons geloof, niet-waar? Het elkaar terugvinden, het ontmoeten van onze geliefden, de vergeving van zonden, het eeuwige leven, het Huis van de Heer. Wat heb je op dat alles te zeggen?'

'Dat is voornamelijk een mythe. Kijk maar niet zo ver-baasd. Ja, ik weet het, ik ga naar de kerk, ik biecht, ik bid de rozenkrans. Maar ik protesteer voortdurend. Ik heb er uit-voerig met pastoor Ramshaw over gesproken, en hij heeft mij op zijn vriendelijke, vaderlijke wijze verteld dat die twij-fels over zullen gaan. Iedere ware christen maakt zo'n stadi-um door, zegt hij. Nou, ik maak het nu al lange tijd mee, en door alles wat er is gebeurd, zijn die twijfels bijna zekerhe-den geworden. Toch is er veel kracht voor nodig om God he-lemaal overboord te zetten, Hem helemaal af te wijzen, en ik betwijfel het of ik zo sterk ben. Maar kijk nu maar niet zo bezorgd.'

'Ik ben niet bezorgd, Joe, ik ben alleen maar verbaasd, want je hebt precies die gevoelens onder woorden gebracht die ik op de kloosterschool had. Sommige nonnen waren als engelen, sommige als duivels. En als pastoor Ramshaw er niet was geweest, was ik al enige tijd geleden openlijk in op-stand gekomen, vooral na een uitbrander van kapelaan Cody. Die man heeft me aangepakt op mijn zonde, op de zonde van Don en mij samen, en hij zei dat ik langdurig boe-te moest doen en mijn vlees moest tuchtigen.'

'Nee, zeg! Je had dit aan pastoor Ramshaw moeten ver-tellen.'

'Nee, ik vind niet dat pastoor Ramshaw dat moet weten. Vreemd, hè?' Ze glimlachte even. 'Ik weet dat die twee elkaar intens haten. Dienaren van God die in één huis wonen en elkaar niet kunnen luchten of zien. O, maar wat doet het er ook toe? Daar gaat het nu toch allemaal niet om?'

'Ja, lieverd, toch wel. Kom nu maar, eet wat, en daarna kun je, zoals de zuster zei, Flo gaan voeden… Ze zijn vanmorgen vertrokken, dat weet je?'

'Ja, dat weet ik. Ze zijn nog even in het ziekenhuis bij me op bezoek geweest.'

'Echt waar?'

'Ja. Dat was heel leuk.'

'Wat aardig. Ik dacht dat ze regelrecht vertrokken. Maar je moet echt wat gaan rusten, alleen niet in die kamer. Jij gaat naar boven. Peggie had al een logeerkamer in gereedheid gebracht, met daarnaast een kleedkamer, die ze nu als babykamer heeft ingericht. Dus alles staat voor je klaar.'

'O, wat ontzettend aardig.' Ze stond op en liep naar de eettafel. Toen vroeg ze zacht: 'Ben jij de laatste tijd nog naar de cottage geweest, Joe?'

'Ja, ik ben er minstens om de dag even gaan kijken. Ik had die kant uit een cliënt zitten, dus dat was nogal eenvoudig. En ik moet zeggen dat ik niet weet waarom het een cottage heet, met negen kamers op meer dan een halve hectare land. Het is eerder een klein landhuis. Je zult het er erg naar je zin hebben, lieverd.'

Ze bleef hem lang aankijken, maar ze zei niets. En hij zei ook niets, want hij had het gevoel dat het een tactloze opmerking was geweest: het erg naar je zin hebben in een huis met negen kamers als je alleen bent met een baby.

# 13

Vanaf het moment dat Annette en de baby thuis waren gekomen, leek Don op te bloeien, in zoverre dat zijn ademhaling gemakkelijker ging. Hij klaagde minder over pijn, en hij
maakte grapjes met pastoor Ramshaw. Twee weken na de
thuiskomst van Annette stapte zijn vader de kamer binnen
en stak hij beide armen naar hem uit en beantwoordde de
omhelzing van zijn vader.

Daniels gezicht was aan één kant nog steeds wat blauw,
hij liep een beetje mank, en het was duidelijk dat hij was af-
gevallen.

Ze praatten de hele dag over van alles en nog wat, tot het
tijd werd om welterusten te zeggen. Toen zette Daniel zijn
ellebogen op het bed, pakte de hand van zijn zoon, en zei:
'Ze is hier niet. Prent dat nou maar in je hoofd, jongen, ze is
hier niet. Ze is voor altijd verdwenen.'

'Voel jij haar dan niet, pa?'

'Nee, nee, ik voel haar niet, behalve waar ze overal blauwe plekken op mijn lichaam heeft achtergelaten. Daar voel
ik haar wel. Maar nergens anders.'

'Ze is hier, pa. Ze is hier geweest vanaf de minuut dat ze
stierf.'

'Zeg, Don…'

'Het heeft geen zin om er verder over te praten, pa. En ik
ben niet de enige. Waarom denk je dat Stephen hier niet zit
te kletsen? Hij is al in geen dagen in de buurt van m'n kamer
geweest. Hij ligt in bed, zogenaamd omdat hij kou heeft ge-
vat. Hij wist dat ze hier was, en Joe weet het ook.'

'O nee, Joe niet. Daar is hij veel te nuchter voor…'

'Joe is helemaal niet nuchter, pa. Hij voelt haar bijna even sterk als ik. En ik weet één ding zeker: ze zal niet verdwijnen voordat ik ga. Maar ik ben niet bang... ik bedoel, ik ben niet bang voor haar. Ik ben medelijden met haar gaan krijgen. Maar ik weet dat ze me niet kan vasthouden. Dat heb ik haar verteld, en ze weet het. Het lijkt wel alsof ze dat weet, en dat ze me daarom hier tot het uiterste wil zien.'

'Je moet niet zo praten, jongen.'

'Pa... je begon haar te haten. Je hebt haar lange tijd gehaat, en hoe meer je haar ging haten, hoe meer ze van mij ging houden. En uiteindelijk, weet je, heb ik bedacht dat liefde sterker is dan haat, want het is haar liefde, of hoe je het ook wilt noemen, die haar hier houdt. Ik heb nu geen problemen meer met haar. Ik was eerst doodsbang, ziek bij de gedachte dat ze hier zou zijn, maar nu niet meer. En zelfs haar uiterlijk is veranderd. Ze is een beetje zielig. Ik heb medelijden met haar. En kijk nou maar niet alsof je schrikt, pa, want mijn verstand is echt niet aangetast, het is het enige wat het nog doet. Ik weet dat het nog gezond is.'

'Heb je er met pastoor Ramshaw over gesproken?'

'Ja, we hebben het vaak en openlijk besproken. Hij begrijpt het. Zoals hij zegt, er zijn meer dingen tussen hemel en aarde dan wij kunnen bevroeden, en dat is waar. Heb je al kopers voor het huis gevonden?'

'Ja, ik heb begrepen dat er belangstelling voor is.'

'Nou, die zullen dan nog even moeten wachten, hè?'

'Ik hoop dat ze nog jaren zullen moeten wachten, jongen.'

'O nee, niet zo lang, pa, niet zo lang. Wel gek, hè, dat dit huis uiteenvalt. Het leek vroeger zo hecht. Pa...?'

'Ja, jongen?'

'Maggie en jij gaan samen verder, dat weet ik, en Stephen zal met jullie meegaan. Goed, láát het daarbij. Probeer je er verder niet mee te bemoeien, hè? Zul je dat niet doen?'

'Hoe bedoel je, me ermee bemoeien?'

'Precies wat ik zeg. Laat... laat de anderen zelf hun leven bepalen.'

'De anderen? Wie bedoel je? We hebben verder alleen Joe en Annette.'

'Ja. Goed, ik weet dat alleen Joe en Annette er verder zijn. Maar wat er ook mag gebeuren, pa, laat de dingen op hun beloop.'

Daniel kwam overeind, keek op zijn zoon neer en zei treurig: 'Het bevalt me niets, Don… de manier waarop je dat zegt. Wat ik in het verleden ook mag hebben gedaan, ik deed het om je bestwil.'

'Ja, ja, dat weet ik, pa. Maar dat zeggen de meeste mensen, weet je… Ik deed het om… om zijn of haar bestwil.'

Daniel kneep zijn ogen een eindje dicht en keek naar het magere, bleke gezicht met de ingevallen ogen, het gezicht dat een jaar geleden nog het gezicht van een jonge kerel was geweest… nou ja, hoogstens van een jongeman van twintig. Maar de ogen die hem nu vanuit diepe oogkassen aankeken, konden die van een oude man zijn geweest die een heel leven achter de rug had en veel had meegemaakt. Hij zei zacht: 'Welterusten, zoon. Slaap lekker.'

'Welterusten, pa. Insgelijks.'

Het was twee weken later, en ongeveer zeven uur in de avond. Pastoor Ramshaw zat met Joe in de bibliotheek. Ze zaten een kop koffie te drinken, en de priester zei: 'Het is jammer dat ik Daniel ben misgelopen. Je zegt dat hij naar zijn oude huis onder aan Brampton Hill is gaan kijken?'

'Ja. Gek hè, dat dat nu net leeg moet komen te staan. Hij had daar eigenlijk nooit weg willen gaan. Het is een van de kleinste huizen op de heuvel, en een van de oudste. Ik denk dat het een van de eerste huizen was daar, voor de elite van de stad er hun villa's ging bouwen.'

'Ja, dat meen ik begrepen te hebben. En hij gaat daar wonen met Maggie en Stephen? Nou, dan is in elk geval een deel van de familie onder de pannen. Hoe zit 't met jou?'

'O, ik ben ook onder de pannen.'

'Hoe bedoel je? Heb je een flat?'

'Ja, zo'n beetje. Het zal binnenkort allemaal voor elkaar zijn.'

'Nou, ik denk niet dat je erg lang zult hoeven wachten.

Hij nadert zijn einde. Ik heb zo'n idee dat hij morgen moet worden bediend.'

'Maar... maar hij lijkt nog zo goed, eerwaarde. Ik dacht dat hij nog wel even te gaan had.'

'Het is allemaal schijn, Joe. Ik dacht dat jij dat wel door zou hebben. Maar hij weet dat zijn tijd bijna om is. Toen ik laatst een praatje met de dokter maakte, zei hij dat het hem verbaasde dat hij het nog zo lang volhield. Annette en de baby houden hem nog gaande, en hij is gelukkig. Het is vreemd, maar hij is gelukkig en toch ook klaar om te gaan. Als ik jou was, zou ik de komende nachten af en toe maar wat bij hem waken. Trouwens, wat gaat er met het personeel gebeuren, met Bill, John, Peggie en Lily?'

'Nou, Peggie gaat bij Annette in huis, en John gaat met pa mee. Bill en Lily blijven in de poortwoning, en als de nieuwe bewoners, wie het huis ook mag kopen, hen aan willen houden, is dat mooi, en anders zal pa iets voor hen regelen. Dus voor iedereen is gezorgd.'

'Nou, dat is mooi. En jij, ga jij in je eentje in die flat wonen?'

'Tja, wat zou u voorstellen, eerwaarde?' Joe tuitte zijn lippen terwijl hij op een antwoord wachtte. De priester trok wenkbrauwen op en zei: 'Nou, uit wat ik zo heb begrepen, hoef jij niet ver naar een partner te zoeken. Ik weet er twee in de kerk, en nog eentje erbuiten.'

'Hoe weet u het van juffrouw Carter?'

'Ach, ik weet zoveel, jongen. Het is verbazingwekkend zoveel nieuws als ik krijg, en waar het vandaan komt. Goed, heb je plannen met een van hen?'

'Misschien.'

'Dus je hebt erover nagedacht?'

'Ja, eerwaarde, ik heb er heel veel over nagedacht. Ik heb zelfs al een keuze gemaakt. Ik heb die een tijd geleden al gemaakt.'

De ogen van pastoor Ramshaw werden groot. 'Nou, nou! Dat is groot nieuws. Geen verwijzing naar wie het is?'

'Nog niet, eerwaarde. Ik zal het u zeggen als het zover is.

'Binnen de kerk, of erbuiten?'

'Ik zal u ook dat zeggen als het zover is.'

'Nou, dat is dan in elk geval iets om naar uit te kijken. Nu moet ik echt gaan. Ik heb genoten van die maaltijd. Er heeft in dit huis altijd een goed stuk vlees op tafel gestaan. En het is heel droevig, weet je.' Hij stond op en keek om zich heen. 'Het is een prachtig huis, vooral deze kamer, met al die boeken. Wat ga je ermee doen? Breng je ze naar een veiling?'

'Sommige, maar ik wil de meeste houden.'

'Voor je flat?'

'Voor mijn flat, dat een huis zou kunnen zijn.'

'Mooi, we maken vorderingen. De flat die een huis zou kunnen zijn. Nou, nou! Je weet hoe ik ben, Joe, als ik eenmaal m'n tanden in iets heb gezet, houd ik vol tot ik weet wie ik bijt. Maar het zal wel een verrassing voor me zijn, want ik dacht dat ik jou door en door kende.'

'In ons binnenste is altijd een diepte, meneer pastoor, die alleen de eigenaar ervan kan peilen.'

'Ja, daar heb je gelijk in, Joe. Desalniettemin…' Hij grinnikte even en liep de kamer uit, de hal door, naar de voordeur. Daar bleef hij even staan, keek achterom naar de trap, en zei: 'Als je vader dit huis niet aan iemand van de club verkoopt, zullen mijn bezoeken hier binnenkort worden gestaakt. Goeienavond, Joe.'

'Goedenavond, meneer pastoor. En ik weet dat u veel waarde hecht aan de werking van het gebed, dus u moet maar eens kijken wat dat aan die nieuwe bewoners kan doen.'

De priester wierp zijn hoofd achterover en lachte, terwijl hij zei: 'Dat is een goede raad, Joe. Ja, dat zal ik doen.'

Om tien uur wenste Annette Don welterusten, en hij nam haar gezicht in zijn handen en zei: 'Ik houd van je.' Waarop ze met trillende stem antwoordde: 'En ik houd ook van jou, Don. Ja, ik ook van jou.' Maar toen hij eraan toevoegde: 'Wees gelukkig,' maakte ze zich van hem los, liep naar de verpleegster die aan de andere kant van de kamer bezig was, en zei: 'Ik… ik denk dat ik vannacht hier beneden blijf slapen.'

'Dat is niet nodig, mevrouw Coulson. Als er enige verandering mocht zijn, zal ik u meteen waarschuwen.'

'Ik slaap toch liever hier.'

'Annette.'

Don zei vanaf het bed: 'Ga alsjeblieft boven naar bed, liefste. Ik ga nu slapen. Ik voel me prima, echt waar.'

Ze liep weer terug naar het bed. 'Toch slaap ik liever hier, Don, als je…'

Hij pakte haar hand. 'Doe wat u wordt gezegd, mevrouw Coulson. Ga naar bed. Als u op dat harde matras gaat liggen, zal ik me de hele nacht van u bewust zijn, en dan krijg ik geen rust. Bovendien wil ik graag dat mijn dochter goed wordt verzorgd.' Hij bleef haar doordringend aankijken, en zei toen: 'Alsjeblieft.'

Om haar emoties te verbergen draaide ze zich om en liep haastig de kamer uit. Maar in plaats van naar haar eigen kamer te gaan, liep ze verder, naar Joes appartement.

Toen er geen antwoord kwam op haar kloppen, liep ze naar binnen en riep zacht: 'Joe.' Toen daar ook geen antwoord op kwam, liep ze haastig de gang door, via de hal naar de keuken. Hij zou daar waarschijnlijk met Maggie zitten praten. Vreemd was dat, dat Maggie nog steeds – voorzover dat mogelijk was – in de keuken werkte en in haar eigen kamer sliep, en haar schoonvader boven. Fatsoensnormen moesten niet alleen in acht worden genomen, ze moesten ook zíchtbaar zijn. Maar na alles wat zij hadden meegemaakt, vond ze dit een beetje dwaas.

Maggie was echter niet in de keuken. Peggie zei dat ze in haar kamer was, en dat ze meneer Joe voor het laatst in de bibliotheek had gezien.

Ze vond Joe inderdaad in de bibliotheek. Hij zat aan de tafel in een paar boeken te bladeren, en toen hij haar zag, stond hij op en vroeg: 'Wat is er?'

'Ik weet het niet.' Ze schudde even haar hoofd. 'Hij lijkt wel goed, maar… maar het was de manier waarop hij zich gedroeg. Ik wilde daar slapen, maar dat vond hij niet goed.'

'Nou, ik blijf wel op, en als ik enige verandering mocht bespeuren, weet je dat ik je meteen kom halen.'

'Ja, dat zal wel zo zijn. Maar hij leek zo anders, een beetje kalm, en op een vreemde manier gelukkig. Het was heel vreemd, zelfs een beetje griezelig.'

'Stil nou maar. Hij is gewoon heel zwak, en hij reageert dan af en toe zo. Kom, ga jij nu maar naar bed. Ik beloof je dat ik je bij de minste of geringste verandering stante pede kom halen.'

'Beloof je dat echt?'

'Dat heb ik toch gezegd?'

Ze draaide zich abrupt om en liep naar de deur. Maar daar bleef ze staan, keek naar hem om en zei: 'Vreemd, hè, dat pa teruggaat naar het huis waar hij vroeger heeft gewoond. Het lijkt wel of iedereen een plekje heeft gevonden, zelfs jij. Ik hoorde van pa dat jij hem had verteld dat je een huis had, een soort huis. Klopt dat?'

'Ja, dat klopt, Annette.'

'Ga je het meubileren met spullen van hier?'

'Nee, nee. De enige dingen die ik hiervandaan meeneem zijn mijn boeken en papieren, want er is hier verder niets wat echt van mij is.'

'Dus het is allemaal al geregeld?'

'Ja, het is allemaal al geregeld. Voor deze ene keer in mijn leven ga ik iets doen wat ikzelf leuk vind, en iets waarvan ik weet dat ik het al veel eerder had moeten doen.'

'Ja, dat begrijp ik, Joe. Jij hebt nooit kunnen doen wat je zelf wilde. Je hebt altijd voor anderen klaargestaan, de laatste tijd zelfs voor mij. Nou, ik ben erg blij voor je. Welterusten. En... je zult me roepen?'

'Ja, ik zal je roepen. Welterusten.'

Hij liep terug naar het bureau, raapte zijn papieren bij elkaar, zette de boeken in de kast op hun plaats, en liep toen de kamer uit om naar zijn eigen onderkomen te gaan. Daar nam hij een snelle douche, deed zijn ochtendjas en pantoffels aan, en liep toen naar de ziekenkamer.

Hij had nauwelijks de deur achter zich dichtgedaan, of de verpleegster begroette hem met: 'We zijn vandaag heel ondeugend. Hij wil zijn pillen niet nemen. Wat moeten we daaraan doen, meneer Coulson?'

'Zijn neus dichtknijpen. Dat is de enige manier die ik weet te bedenken.'

'Dat zal hij niet leuk vinden.' Ze keek naar het bed en glimlachte. En Joe zei: 'We moeten in het leven wel meer dingen doen die we niet leuk vinden.'

Joe ging naast het bed zitten, en Don keek hem aan en zei: 'Vooruit dan maar, geef maar hier. Wat zie jij er vanavond fris en knap uit, Joe.'

'Ik weet niets van knap, maar fris, ja, ik kom net onder de douche vandaan.'

'Ja, je haar is nog nat. Gek, ik heb altijd een hekel gehad aan nat haar. Ik wilde het altijd meteen met de föhn drogen, weet je nog?'

'Ja, ik weet het nog.'

'Hoe is het weer?'

'O, het is een heel rustige avond, kalm, er staat geen zuchtje wind, het is zelfs vrij warm.'

'Dat is fijn. Ik voel me heel kalm, Joe, heel kalm. Zuster!' Hij keek naar de zuster. 'Kunt u misschien een beker warme chocolademelk voor me maken?'

'Een beker warme chocolademelk? Natuurlijk. Maar u hebt nooit eerder om deze tijd van de avond om chocolademelk gevraagd.'

'En toch heb ik daar nu zin in, zuster.'

'Goed, dan zult u het krijgen.'

Ze liep glimlachend de kamer uit.

'Warme chocolademelk?' Joe grinnikte even. 'Waar is dat goed voor?'

'Ik wilde gewoon even met je praten, Joe. De tijd dringt. Ze is weg. Ik heb je verteld dat ze zou blijven tot ik klaar was om te gaan. Nee... beste kerel, beste vriend, en ja, lieve broer, kijk nou niet zo, maar wees blij dat ik op deze manier ga. Weet je, ik voel op dit moment geen enkele pijn in m'n li-

240

chaam. Het lijkt zelfs wel of ik geen lichaam meer heb. Ik heb hier niets over gezegd, maar ik heb al in geen twee of drie dagen meer iets van pijn gehad. Het lijkt wel of ik steeds lichter word. En ik ben niet bang, niet voor moeder, niet voor de dood, niet voor het hiernamaals. Wees blij dat ik zo ga. Ik wil dat je vannacht bij me blijft. Dat je gewoon daar blijft zitten.'

Joes stem brak toen hij zei: 'Ik moet Annette eigenlijk halen.'

'Nee, nee. Ik heb al afscheid genomen van Annette. Dat weet zij ook. Ik kon het niet verdragen om haar te zien huilen. Dan zou ik niet gemakkelijk kunnen gaan. Maar met jou, Joe, is het anders. Jij bent de enige met wie ik ooit heb kunnen praten, echt praten bedoel ik, om te zeggen wat ik van iets vind. Ik ga mijn ogen nu dichtdoen, Joe, en als de zuster komt, zeg je maar dat ik in slaap ben gevallen. Straks gaat ze in haar stoel daar zitten, en dan valt ze in slaap. Zo gaat het elke nacht.'

'Maar ik dacht dat jij net je pillen had genomen?'

'Ik ben daar heel slim in geworden, Joe. Weet je, je kunt dingen heel lang onder je tong bewaren.'

'O, Don!'

'Ik moet echt lachen als ik je mijn naam zo hoor zeggen, weet je dat wel? Je klinkt net als pastoor Ramshaw. Een goeie vent is dat. Hij wist ook dat ik mijn pillen vaak 's avonds niet neem, die slaappillen. Die andere, en dat bruine spul, ja, die heb ik af en toe wel móéten nemen. Maar zoals ik al zei, die heb ik de afgelopen drie, vier dagen niet hoeven nemen. Weet je, Joe, toen ik voor het eerst in dit bed werd gelegd, was ik verbitterd. Lieve God, wat was ik verbitterd, en toen ze me uit die verdoofde slaap wakker maakten, kon ik het wel uit gíllen. Ik kan niet precies zeggen op welk moment dat is veranderd. Weet je, Joe, ik heb deze afgelopen maanden een langer leven geleid dan in al die jaren ervoor. En ik weet dat als ik negentig of honderd was geworden, ik niet half zoveel zou hebben begrepen als wat ik deze afgelopen dagen ben gaan begrijpen. Ik heb heel veel geleerd in de tijd dat ik hier heb gelegen, dus het spijt me niet dat dit alles is gebeurd. Vind je het niet vreemd dat ik zeg dat dit me niet spijt? En dat terwijl ik een knappe jonge vrouw en een kind achterlaat. Maar over hen maak ik me ook geen zorgen. Goed, Joe, goed, ik zal niet verdergaan. Wat zo moet zijn, moet zo zijn. Ik zal je nergens mee opzadelen; jij moet je eigen leven leiden. Pastoor Ramshaw liet zich onlangs ontvallen dat jij een oogje op iemand had. Hij zat me aan te sporen om uit te vissen wie dat wel mocht zijn, maar ik kon het hem niet vertellen, en ik vraag het je nu ook niet, Joe. Ieder mens heeft het recht om van gedachten te veranderen, en Annette en het kind zijn in Gods hand. Hij zal voor hen zorgen. Kijk nou maar niet zo bezorgd, Joe, en zeg niets. Zeg alsjeblieft niets. Ik begrijp alles.'

'Je begrijpt er niets van. Wie denk je trouwens dat je bent? God soms?'

'Toe Joe, maak me niet aan het lachen. Dat is gek, weet je. Ik heb pijn wanneer ik moet lachen. O, daar heb je haar. Ze loopt heel zwaar, die, ze stampt op het tapijt. Houd m'n hand vast, Joe, en blijf die vasthouden, wil je?'

Joe pakte de hand die naar hem was uitgestoken, en toen de deur openging, kon hij zich alleen maar omdraaien en naar de zuster kijken, toen die binnenkwam met een dampende beker chocolademelk op een dienblad. Hij kon niets tegen haar zeggen, maar hij gebaarde haar dat de patiënt sliep, en ze haalde haar schouders op, glimlachte, zette de chocolademelk op een nachtkastje en ging toen zelf in een leunstoel zitten.

Joe wist niet hoe laat Don was gestorven. Hij had lange tijd met wijdopen ogen gezeten, met de bleke hand in de zijne. Hij keek een keer op de klok, die kwart over één aanwees. En ongeveer rond die tijd werd de verpleegster wakker en zei verontschuldigend: 'Ik ben kennelijk in slaap gevallen. Alles rustig met hem?'

Hij knikte naar haar. Ze kwam niet naar het bed toe maar was een tijdje bij de tafel bezig. Toen ging ze weer zitten, schreef iets in een notitieboek, en zat binnen de kortste keren zo niet te snurken, dan toch wel zware nasale geluiden uit te stoten.

Zijn arm en pols waren verkrampt, maar hij verroerde zich nog steeds niet. Hij probeerde wel zijn stoel iets dichter naar het bed toe te schuiven om de spanning in zijn schouder iets te verlichten. Het was enige tijd daarna dat hij zijn ogen dichtdeed, en het duurde ook weer enige tijd voor een stem zei: 'O, meneer Coulson. Meneer Coulson!'

Hij deed zijn ogen direct wijdopen en staarde naar de zuster die aan de andere kant van het bed stond terwijl ze Dons andere pols tussen haar vingers hield.

'Ik vrees… helaas, meneer Coulson…'

Hij keek naar het gezicht op het kussen. Het leek warm en levend, maar was toch stijf, alsof het uit steen was gehouwen. Het had een slapend gezicht kunnen zijn, maar dat was het niet.

'Hij is… hij is heengegaan, meneer Coulson.'

'Ja, ja, dat weet ik.' Langzaam tilde hij de magere witte hand op en maakte zijn vingers los, en pas toen haalde hij langzaam zijn verkrampte arm van het bed.'

'Ik… ik zal de dokter maar bellen.'

'Ja. Ja, zuster.'

'En… en ik zal zijn vader en zijn vrouw waarschuwen.'

'Laat dat maar aan mij over.'

Waarom was hij zo kalm? Het leek wel of hij zich de gevoelens eigen had gemaakt die Don kortgeleden nog onder woorden had gebracht. Hij voelde geen verdriet, geen berouw, alleen maar een intense rust, zoals die werd uitgedrukt door het gezicht op het kussen, en die de hele kamer leek te vullen, want het was waar, zij was ook heengegaan. Ze was zonder meer verdwenen.

Hij strekte zijn armen en liep naar de deur. Maar hij merkte dat hij de kruk niet met zijn rechterhand vast kon pakken, dus deed hij het met zijn linkerhand.

In plaats van naar de hal te gaan, de trap op, om Annette en zijn vader op de hoogte te stellen, liep hij de andere kant uit, naar zijn eigen kamers. Vanuit zijn zitkamer deed hij de deur van de serre open en stapte de nacht in, die helder was van het maanlicht. De volle maan hing als een enorme gele kaas aan een lichtblauwe hemel. De lucht was koel, en er stond een lichte bries. Hij voelde het door het zweet op zijn voorhoofd. Hij keek omhoog, naar het enorme uitspansel van niets, waarin slechts de maan zweefde en de sterren twinkelden en waarin Don en zijn moeder waren verdwenen, maar ieder in een andere richting.

# 14

Binnen enkele weken was het huis verkocht en bijna volledig van alle meubilair ontdaan. Daniel had zijn nieuwe huis ingericht met de betere stukken, en Maggie en Stephen waren er al geïnstalleerd.

De nieuwe eigenaars van het huis hadden ermee ingestemd om Bill en Lily in de poortwoning te laten wonen. Het enige wat nu nog restte was dat Annette, de baby en Peggie naar de cottage moesten worden verhuisd. En het was vreemd dat, hoewel het weken geleden was dat Don vanuit het huis was begraven, Annette nog steeds aarzelde om er voor altijd uit te vertrekken. Ze was bijna elke dag naar de cottage heen en weer gereden, om er 's avonds te gaan slapen. Vandaag was het echter hun laatste dag hier, en dat gold ook voor Joe. En waar ging Joe naartoe?

Deze morgen had hij pas zijn koffers met kleren en de dozen met boeken in de auto gezet en was ermee naar zijn nieuwe huis gereden. Waar was dat? Tot nu toe wist niemand het, en Daniel stelde hem nu die vraag. Ze stonden in de lege zitkamer, en toen Joe hem vertelde waar hij ging wonen, antwoordde Daniel even niet. Toen zei hij: 'Dat kun je niet doen, man.'

'Waarom kan ik dat niet doen?'

'Nou, er zal worden gekletst.'

'Godallemachtig, pa, en dat moet jij tegen mij zeggen!'

'O, ik weet het, ik weet het, maar mijn leven is mijn leven, en ik zal zelf de gevolgen moeten dragen, zo ben ik altijd geweest. Maar bij jou ligt dat anders. Jij bent zesentwintig, en niemand kan ook maar dát tegen jou inbrengen.'

'Grote God! Ik kan m'n oren niet geloven.'

'Ik zeg het alleen maar om je bestwil. Er zal gekletst worden.'

'Ja, er zal gekletst worden. En wat zal het mij verdorie uitmaken wíé er kletst? Wat mij op dit moment het meest verbaast, is de manier waarop jíj kletst.'

'Goed, goed. Ik wil niet met je redetwisten, Joe. Ik kan het niet meer opbrengen om te kibbelen.'

'Daar merk ik anders niets van.'

'Ik denk alleen maar aan jou.'

'Je denkt alleen maar aan mij? En aan kapelaan Cody? En pastoor Ramshaw? Nou, laat me je dit wel zeggen, je kunt pastoor Ramshaw buiten beschouwing laten.'

'In dit geval betwijfel ik dat.'

'Dan moeten we gewoon maar afwachten, nietwaar?'

Toen Joe zich omdraaide, zei Daniel: 'Joe, Joe, wat gebeurt er toch met ons? Het lijkt wel of we door een bom zijn geraakt, een tijdbom uit de oorlog, die ons alle kanten uit slingert. Jij en ik, we moeten niet op deze manier uit elkaar gaan. Jij bent alles wat ik nog als zoon heb, en daarom heb ik dit juist gezegd.'

'Nou, je hebt anders nóg een zoon, pa, als je er zo nodig eentje moet hebben; maar hij moet zijn eigen leven kunnen leiden, zoals jij jouw eigen leven hebt geleid. En vergeet niet dat je dat met volle teugen hebt gedaan. Ik heb nog geen slokje van mijn leven kunnen nemen, maar dat ga ik wel doen. Maak je echter geen zorgen, ik kom nog wel bij je langs, misschien vanavond nog, en anders morgen. Dus voor dit moment pa, tot ziens.'

In de hal stond Annette met de baby in haar armen, en hij zei: 'Ben je klaar?'

'Ja, Joe. Maar… maar je hoeft me echt niet te brengen. Peggie kan elk moment met de auto terug zijn. Ze is alleen maar even de stad in om naar haar moeder te gaan. Ik kan wachten.'

'Nou, ik heb op dit moment niets anders te doen.'

'Is jouw huis helemaal op orde?' Haar stem klonk wat stijf toen ze die vraag stelde, en hij zei: 'Ja. Alles is op orde, en het ziet er gezellig uit.'

'Je doet er heel geheimzinnig over, vanwaar?'

'Ach, je zult de reden wel ontdekken. Het zal je binnenkort allemaal duidelijk worden.'

Ze wierp hem een zijdelingse blik toe, en liep toen naar de voordeur. Maar daar draaide ze zich om en keek in de hal om zich heen, naar de trap, en zei toen met grimmige stem: 'Als er ooit een ongelukkig huis is geweest, dan is het dit wel. Ik bid God dat ik nooit meer in zo'n huis zal hoeven wonen.'

'Bid God dat dit nooit meer zal gebeuren.'

Hij deed het achterportier voor haar open en legde de baby op haar schoot. Daarna ging hij achter het stuur zitten.

Ze hadden al enige tijd gereden voordat ze zei: 'Waar dat huis van jou ook mag staan, is het dichtbij genoeg om af en toe eens langs te komen?'

'O ja, zeker.'

'Joe?'

'Ja, Annette?'

'Kun je 't me niet vertellen? Waarom houd je die plek geheim?'

'Tja, Annette,' – hij zweeg even, want ze naderden een kruising – 'dat leek me gewoon het beste. Weet je, er is een jonge vrouw bij betrokken, en ik vond dat ik lang genoeg met haar heb getreuzeld. Ik wilde de dingen min of meer abrupt tot een oplossing brengen.'

'Ik begrijp je niet, Joe, ik begrijp je de laatste tijd helemaal niet.'

'Ach, Annette, ik heb mezelf ook lange tijd niet begrepen, maar nu begrijp ik alles en weet ik wat ik wil.'

'Nou, dat is het belangrijkste, hè?'

'Ja, dat is het belangrijkste, Annette.'

Er werd niets meer tussen hen gezegd toen de auto de rest van de reis door een fraai landschap snelde. En toen rolden ze over een korte oprit en stopten voor het langwerpige, grijze huis van twee verdiepingen.

Hij deed de voordeur open naar een kleine hal, en ze stapte voor hem uit naar binnen, om abrupt te blijven staan bij de aanblik van vier koffers die naast elkaar bij het telefoontafeltje stonden. Ze draaide zich met een ruk om, keek hem aan, waarop hij zei: 'Ja, ja, die zijn van mij. Er is ook nog een aantal dozen met boeken, weet je, maar die heb ik op zolder gezet.'

Ze deed drie stappen bij hem vandaan terwijl hij zei: 'Kijk uit, je struikelt nog over die stoel! Kom, ga eens zitten.'

Hij duwde de deur van de zitkamer open, nam toen de baby van haar over en ging de kamer binnen om het kind in een diepe fauteuil te leggen.

Ze was hem niet gevolgd, maar stond nog steeds bij de deur, en dus liep hij naar haar terug, pakte haar bij de hand en liep met haar naar de bank. Hier duwde hij haar omlaag, ging naast haar zitten en zei: 'Dit is mijn nieuwe flat, ik logeer hier. Ik heb boven aan het eind van de gang al een paar kamers uitgezocht. Daar weet ik me voorlopig te redden. Wat vind je ervan?' Hij stak zijn hand uit en gebaarde naar de kamer. 'Leuk huis, hè?'

'Houd op, Joe! Houd op!'

'Nee, ik houd niet op.' Zijn toon veranderde, en alle scherts was nu verdwenen. 'Ik doe wat ik al jaren geleden had moeten doen. Ik had me niet in een hoek moeten laten duwen. Dat weet jij, en dat weet ik. En Don wist het ook. Ja, Don wist het ook. Je was van mij, lang voordat je van hem was. Dat wisten we allebei. Ik weet niet hoe het jou bij dit alles is vergaan, maar ik weet zeker dat als ik had gesproken voordat pa met zijn intriges begon, ik jou nu als vrouw had gehad, en we een gezin waren geweest. Je ging van Don houden. Dat kan ik niet ontkennen. En hij hield van jou. Jawel, hij hield van jou. Jullie hielden van elkaar. Maar dat was een tussenspel. Zoals ik het nu zie, was het dat, en niet meer – een tussenspel. Achteraf bekeken ben jij vanaf het eerste begin van mij geweest. Kun je je voorstellen hoe ik me voelde toen ik werd gedwongen de rol van grote broer aan te nemen? Kun je je dat voorstellen? O, liefste, ga nou niet huilen. Niet huilen. Ik wil met je praten. Ik heb nog veel meer te zeggen, en dat is dit: ik heb zo lang gewacht, dat ik nu ook kan blijven wachten tot je zover bent, maar ik wil dicht bij je zijn, en ik wil weten dat je van mij bent, en dat we eens op een dag gaan trouwen. En ik kan er alleen maar de hoop aan toevoegen dat dit spoedig zal zijn. Maar zal ik jou eens wat vertellen? Pa heeft me, vlak voordat ik wegging, gewaarschuwd dat er zou worden gekletst. Hij was heel ontdaan toen ik hem vertelde wat ik wilde gaan doen. Kun je je dat voorstellen? Maar het punt is dit, Annette. Het gepraat zou terecht kunnen zijn, of niet terecht. Ik laat dat aan jou over, en op het moment dat jij beschikt. Maar weet dit wel: ik heb je lief. Ik heb je altijd liefgehad en ik kan me niet voorstellen, zelfs na al deze tijd niet, dat ik je ooit niet meer lief zou hebben. En omdat ik zoveel van je houd, heb ik het gevoel dat het onmogelijk moet zijn dat jij niet op de een of andere manier, op een gegeven moment, ook van mij houdt.'

'Joe! Joe!' Ze had haar ogen dichtgedaan. Haar hoofd viel tegen hem aan en rustte op zijn schouder terwijl ze stamelde: 'Ik houd echt van je. Ik houd nu van je. Ik heb hier vreselijk veel schuldgevoelens over gehad. Ik hield van Don, echt waar. Maar ik hield ook van jou. Al die tijd heb ik geweten dat ik van jou hield, en niet alleen maar als broer. O, Joe! Joe!'

Zijn kin lag op de kruin van haar hoofd, zijn ogen waren stijf dicht, zijn tanden beten in zijn onderlip. Toen duwde hij haar gezicht van zijn schouder omhoog en legde zijn lippen zacht op de hare. En toen ze hem omhelsde, schoten hem de woorden van Flo weer te binnen: 'Alles komt voor hem die wacht.' Met twinkelende ogen zei hij zacht: 'Je weet dat het geklets niet van de lucht zal zijn. Ben je daarop voorbereid?'

'Ja, Joe.' Haar gezicht was nog nat, de tranen stroomden over haar wangen, toen ze herhaalde: 'Ja, Joe. En onze oren zullen ervan tuiten.'

'En kapelaan Cody zal een donderpreek tegen ons afsteken.'

Ze omhelsden elkaar opnieuw, en Joe voegde eraan toe: 'Reken maar dat hij dat zal doen. Zelfs als we niets méér doen dan dit,' – hij kuste haar op het puntje van haar neus – 'zal hij ons er met zijn toorn van langs geven.'

Ze keek hem kalm aan en zei: 'Tja, dan moeten we er maar voor zorgen dat we er terecht van langs krijgen, nietwaar, Joe?'

'Ach, liefste!'

Ze kusten elkaar behoedzaam en leunden achterover tegen de bank. Maar toen er een kleine kreet uit de stoel klonk, viel hun mond open en schoten ze in de lach. Daarop sprong Joe overeind, pakte de baby op, wiegde haar heen en weer en riep: 'Luister jij eens goed, Flo Coulson, je moeder houdt van me. Hoor je dat? Je moeder houdt van me. Alles komt voor hem die wacht. Je moeder houdt van me.'